Reclam XL | Text und Kontext

Franz Kafka
Der Process

Herausgegeben von Ralf Kellermann

Reclam

Der Text dieser Ausgabe ist seiten- und zeilengleich
mit der Ausgabe der Universal-Bibliothek Nr. 9676
(Neuausgabe 2013).

Zu Kafkas *Der Process* gibt es in Reclams Universal-
Bibliothek:
– einen *Lektüreschlüssel für Schülerinnen und Schüler* (Nr. 15371)
– *Erläuterungen und Dokumente* (Nr. 8197)
– eine Interpretation in: *Franz Kafka. Romane und Erzählungen*
  in der Reihe »Interpretationen« (Nr. 17521)

Reclam XL | Text und Kontext | Nr. 19126
Alle Rechte vorbehalten
© 2013 Philipp Reclam jun. GmbH & Co. KG, Stuttgart
Gestaltung: Cornelia Feyll, Friedrich Forssman
Satz: pagina GmbH, Tübingen
Druck und Bindung: Reclam, Ditzingen. Printed in Germany 2013
RECLAM ist eine eingetragene Marke
der Philipp Reclam jun. GmbH & Co. KG, Stuttgart
ISBN 978-3-15-19126-2

Auch als E-Book erhältlich

www.reclam.de

Die Texte von Reclam XL sind seiten- und zeilengleich
mit den Texten der Universal-Bibliothek.
Die Reihe bietet neben dem Text Worterläuterungen
in Form von Fußnoten und Sacherläuterungen in Form
von Anmerkungen im Anhang, auf die am Rand
mit Pfeilen (↗) verwiesen wird.

Der Process

Verhaftung

Jemand musste Josef K. verläumdet haben, denn ohne dass er
etwas Böses getan hätte, wurde er eines Morgens verhaftet.
Die Köchin der Frau Grubach, seiner Zimmervermieterin, die
5 ihm jeden Tag gegen acht Uhr früh das Frühstück brachte,
kam diesmal nicht. Das war noch niemals geschehn. K. wartete noch ein Weilchen, sah von seinem Kopfkissen aus die
alte Frau die ihm gegenüber wohnte und die ihn mit einer an
ihr ganz ungewöhnlichen Neugierde beobachtete, dann aber,
10 gleichzeitig befremdet und hungrig, läutete er. Sofort klopfte
es und ein Mann, den er in dieser Wohnung noch niemals
gesehen hatte trat ein. Er war schlank und doch fest gebaut, er
trug ein anliegendes schwarzes Kleid, das ähnlich den Reise-
anzügen mit verschiedenen Falten, Taschen, Schnallen, Knöp-
15 fen und einem Gürtel versehen war und infolgedessen, ohne
dass man sich darüber klar wurde, wozu es dienen sollte, besonders praktisch erschien. »Wer sind Sie?« fragte K. und saß
gleich halb aufrecht im Bett. Der Mann aber ging über die
Frage hinweg, als müsse man seine Erscheinung hinnehmen
20 und sagte bloß seinerseits: »Sie haben geläutet?« »Anna soll
mir das Frühstück bringen«, sagte K. und versuchte zunächst
stillschweigend durch Aufmerksamkeit und Überlegung festzustellen, wer der Mann eigentlich war. Aber dieser setzte
sich nicht allzulange seinen Blicken aus, sondern wandte sich
25 zur Tür, die er ein wenig öffnete, um jemandem, der offenbar
knapp hinter der Tür stand, zu sagen: »Er will, dass Anna ihm
das Frühstück bringt.« Ein kleines Gelächter im Nebenzimmer folgte, es war nach dem Klang nicht sicher ob nicht meh-
30 rere Personen daran beteiligt waren. Trotzdem der fremde
Mann dadurch nichts erfahren haben konnte, was er nicht
schon früher gewusst hätte, sagte er nun doch zu K. im Tone
einer Meldung: »Es ist unmöglich.« »Das wäre neu«, sagte K.,

---

2 **verläumdet:** verleumden: hinterrücks und fälschlich eines Verbre-
chens beschuldigen | 13 **Kleid:** Kleidungsstück, hier: Anzug | 29 **Trotz-
dem:** Obwohl

8

sprang aus dem Bett und zog rasch seine Hosen an. »Ich will doch sehn, was für Leute im Nebenzimmer sind und wie Frau Grubach diese Störung mir gegenüber verantworten wird.« Es fiel ihm zwar gleich ein, dass er das nicht hätte laut sagen müssen und dass er dadurch gewissermaßen ein Beaufsichtigungsrecht des Fremden anerkannte, aber es schien ihm jetzt nicht wichtig. Immerhin fasste es der Fremde so auf, denn er sagte: »Wollen Sie nicht lieber hier bleiben?« »Ich will weder hierbleiben noch von Ihnen angesprochen werden, solange Sie sich mir nicht vorstellen.« »Es war gut gemeint«, sagte der Fremde und öffnete nun freiwillig die Tür. Im Nebenzimmer, in das K. langsamer eintrat als er wollte, sah es auf den ersten Blick fast genau so aus, wie am Abend vorher. Es war das Wohnzimmer der Frau Grubach, vielleicht war in diesem mit Möbeln Decken Porzellan und Photographien überfüllten Zimmer heute ein wenig mehr Raum als sonst, man erkannte das nicht gleich, umsoweniger als die Hauptveränderung in der Anwesenheit eines Mannes bestand, der beim offenen Fenster mit einem Buch saß, von dem er jetzt aufblickte. »Sie hätten in Ihrem Zimmer bleiben sollen! Hat es Ihnen denn Franz nicht gesagt?« »Ja, was wollen Sie denn?« sagte K. und sah von der neuen Bekanntschaft zu dem mit Franz benannten, der in der Tür stehen geblieben war, und dann wieder zurück. Durch das offene Fenster erblickte man wieder die alte Frau, die mit wahrhaft greisenhafter Neugierde zu dem jetzt gegenüberliegenden Fenster getreten war, um auch weiterhin alles zu sehn. »Ich will doch Frau Grubach –«, sagte K., machte eine Bewegung, als reiße er sich von den 2 Männern los, die aber weit von ihm entfernt standen, und wollte weitergehn. »Nein«, sagte der Mann beim Fenster, warf das Buch auf ein Tischchen und stand auf. »Sie dürfen nicht weggehn, Sie sind ja gefangen.« »Es sieht so aus«, sagte K. »Und warum denn?« fragte er dann. »Wir sind nicht dazu bestellt, Ihnen das zu sagen. Gehn Sie in Ihr Zimmer und warten Sie. Das Verfahren ist nun einmal eingeleitet und Sie werden alles zur richtigen Zeit erfahren. Ich gehe über meinen Auftrag hinaus, wenn ich Ihnen so freundschaftlich zurede. Aber ich

hoffe, es hört es niemand sonst als Franz und der ist selbst
gegen alle Vorschrift freundlich zu Ihnen. Wenn Sie auch weiterhin so viel Glück haben, wie bei der Bestimmung Ihrer
Wächter, dann können Sie zuversichtlich sein.« K. wollte sich
setzen, aber nun sah er, dass im ganzen Zimmer keine Sitzge-
legenheit war, außer dem Sessel beim Fenster. »Sie werden
noch einsehn, wie wahr das alles ist«, sagte Franz und gieng
gleichzeitig mit dem andern Mann auf ihn zu. Besonders der
letztere überragte K. bedeutend und klopfte ihm öfters auf die
Schulter. Beide prüften K.'s Nachthemd und sagten, dass er
jetzt ein viel schlechteres Hemd werde anziehn müssen, dass
sie aber dieses Hemd wie auch seine übrige Wäsche aufbe-
wahren und, wenn seine Sache günstig ausfallen sollte, ihm
wieder zurückgeben würden. »Es ist besser, Sie geben die Sachen uns, als ins Depot«, sagten sie, »denn im Depot kommen
öfters Unterschleife vor und außerdem verkauft man dort alle
Sachen nach einer gewissen Zeit, ohne Rücksicht ob das be-
treffende Verfahren zuende ist, oder nicht. Und wie lange
dauern doch derartige Processe besonders in letzter Zeit! Sie ↗
bekämen dann schließlich allerdings vom Depot den Erlös,
aber dieser Erlös ist erstens an sich schon gering, denn beim
Verkauf entscheidet nicht die Höhe des Angebotes sondern
die Höhe der Bestechung, und zweitens verringern sich solche Erlöse erfahrungsgemäß, wenn sie von Hand zu Hand
und von Jahr zu Jahr weitergegeben werden.« K. achtete auf
diese Reden kaum, das Verfügungsrecht über seine Sachen,
das er vielleicht noch besaß, schätzte er nicht hoch ein, viel
wichtiger war es ihm Klarheit über seine Lage zu bekommen;
in Gegenwart dieser Leute konnte er aber nicht einmal nach-
denken, immer wieder stieß der Bauch des zweiten Wächters
– es konnten ja nur Wächter sein – förmlich freundschaftlich
an ihn, sah er aber auf, dann erblickte er ein zu diesem dicken
Körper gar nicht passendes trockenes knochiges Gesicht, mit
starker seitlich gedrehter Nase, das sich über ihn hinweg mit
dem andern Wächter verständigte. Was waren denn das für
Menschen? Wovon sprachen sie? Welcher Behörde gehörten
sie an? K. lebte doch in einem Rechtsstaat, überall herrschte ↗

---

15 **Depot:** Lager für das den Gefangenen bei der Inhaftierung abgenom-
mene Eigentum | 16 **Unterschleife:** österreich.: Unterschlagungen, hier
auch: Diebstähle

Friede, alle Gesetze bestanden aufrecht, wer wagte ihn in seiner Wohnung zu überfallen? Er neigte stets dazu, alles möglichst leicht zu nehmen, das Schlimmste erst beim Eintritt des Schlimmsten zu glauben, keine Vorsorge für die Zukunft zu treffen, selbst wenn alles drohte. Hier schien ihm das aber nicht richtig, man konnte zwar das ganze als Spaß ansehen, als einen groben Spaß, den ihm aus unbekannten Gründen, vielleicht weil heute sein 30ter Geburtstag war, die Kollegen in der Bank veranstaltet hatten, es war natürlich möglich, vielleicht brauchte er nur auf irgendeine Weise den Wächtern ins Gesicht zu lachen und sie würden mitlachen, vielleicht waren es Dienstmänner von der Straßenecke, sie sahen ihnen nicht unähnlich – trotzdem war er diesmal förmlich schon seit dem ersten Anblick des Wächters Franz entschlossen nicht den geringsten Vorteil, den er vielleicht gegenüber diesen Leuten besaß, aus der Hand zu geben. Darin dass man später sagen würde, er habe keinen Spaß verstanden, sah K. eine ganz geringe Gefahr, wohl aber erinnerte er sich – ohne dass es sonst seine Gewohnheit gewesen wäre, aus Erfahrungen zu lernen – an einige an sich unbedeutende Fälle, in denen er zum Unterschied von seinen Freunden mit Bewusstsein, ohne das geringste Gefühl für die möglichen Folgen sich unvorsichtig benommen hatte und dafür durch das Ergebnis gestraft worden war. Es sollte nicht wieder geschehn, zumindest nicht diesmal, war es eine Komödie, so wollte er mitspielen.

Noch war er frei. »Erlauben Sie«, sagte er und gieng eilig zwischen den Wächtern durch in sein Zimmer. »Er scheint vernünftig zu sein«, hörte er hinter sich sagen. In seinem Zimmer riss er gleich die Schubladen des Schreibtisches auf, es lag dort alles in großer Ordnung, aber gerade die Legitimationspapiere, die er suchte, konnte er in der Aufregung nicht gleich finden. Schließlich fand er seine Radfahrlegitimation und wollte schon mit ihr zu den Wächtern gehn, dann aber schien ihm das Papier zu geringfügig und er suchte weiter, bis er den Geburtsschein fand. Als er wieder in das Nebenzimmer zurückkam, öffnete sich gerade die gegenüberliegende Tür und Frau Grubach wollte dort eintreten. Man sah sie nur einen

---

12 **Dienstmänner:** Männer ohne feste Anstellung, die kleinere Arbeiten und Besorgungen erledigen | 30 f. **Legitimationspapiere:** Ausweispapiere (etwa Personalausweis, Pass) | 32 **Radfahrlegitimation:** Fahrradführerschein, Fahrerlaubnis für das Fahrrad

Augenblick, denn kaum hatte sie K. erkannt, als sie offenbar
verlegen wurde, um Verzeihung bat, verschwand und äußerst
vorsichtig die Türe schloss. »Kommen Sie doch herein«, hatte
K. gerade noch sagen können. Nun aber stand er mit seinen
5 Papieren in der Mitte des Zimmers, sah noch auf die Tür hin,
die sich nicht wieder öffnete und wurde erst durch einen Anruf der Wächter aufgeschreckt, die bei dem Tischchen am offenen Fenster saßen und wie K. jetzt erkannte, sein Frühstück
verzehrten. »Warum ist sie nicht eingetreten?« fragte er. »Sie
10 darf nicht«, sagte der große Wächter, »Sie sind doch verhaftet.« »Wie kann ich denn verhaftet sein? Und gar auf diese
Weise?« »Nun fangen Sie also wieder an«, sagte der Wächter
und tauchte ein Butterbrot ins Honigfässchen. »Solche Fragen
beantworten wir nicht.« »Sie werden sie beantworten müs-
15 sen«, sagte K. »Hier sind meine Legitimationspapiere, zeigen
Sie mir jetzt die Ihrigen und vor allem den Verhaftbefehl.«
»Du lieber Himmel!« sagte der Wächter, »dass Sie sich in Ihre
Lage nicht fügen können und dass Sie es darauf angelegt zu
haben scheinen, uns, die wir Ihnen jetzt wahrscheinlich von
20 allen Ihren Mitmenschen am nächsten stehn, nutzlos zu reizen.« »Es ist so, glauben Sie es doch«, sagte Franz, führte die
Kaffeetasse die er in der Hand hielt nicht zum Mund sondern
sah K. mit einem langen wahrscheinlich bedeutungsvollen,
aber unverständlichen Blicke an. K. ließ sich ohne es zu wol-
25 len in ein Zwiegespräch der Blicke mit Franz ein, schlug dann
aber doch auf seine Papiere und sagte: »Hier sind meine Legitimationspapiere.« »Was kümmern uns denn die?« rief nun
schon der große Wächter, »Sie führen sich ärger auf als ein
Kind. Was wollen Sie denn? Wollen Sie Ihren großen ver-
30 fluchten Process dadurch zu einem raschen Ende bringen, dass
Sie mit uns den Wächtern über Legitimation und Verhaftbefehl diskutieren? Wir sind niedrige Angestellte, die sich in einem Legitimationspapier kaum auskennen und die mit Ihrer
Sache nichts anderes zu tun haben, als dass sie 10 Stunden
35 täglich bei Ihnen Wache halten und dafür bezahlt werden. Das
ist alles, was wir sind, trotzdem aber sind wir fähig einzusehn,
dass die hohen Behörden, in deren Dienst wir stehn, ehe sie

eine solche Verhaftung verfügen, sich sehr genau über die
Gründe der Verhaftung und die Person des Verhafteten unterrichten. Es gibt darin keinen Irrtum. Unsere Behörde, soweit
ich sie kenne, und ich kenne nur die niedrigsten Grade, sucht
doch nicht etwa die Schuld in der Bevölkerung, sondern wird
wie es im Gesetz heißt von der Schuld angezogen und muss
uns Wächter ausschicken. Das ist Gesetz. Wo gäbe es da einen
Irrtum?« »Dieses Gesetz kenne ich nicht«, sagte K. »Desto
schlimmer für Sie«, sagte der Wächter. »Es besteht wohl auch
nur in Ihren Köpfen«, sagte K., er wollte sich irgendwie in die
Gedanken der Wächter einschleichen, sie zu seinen Gunsten
wenden oder sich dort einbürgern. Aber der Wächter sagte
nur abweisend: »Sie werden es zu fühlen bekommen.« Franz
mischte sich ein und sagte: »Sieh Willem er gibt zu, er kenne
das Gesetz nicht und behauptet gleichzeitig schuldlos zu
sein.« »Du hast ganz recht, aber ihm kann man nichts begreiflich machen«, sagte der andere. K. antwortete nichts mehr;
muss ich, dachte er, durch das Geschwätz dieser niedrigsten
Organe – sie geben selbst zu, es zu sein – mich noch mehr
verwirren lassen? Sie reden doch jedenfalls von Dingen, die
sie gar nicht verstehn. Ihre Sicherheit ist nur durch ihre
Dummheit möglich. Ein paar Worte, die ich mit einem mir
ebenbürtigen Menschen sprechen werde, werden alles unvergleichlich klarer machen, als die längsten Reden mit diesen. Er
gieng einige Male in dem freien Raum des Zimmers auf und
ab, drüben sah er die alte Frau die einen noch viel ältern Greis
zum Fenster gezerrt hatte, den sie umschlungen hielt; K.
musste dieser Schaustellung ein Ende machen: »Führen Sie
mich zu Ihrem Vorgesetzten«, sagte er. »Bis er es wünscht;
nicht früher«, sagte der Wächter, der Willem genannt worden
war. »Und nun rate ich Ihnen«, fügte er hinzu, »in Ihr Zimmer zu gehn, sich ruhig zu verhalten und darauf zu warten,
was über Sie verfügt werden wird. Wir raten Ihnen, zerstreu-
en Sie sich nicht durch nutzlose Gedanken, sondern sammeln
Sie sich, es werden große Anforderungen an Sie gestellt werden. Sie haben uns nicht so behandelt, wie es unser Entgegenkommen verdient hätte, Sie haben vergessen, dass wir, mögen

wir auch sein was immer, zumindest jetzt Ihnen gegenüber
freie Männer sind, das ist kein kleines Übergewicht. Trotzdem sind wir bereit, falls Sie Geld haben, Ihnen ein kleines
Frühstück aus dem Kafeehaus drüben zu bringen.«

5 Ohne auf dieses Angebot zu antworten, stand K. ein Weilchen lang still. Vielleicht würden ihn die Beiden, wenn er die
Tür des folgenden Zimmers oder gar die Tür des Vorzimmers
öffnen würde, gar nicht zu hindern wagen, vielleicht wäre es
die einfachste Lösung des Ganzen, dass er es auf die Spitze
10 trieb. Aber vielleicht würden sie ihn doch packen und war er
einmal niedergeworfen, so war auch alle Überlegenheit verloren, die er ihnen jetzt gegenüber in gewisser Hinsicht doch
wahrte. Deshalb zog er die Sicherheit der Lösung vor, wie sie
der natürliche Verlauf bringen musste, und ging in sein Zim-
15 mer zurück, ohne dass von seiner Seite oder von Seite der
Wächter ein weiteres Wort gefallen wäre.

Er warf sich auf sein Bett und nahm vom Nachttisch einen
schönen Apfel, den er sich gestern Abend für das Frühstück
vorbereitet hatte. Jetzt war er sein einziges Frühstück und
20 jedenfalls, wie er sich beim ersten großen Bissen versicherte,
viel besser, als das Frühstück aus dem schmutzigen Nachtkafe
gewesen wäre, das er durch die Gnade der Wächter hätte bekommen können. Er fühlte sich wohl und zuversichtlich, in
der Bank versäumte er zwar heute vormittag seinen Dienst,
25 aber das war bei der verhältnismäßig hohen Stellung die er
dort einnahm, leicht entschuldigt. Sollte er die wirkliche Entschuldigung anführen? Er gedachte es zu tun. Würde man
ihm nicht glauben, was in diesem Fall begreiflich war, so
konnte er Frau Grubach als Zeugin führen oder auch die bei-
30 den Alten von drüben, die wohl jetzt auf dem Marsch zum
gegenüberliegenden Fenster waren. Es wunderte K., wenigstens aus dem Gedankengang der Wächter wunderte es ihn,
dass sie ihn in das Zimmer getrieben und ihn hier allein gelassen hatten, wo er doch zehnfache Möglichkeit hatte sich um-
35 zubringen. Gleichzeitig allerdings fragte er sich, mal aus seinem Gedankengang, was für einen Grund er haben könnte, es
zu tun. Etwa weil die zwei nebenan saßen und sein Frühstück

---

29 **führen**: anführen, angeben

abgefangen hatten? Es wäre so sinnlos gewesen sich umzu-
bringen, dass er, selbst wenn er es hätte tun wollen, infolge der
Sinnlosigkeit dessen dazu nicht imstande gewesen wäre. Wäre
die geistige Beschränktheit der Wächter nicht so auffallend
gewesen, so hätte man annehmen können, dass auch sie infolge
der gleichen Überzeugung keine Gefahr darin gesehen hätten,
ihn allein zu lassen. Sie mochten jetzt, wenn sie wollten zusehn, wie er zu einem Wandschränkchen gieng, in dem er einen guten Schnaps aufbewahrte, wie er ein Gläschen zuerst
zum Ersatz des Frühstücks leerte und wie er ein zweites Gläschen dazu bestimmte, ihm Mut zu machen, das letztere nur
aus Vorsicht für den unwahrscheinlichen Fall, dass es nötig
sein sollte.

Da erschreckte ihn ein Zuruf aus dem Nebenzimmer derartig, dass er mit den Zähnen ans Glas schlug. »Der Aufseher
ruft Sie«, hieß es. Es war nur das Schreien, das ihn erschreckte,
dieses kurze abgehackte militärische Schreien, das er dem
Wächter Franz gar nicht zugetraut hätte. Der Befehl selbst
war ihm sehr willkommen, »endlich« rief er zurück, versperrte den Wandschrank und eilte sofort ins Nebenzimmer. Dort
standen die zwei Wächter und jagten ihn, als wäre das selbstverständlich, wieder in sein Zimmer zurück. »Was fällt Euch
ein?« riefen sie, »im Hemd wollt Ihr vor den Aufseher? Er
lässt Euch durchprügeln und uns mit!« »Lasst mich, zum Teufel«, rief K., der schon bis zu seinem Kleiderkasten zurückge-
drängt war, »wenn man mich im Bett überfällt, kann man
nicht erwarten mich im Festanzug zu finden.« »Es hilft
nichts«, sagten die Wächter, die immer wenn K. schrie, ganz
ruhig, ja fast traurig wurden und ihn dadurch verwirrten oder
gewissermaßen zur Besinnung brachten. »Lächerliche Cere-
monien!« brummte er noch, hob aber schon einen Rock vom
Stuhl und hielt ihn ein Weilchen mit beiden Händen, als un-
terbreite er ihn dem Urteil der Wächter. Sie schüttelten die
Köpfe. »Es muss ein schwarzer Rock sein«, sagten sie. K. warf
daraufhin den Rock zu Boden und sagte – er wusste selbst
nicht, in welchem Sinn er es sagte –: »Es ist doch noch nicht
die Hauptverhandlung.« Die Wächter lächelten, blieben aber

bei ihrem: »Es muss ein schwarzer Rock sein.« »Wenn ich dadurch die Sache beschleunige, soll es mir recht sein«, sagte K., öffnete selbst den Kleiderkasten, suchte lange unter den vielen Kleidern, wählte sein bestes schwarzes Kleid, ein Jakettkleid, das durch seine Taille unter den Bekannten fast Aufsehen gemacht hatte, zog nun auch ein anderes Hemd an und begann sich sorgfältig anzuziehn. Im Geheimen glaubte er eine Beschleunigung des Ganzen damit erreicht zu haben, dass die Wächter vergessen hatten, ihn zum Bad zu zwingen. Er beobachtete sie, ob sie sich vielleicht daran doch erinnern würden, aber das fiel ihnen natürlich gar nicht ein, dagegen vergaß Willem nicht, Franz mit der Meldung, dass sich K. anziehe, zum Aufseher zu schicken.

Als er vollständig angezogen war, musste er knapp vor Willem durch das leere Nebenzimmer in das folgende Zimmer gehn, dessen Tür mit beiden Flügeln bereits geöffnet war. Dieses Zimmer wurde wie K. genau wusste seit kurzer Zeit von einem Fräulein Bürstner, einer Schreibmaschinistin bewohnt, die sehr früh in die Arbeit zu gehen pflegte, spät nachhause kam und mit der K. nicht viel mehr als die Grußworte gewechselt hatte. Jetzt war das Nachttischchen von ihrem Bett als Verhandlungstisch in die Mitte des Zimmers gerückt und der Aufseher saß hinter ihm. Er hatte die Beine über einander geschlagen und einen Arm auf die Rückenlehne des Stuhles gelegt. In einer Ecke des Zimmers standen drei junge Leute und sahen die Photographien des Fräulein Bürstner an, die in einer an der Wand aufgehängten Matte steckten. An der Klinke des offenen Fensters hieng eine weiße Bluse. Im gegenüberliegenden Fenster lagen wieder die zwei Alten, doch hatte sich ihre Gesellschaft vergrößert, denn hinter ihnen sie weit überragend stand ein Mann mit einem auf der Brust offenen Hemd, der seinen rötlichen Spitzbart mit den Fingern drückte und drehte.

»Josef K.?« fragte der Aufseher, vielleicht nur um K.'s zerstreute Blicke auf sich zu lenken. K. nickte. »Sie sind durch die Vorgänge des heutigen Morgens wohl sehr überrascht?« fragte der Aufseher und verschob dabei mit beiden Händen die paar Gegenstände die auf dem Nachttischchen lagen, die Kerze mit Zündhölzchen, ein Buch und ein Nadelkissen, als seien es Gegenstände, die er zur Verhandlung benötige. »Gewiss«, sagte K. und das Wohlgefühl endlich einem vernünftigen Menschen gegenüberzustehn und über seine Angelegenheit mit ihm sprechen zu können ergriff ihn, »gewiss ich bin überrascht, aber ich bin keineswegs sehr überrascht.« »Nicht sehr überrascht?« fragte der Aufseher und stellte nun die Kerze in die Mitte des Tischchens, während er die andern Sachen um sie gruppierte. »Sie missverstehen mich vielleicht«, beeilte sich K. zu bemerken. »Ich meine –« Hier unterbrach sich K. und sah sich nach einem Sessel um. »Ich kann mich doch setzen?« fragte er. »Es ist nicht üblich«, antwortete der Aufseher. »Ich meine«, sagte nun K. ohne weitere Pause, »ich bin allerdings sehr überrascht, aber man ist, wenn man 30 Jahre auf der Welt ist und sich allein hat durchschlagen müssen, wie es mir beschieden war, gegen Überraschungen abgehärtet und nimmt sie nicht zu schwer. Besonders die heutige nicht.« »Warum besonders die heutige nicht?« »Ich will nicht sagen, dass ich das Ganze für einen Spaß ansehe, dafür scheinen mir die Veranstaltungen die gemacht wurden, doch zu umfangreich. Es müssten alle Mitglieder der Pension daran beteiligt sein und auch Sie alle, das gienge über die Grenzen eines Spaßes. Ich will also nicht sagen, dass es ein Spaß ist.« »Ganz richtig«, sagte der Aufseher und sah nach, wieviel Zündhölzchen in der Zündhölzchenschachtel waren. »Anderseits aber«, fuhr K. fort und wandte sich hiebei an alle und hätte gern sogar die 3 bei den Photographien sich zugewendet, »andererseits aber kann die Sache auch nicht viel Wichtigkeit haben. Ich folgere das daraus, dass ich angeklagt bin, aber nicht die geringste Schuld auffinden kann wegen deren man mich anklagen könnte. Aber auch das ist nebensächlich, die Hauptfrage ist: von wem bin ich angeklagt? Welche Behörde führt das Verfahren? Sind Sie Beamte? Keiner hat eine Uniform, wenn man nicht Ihr Kleid« – hier wandte er sich an Franz – »eine Uniform nennen will, aber es ist doch eher ein Reiseanzug. In diesen Fragen verlange ich Klarheit und ich bin überzeugt, dass wir nach dieser Klarstellung von einander den herzlichsten Abschied werden nehmen können.« Der Aufseher schlug die Zündhölzchenschachtel auf den Tisch nieder. »Sie befinden sich in einem großen Irrtum«, sagte er. »Diese Herren hier und ich sind für Ihre Angelegenheit vollständig nebensächlich, ja wir wissen sogar von ihr fast nichts. Wir könnten die regelrechtesten Uniformen tragen und Ihre Sache würde um nichts schlechter stehn. Ich kann Ihnen auch durchaus nicht sagen, dass Sie angeklagt sind oder vielmehr ich weiß nicht, ob Sie es sind. Sie sind verhaftet, das ist richtig, mehr weiß ich nicht. Vielleicht haben die Wächter etwas anderes geschwätzt, dann ist eben nur Geschwätz gewesen. Wenn ich nun also auch Ihre Fragen nicht beantworten kann, so kann ich Ihnen doch raten, denken Sie weniger an uns und an das, was mit Ihnen geschehen wird, denken Sie lieber mehr an sich. Und machen Sie keinen solchen Lärm mit dem Gefühl Ihrer Unschuld, es stört den nicht gerade schlechten Eindruck, den Sie im übrigen machen. Auch sollten Sie überhaupt im Reden zurückhaltender sein, fast alles was Sie vorhin gesagt haben, hätte man auch wenn Sie nur paar Worte gesagt hätten, Ihrem Verhalten entnehmen können, außerdem war es nichts übermäßig für Sie Günstiges.«

K. starrte den Aufseher an. Schulmäßige Lehren bekam er hier von einem vielleicht jüngern Menschen? Für seine Offenheit wurde er mit einer Rüge bestraft? Und über den Grund seiner Verhaftung und über deren Auftraggeber erfuhr er nichts? Er geriet in eine gewisse Aufregung, gieng auf und ab, woran ihn niemand hinderte, schob seine Manchetten zurück, befühlte die Brust, strich sein Haar zurecht, kam an den 3 Herren vorüber, sagte »es ist ja sinnlos«, worauf sich diese zu ihm umdrehten und ihn entgegenkommend aber ernst ansahen, und machte endlich wieder vor dem Tisch des Aufsehers halt. »Der Staatsanwalt Hasterer ist mein guter Freund«, sagte er, »kann ich ihm telephonieren?« »Gewiss«, sagte der Aufseher, »aber ich weiß nicht, welchen Sinn das haben sollte, es müsste denn sein, dass Sie irgendeine private Angelegenheit mit ihm zu besprechen haben.« »Welchen

---

28 **Manchetten:** Manschetten: Ärmelaufschläge

Sinn?« rief K. mehr bestürzt, als geärgert. »Wer sind Sie denn? Sie wollen einen Sinn und führen das Sinnloseste auf was es gibt? Ist es nicht zum Steinerweichen? Die Herren haben mich zuerst überfallen und jetzt sitzen oder stehn sie hier herum und lassen mich vor Ihnen die hohe Schule reiten. Welchen Sinn es hätte, an einen Staatsanwalt zu telephonieren, wenn ich angeblich verhaftet bin? Gut, ich werde nicht telephonieren.« »Aber doch«, sagte der Aufseher und streckte die Hand zum Vorzimmer aus, wo das Telephon war, »bitte telephonieren Sie doch.« »Nein, ich will nicht mehr«, sagte K. und ging zum Fenster. Drüben war noch die Gesellschaft beim Fenster und schien nur jetzt dadurch, dass K. ans Fenster herangetreten war, in der Ruhe des Zuschauens ein wenig gestört. Die Alten wollten sich erheben, aber der Mann hinter ihnen beruhigte sie. »Dort sind auch solche Zuschauer«, rief K. ganz laut dem Aufseher zu und zeigte mit dem Zeigefinger hinaus. »Weg von dort«, rief er dann hinüber. Die drei wichen auch sofort ein paar Schritte zurück, die beiden Alten sogar noch hinter den Mann, der sie mit seinem breiten Körper deckte und nach seinen Mundbewegungen zu schließen, irgendetwas auf die Entfernung hin unverständliches sagte. Ganz aber verschwanden sie nicht, sondern schienen auf den Augenblick zu warten, bis sie sich unbemerkt wieder dem Fenster nähern könnten. »Zudringliche, rücksichtslose Leute!« sagte K., als er sich ins Zimmer zurückwendete. Der Aufseher stimmte ihm möglicherweise zu, wie K. mit einem Seitenblick zu erkennen glaubte. Aber es war ebensogut möglich dass er gar nicht zugehört hatte, denn er hatte eine Hand fest auf den Tisch gedrückt und schien die Finger ihrer Länge nach zu vergleichen. Die zwei Wächter saßen auf einem mit einer Schmuckdecke verhüllten Koffer und rieben ihre Knie. Die drei jungen Leute hatten die Hände in die Hüften gelegt und sahen ziellos herum. Es war still wie in irgendeinem vergessenen Bureau. »Nun meine Herren«, rief K., es schien ihm einen Augenblick lang, als trage er alle auf seinen Schultern, »Ihrem Aussehn nach zu schließen, dürfte meine Angelegenheit beendet sein. Ich bin der Ansicht, dass es am besten ist, über

---

5 **hohe Schule:** Dressurreiten | 34 **Bureau:** Büro

die Berechtigung oder Nichtberechtigung Ihres Vorgehns
nicht mehr nachzudenken und der Sache durch einen gegenseitigen Händedruck einen versöhnlichen Abschluss zu geben.
Wenn auch Sie meiner Ansicht sind, dann bitte –« und er trat
5 an den Tisch des Aufsehers hin und reichte ihm die Hand. Der
Aufseher hob die Augen, nagte an den Lippen und sah auf K.'s
ausgestreckte Hand, noch immer glaubte K. der Aufseher
werde einschlagen. Dieser aber stand auf, nahm einen harten
runden Hut, der auf Fräulein Bürstners Bett lag und setzte
10 sich ihn vorsichtig mit beiden Händen auf, wie man es bei der
Anprobe neuer Hüte tut. »Wie einfach Ihnen alles scheint!«
sagte er dabei zu K. »Wir sollten der Sache einen versöhnlichen Abschluss geben, meinten Sie? Nein, nein, das geht wirklich nicht. Womit ich andererseits durchaus nicht sagen will,
15 dass Sie verzweifeln sollen. Nein, warum denn? Sie sind nur
verhaftet, nichts weiter. Das hatte ich Ihnen mitzuteilen, habe
es getan und habe auch gesehn, wie Sie es aufgenommen haben. Damit ist es für heute genug und wir können uns verab-
schieden, allerdings nur vorläufig. Sie werden wohl jetzt in die
20 Bank gehn wollen?« »In die Bank?« fragte K. »Ich dachte, ich
wäre verhaftet.« K. fragte mit einem gewissen Trotz, denn
obwohl sein Handschlag nicht angenommen worden war,
fühlte er sich insbesondere seitdem der Aufseher aufgestanden war immer unabhängiger von allen diesen Leuten. Er
25 spielte mit ihnen. Er hatte die Absicht, falls sie weggehn sollten, bis zum Haustor nachzulaufen und ihnen seine Verhaftung anzubieten. Darum wiederholte er auch: »Wie kann ich
denn in die Bank gehn, da ich verhaftet bin?« »Ach so«, sagte
der Aufseher, der schon bei der Tür war, »Sie haben mich
30 missverstanden, Sie sind verhaftet, gewiss, aber das soll Sie
nicht hindern Ihren Beruf zu erfüllen. Sie sollen auch in Ihrer
gewöhnlichen Lebensweise nicht gehindert sein.« »Dann ist
das Verhaftetsein nicht sehr schlimm«, sagte K. und gieng
nahe an den Aufseher heran. »Ich meinte es niemals anders«,
35 sagte dieser. »Es scheint aber dann nicht einmal die Mitteilung
der Verhaftung sehr notwendig gewesen zu sein«, sagte K.
und gieng noch näher. Auch die andern hatten sich genähert.

Alle waren jetzt auf einem engen Raum bei der Tür versammelt. »Es war meine Pflicht«, sagte der Aufseher. »Eine dumme Pflicht«, sagte K. unnachgiebig. »Mag sein«, antwortete der Aufseher, »aber wir wollen mit solchen Reden nicht unsere Zeit verlieren. Ich hatte angenommen, dass Sie in die Bank gehn wollen. Da Sie auf alle Worte aufpassen, füge ich hinzu: ich zwinge Sie nicht in die Bank zu gehn, ich hatte nur angenommen, dass Sie es wollen. Und um Ihnen das zu erleichtern und Ihre Ankunft in der Bank möglichst unauffällig zu machen, habe ich diese 3 Herren Ihre Kollegen hier zu Ihrer Verfügung gehalten.« »Wie?« rief K. und staunte die drei an. Diese so uncharakteristischen blutarmen jungen Leute, die er immer noch nur als Gruppe bei den Photographien in der Erinnerung hatte, waren tatsächlich Beamte aus seiner Bank, nicht Kollegen, das war zu viel gesagt und bewies eine Lücke in der Allwissenheit des Aufsehers, aber untergeordnete Beamte aus der Bank waren es allerdings. Wie hatte K. das übersehen können? Wie hatte er doch hingenommen sein müssen, von dem Aufseher und den Wächtern, um diese 3 nicht zu erkennen. Den steifen, die Hände schwingenden Rabensteiner, den blonden Kullich mit den tiefliegenden Augen und Kaminer mit dem unausstehlichen durch eine chronische Muskelzerrung bewirkten Lächeln. »Guten Morgen!« sagte K. nach einem Weilchen und reichte den sich korrekt verbeugenden Herren die Hand. »Ich habe Sie gar nicht erkannt. Nun werden wir also an die Arbeit gehn, nicht?« Die Herren nickten lachend und eifrig, als hätten sie die ganze Zeit über darauf gewartet, nur als K. seinen Hut vermisste, der in seinem Zimmer liegen geblieben war, liefen sie sämtlich hintereinander ihn holen, was immerhin auf eine gewisse Verlegenheit schließen ließ. K. stand still und sah ihnen durch die zwei offenen Türen nach, der letzte war natürlich der gleichgültige Rabensteiner, der bloß einen eleganten Trab angeschlagen hatte. Kaminer überreichte den Hut und K. musste sich, wie dies übrigens auch öfters in der Bank nötig war, ausdrücklich sagen, dass Kaminers Lächeln nicht Absicht war, ja dass er überhaupt absichtlich nicht lächeln konnte. Im Vorzimmer öffnete

---

18 **hingenommen:** hier: durch andere Dinge abgelenkt

dann Frau Grubach, die gar nicht sehr schuldbewusst aussah, der ganzen Gesellschaft die Wohnungstür und K. sah, wie so oft, auf ihr Schürzenband nieder, das so unnötig tief in ihren mächtigen Leib einschnitt. Unten entschloss sich K., die Uhr
5 in der Hand, ein Automobil zu nehmen, um die schon halbstündige Verspätung nicht unnötig zu vergrößern. Kaminer lief zur Ecke, um den Wagen zu holen, die zwei andern versuchten offensichtlich K. zu zerstreuen, als plötzlich Kullich auf das gegenüberliegende Haustor zeigte, in dem eben der
10 Mann mit dem blonden Spitzbart erschien und im ersten Augenblick ein wenig verlegen darüber, dass er sich jetzt in seiner ganzen Größe zeigte, zur Wand zurücktrat und sich anlehnte. Die Alten waren wohl noch auf der Treppe. K. ärgerte sich über Kullich, dass dieser auf den Mann aufmerksam machte,
15 den er selbst schon früher gesehn, ja den er sogar erwartet hatte. »Schauen Sie nicht hin«, stieß er hervor ohne zu bemerken, wie auffallend eine solche Redeweise gegenüber selbständigen Männern war. Es war aber auch keine Erklärung nötig, denn gerade kam das Automobil, man setzte sich und
20 fuhr los. Da erinnerte sich K. dass er das Weggehn des Aufsehers und der Wächter gar nicht bemerkt hatte, der Aufseher hatte ihm die 3 Beamten verdeckt und nun wieder die Beamten den Aufseher. Viel Geistesgegenwart bewies das nicht und K. nahm sich vor, sich in dieser Hinsicht genauer zu be-
25 obachten. Doch drehte er sich noch unwillkürlich um und beugte sich über das Hinterdeck des Automobils vor, um möglicherweise den Aufseher und die Wächter noch zu sehn. Aber gleich wendete er sich wieder zurück ohne auch nur den Versuch gemacht zu haben jemanden zu suchen, und lehnte
30 sich bequem in die Wagenecke. Trotzdem es nicht den Anschein hatte, hätte er gerade jetzt Zuspruch nötig gehabt, aber nun schienen die Herren ermüdet, Rabensteiner sah rechts aus dem Wagen, Kullych links und nur Kaminer stand mit seinem Grinsen zur Verfügung, über das einen Spaß zu ma-
35 chen leider die Menschlichkeit verbot.

---

30 **Trotzdem:** Obwohl

Gespräch mit Frau Grubach
Dann Fräulein Bürstner

In diesem Frühjahr pflegte K. die Abende in der Weise zu
verbringen, dass er nach der Arbeit wenn dies noch möglich
war – er saß meistens bis 9 Uhr im Bureau – einen kleinen   5
Spaziergang allein oder mit Bekannten machte und dann in
eine Bierstube gieng, wo er an einem Stammtisch mit meist
ältern Herren gewöhnlich bis 11 Uhr beisammensaß. Es gab
aber auch Ausnahmen von dieser Einteilung, wenn K. z.B.
vom Bankdirektor der seine Arbeitskraft und Vertrauenswür-   10
digkeit sehr schätzte zu einer Autofahrt oder zu einem
Abendessen in seiner Villa eingeladen wurde. Außerdem
gieng K. einmal in der Woche zu einem Mädchen namens
Elsa, die während der Nacht bis in den späten Morgen als
Kellnerin in einer Weinstube bediente und während des Tages   15
nur vom Bett aus Besuche empfieng.
   An diesem Abend aber – der Tag war unter angestrengter
Arbeit und vielen ehrenden und freundschaftlichen Geburts-
tagswünschen schnell verlaufen – wollte K. sofort nachhause
gehn. In allen kleinen Pausen der Tagesarbeit hatte er daran   20
gedacht; ohne genau zu wissen, was er meinte, schien es ihm,
als ob durch die Vorfälle des Morgens eine große Unordnung
in der ganzen Wohnung der Frau Grubach verursacht worden
sei und dass gerade er nötig sei, um die Ordnung wieder her-
zustellen. War aber einmal diese Ordnung hergestellt, dann   25
war jede Spur jener Vorfälle ausgelöscht und alles nahm seinen alten Gang wieder auf. Insbesondere von den 3 Beamten war nichts zu befürchten, sie waren wieder in die große
Beamtenschaft der Bank versenkt, es war keine Veränderung
an ihnen zu bemerken. K. hatte sie öfters einzeln und gemein-   30
sam in sein Bureau berufen, zu keinem andern Zweck als um

---

5 **Bureau:** Büro

sie zu beobachten; immer hatte er sie befriedigt entlassen können.

Als er um ½ 10 Uhr abends vor dem Hause, in dem er
wohnte ankam, traf er im Haustor einen jungen Burschen, der
dort breitbeinig stand und eine Pfeife rauchte. »Wer sind Sie«,
fragte K. sofort und brachte sein Gesicht nahe an den Burschen, man sah nicht viel im Halbdunkel des Flurs. »Ich bin
der Sohn des Hausmeisters, gnädiger Herr«, antwortete der
Bursche, nahm die Pfeife aus dem Mund und trat zur Seite.
»Der Sohn des Hausmeisters?« fragte K. und klopfte mit seinem Stock ungeduldig den Boden. »Wünscht der gnädige
Herr etwas? Soll ich den Vater holen?« »Nein, nein«, sagte K.,
in seiner Stimme lag etwas Verzeihendes, als habe der Bursche
etwas Böses ausgeführt, er aber verzeihe ihm. »Es ist gut«,
sagte er dann und gieng weiter, aber ehe er die Treppe hinaufstieg, drehte er sich noch einmal um.

Er hätte geradewegs in sein Zimmer gehen können, aber da
er mit Frau Grubach sprechen wollte, klopfte er gleich an ihre
Türe an. Sie saß mit einem Strickstrumpf am Tisch, auf dem
noch ein Haufen alter Strümpfe lag. K. entschuldigte sich zerstreut, dass er so spät komme, aber Frau Grubach war sehr
freundlich und wollte keine Entschuldigung hören: für ihn sei
sie immer zu sprechen, er wisse sehr gut, dass er ihr bester und
liebster Mieter sei. K. sah sich im Zimmer um, es war wieder
vollkommen in seinem alten Zustand, das Frühstücksgeschirr,
das früh auf dem Tischchen beim Fenster gestanden hatte, war
auch schon weggeräumt. Frauenhände bringen doch im Stillen viel fertig, dachte er, er hätte das Geschirr vielleicht auf der
Stelle zerschlagen, aber gewiss nicht hinaustragen können. Er
sah Frau Grubach mit einer gewissen Dankbarkeit an. »Warum arbeiten Sie noch so spät«, fragte er. Sie saßen nun beide
am Tisch und K. vergrub von Zeit zu Zeit eine Hand in die
Strümpfe. »Es gibt viel Arbeit«, sagte sie, »während des Tages
gehöre ich den Mietern; wenn ich meine Sachen in Ordnung
bringen will, bleiben mir nur die Abende.« »Ich habe Ihnen
heute wohl noch eine außergewöhnliche Arbeit gemacht.«
»Wieso denn«, fragte sie etwas eifriger werdend, die Arbeit

ruhte in ihrem Schooß. »Ich meine die Männer, die heute früh hier waren.« »Ach so«, sagte sie und kehrte wieder in ihre Ruhe zurück, »das hat mir keine besondere Arbeit gemacht.« K. sah schweigend zu, wie sie den Strickstrumpf wieder vornahm. »Sie scheint sich zu wundern, dass ich davon spreche«, dachte er, »sie scheint es nicht für richtig zu halten dass ich davon spreche. Desto wichtiger ist es dass ich es tue. Nur mit einer alten Frau kann ich davon sprechen.« »Doch, Arbeit hat es gewiss gemacht«, sagte er dann, »aber es wird nicht wieder vorkommen.« »Nein, das kann nicht wieder vorkommen«, sagte sie bekräftigend und lächelte K. fast wehmütig an. »Meinen Sie das ernstlich?« fragte K. »Ja«, sagte sie leiser, »aber vor allem dürfen Sie es nicht zu schwer nehmen. Was geschieht nicht alles in der Welt! Da Sie so vertraulich mit mir reden Herr K., kann ich Ihnen ja eingestehn, dass ich ein wenig hinter der Tür gehorcht habe und dass mir auch die beiden Wächter einiges erzählt haben. Es handelt sich ja um Ihr Glück und das liegt mir wirklich am Herzen, mehr als mir vielleicht zusteht, denn ich bin ja bloß die Vermieterin. Nun, ich habe also einiges gehört, aber ich kann nicht sagen, dass es etwas besonders Schlimmes war. Nein. Sie sind zwar verhaftet, aber nicht so wie ein Dieb verhaftet wird. Wenn man wie ein Dieb verhaftet wird, so ist es schlimm, aber diese Verhaftung –. Es kommt mir wie etwas Gelehrtes vor, entschuldigen Sie wenn ich etwas Dummes sage, es kommt mir wie etwas Gelehrtes vor, das ich zwar nicht verstehe, das man aber auch nicht verstehen muss.«

»Es ist gar nichts Dummes, was Sie gesagt haben Frau Grubach, wenigstens bin auch ich zum Teil Ihrer Meinung, nur urteile ich über das ganze noch schärfer als Sie, und halte es einfach nicht einmal für etwas Gelehrtes sondern überhaupt für nichts. Ich wurde überrumpelt, das war es. Wäre ich nach dem Erwachen, ohne mich durch das Ausbleiben der Anna beirren zu lassen, gleich aufgestanden und ohne Rücksicht auf irgendjemand, der mir in den Weg getreten wäre, zu Ihnen gegangen, hätte ich diesmal ausnahmsweise etwa in der Küche gefrühstückt, hätte mir von Ihnen die Kleidungsstücke

aus meinem Zimmer bringen lassen, kurz hätte ich vernünftig
gehandelt, es wäre nichts weiter geschehn, es wäre alles, was
werden wollte, erstickt worden. Man ist aber so wenig vorbereitet. In der Bank z.B. bin ich vorbereitet, dort könnte mir
etwas derartiges unmöglich geschehn, ich habe dort einen eigenen Diener, das allgemeine Telephon und das Bureautele-
phon stehn vor mir auf dem Tisch, immerfort kommen Leute,
Parteien und Beamte; außerdem aber und vor allem bin ich
dort immerfort im Zusammenhang der Arbeit, daher geistes-
gegenwärtig, es würde mir geradezu ein Vergnügen machen
dort einer solchen Sache gegenübergestellt zu werden. Nun es
ist vorüber und ich wollte eigentlich auch gar nicht mehr darüber sprechen, nur Ihr Urteil, das Urteil einer vernünftigen
Frau wollte ich hören und bin sehr froh, dass wir darin übereinstimmen. Nun müssen Sie mir aber die Hand reichen, eine
solche Übereinstimmung muss durch Handschlag bekräftigt
werden.«

Ob sie mir die Hand reichen wird? Der Aufseher hat mir
die Hand nicht gereicht, dachte er und sah die Frau anders als
früher, prüfend an. Sie stand auf weil auch er aufgestanden
war, sie war ein wenig befangen, weil ihr nicht alles was K.
gesagt hatte verständlich gewesen war. Infolge dieser Befangenheit sagte sie aber etwas, was sie gar nicht wollte und was
auch gar nicht am Platze war: »Nehmen Sie es doch nicht so
schwer, Herr K.«, sagte sie, hatte Tränen in der Stimme und
vergaß natürlich auch an den Handschlag. »Ich wüsste nicht,
dass ich es schwer nehme«, sagte K. plötzlich ermüdet und das
Wertlose aller Zustimmungen dieser Frau einsehend.

Bei der Tür fragte er noch: »Ist Fräulein Bürstner zuhause?« »Nein«, sagte Frau Grubach und lächelte bei dieser tro-
ckenen Auskunft mit einer verspäteten vernünftigen Teilnahme. »Sie ist im Teater. Wollten Sie etwas von ihr? Soll ich ihr
etwas ausrichten?« »Ach, ich wollte nur paar Worte mit ihr
reden.« »Ich weiß leider nicht, wann sie kommt; wenn sie im
Teater ist, kommt sie gewöhnlich spät.« »Das ist ja ganz
gleichgültig«, sagte K. und drehte schon den gesenkten Kopf
der Tür zu, um wegzugehn, »ich wollte mich nur bei ihr ent-

---

26 **vergaß … an:** vergaß (österr.) | 33 **paar Worte:** ein paar Worte
(österr.)

schuldigen, dass ich heute ihr Zimmer in Anspruch genommen habe.« »Das ist nicht nötig, Herr K., Sie sind zu rücksichtsvoll, das Fräulein weiß ja von gar nichts, sie war seit dem
frühen Morgen noch nicht zuhause, es ist auch schon alles in
Ordnung gebracht, sehen Sie selbst.« Und sie öffnete die Tür 5
zu Fräulein Bürstners Zimmer. »Danke, ich glaube es«, sagte
K., gieng dann aber doch zu der offenen Tür. Der Mond
schien still in das dunkle Zimmer. Soviel man sehen konnte
war wirklich alles an seinem Platz, auch die Bluse hieng nicht
mehr an der Fensterklinke. Auffallend hoch schienen die Pöl- 10
ster im Bett, sie lagen zum Teil im Mondlicht. »Das Fräulein
kommt oft spät nachhause«, sagte K. und sah Frau Grubach
an, als trage sie die Verantwortung dafür. »Wie eben junge
Leute sind!« sagte Frau Grubach entschuldigend. »Gewiss,
gewiss«, sagte K., »es kann aber zu weit gehn.« »Das kann es«, 15
sagte Frau Grubach, »wie sehr haben Sie recht Herr K. Vielleicht sogar in diesem Fall. Ich will Fräulein Bürstner gewiss
nicht verläumden, sie ist ein gutes liebes Mädchen, freundlich,
ordentlich, pünktlich, arbeitsam, ich schätze das alles sehr,
aber eines ist wahr, sie sollte stolzer, zurückhaltender sein. Ich 20
habe sie in diesem Monat schon zweimal in entlegenen Straßen immer mit einem andern Herrn gesehn. Es ist mir sehr
peinlich, ich erzähle es beim wahrhaftigen Gott nur Ihnen
Herr K., aber es wird sich nicht vermeiden lassen, dass ich
auch mit dem Fräulein selbst darüber spreche. Es ist übrigens 25
nicht das einzige, das sie mir verdächtig macht.« »Sie sind auf
ganz falschem Weg«, sagte K., wütend und fast unfähig es zu
verbergen, »übrigens haben Sie offenbar auch meine Bemerkung über das Fräulein missverstanden, so war es nicht gemeint. Ich warne Sie sogar aufrichtig, dem Fräulein irgendet- 30
was zu sagen, Sie sind durchaus im Irrtum, ich kenne das
Fräulein sehr gut, es ist nichts davon wahr was Sie sagten.
Übrigens vielleicht gehe ich zu weit, ich will Sie nicht hindern,
sagen Sie ihr, was Sie wollen. Gute Nacht.« »Herr K.«, sagte
Frau Grubach bittend und eilte K. bis zu seiner Tür nach, die 35
er schon geöffnet hatte, »ich will ja noch gar nicht mit dem
Fräulein reden, natürlich will ich sie vorher noch weiter be-

---

10 f. **Pölster:** österr. Pluralform von Polster (Kissen)

obachten, nur Ihnen habe ich anvertraut was ich wusste. Schließlich muss es doch im Sinne jedes Mieters sein, wenn man die Pension rein zu erhalten sucht und nichts anderes ist mein Bestreben dabei.« »Die Reinheit!« rief K. noch durch die Spalte der Tür, »wenn Sie die Pension rein erhalten wollen, müssen Sie zuerst mir kündigen.« Dann schlug er die Tür zu, ein leises Klopfen beachtete er nicht mehr.

Dagegen beschloss er, da er gar keine Lust zum Schlafen hatte, noch wachzubleiben und bei dieser Gelegenheit auch festzustellen wann Fräulein Bürstner kommen würde. Vielleicht wäre es dann auch möglich, so unpassend es sein mochte, noch paar Worte mit ihr zu reden. Als er im Fenster lag und die müden Augen drückte, dachte er einen Augenblick sogar daran, Frau Grubach zu bestrafen und Fräulein Bürstner zu überreden, gemeinsam mit ihm zu kündigen. Sofort aber erschien ihm das entsetzlich übertrieben und er hatte sogar den Verdacht gegen sich, dass er darauf ausgieng, die Wohnung wegen der Vorfälle am Morgen zu wechseln. Nichts wäre unsinniger und vor allem zweckloser und verächtlicher gewesen.

Als er des Hinausschauens auf die leere Straße überdrüssig geworden war, legte er sich auf das Kanapee, nachdem er die Tür zum Vorzimmer ein wenig geöffnet hatte, um jeden der die Wohnung betrat, gleich vom Kanapee aus sehn zu können. Etwa bis 11 Uhr lag er ruhig eine Cigarre rauchend auf dem Kanapee. Von da ab hielt er es aber nicht mehr dort aus, sondern gieng ein wenig ins Vorzimmer, als könne er dadurch die Ankunft des Fräulein Bürstner beschleunigen. Er hatte kein besonderes Verlangen nach ihr, er konnte sich nicht einmal genau erinnern, wie sie aussah, aber nun wollte er mit ihr reden und es reizte ihn, dass sie durch ihr spätes Kommen auch noch in den Abschluss dieses Tages Unruhe und Unordnung brachte. Sie war auch schuld daran, dass er heute nicht zu abend gegessen und dass er den für heute beabsichtigten Besuch bei Elsa unterlassen hatte. Beides konnte er allerdings noch dadurch nachholen, dass er jetzt in das Weinlokal gieng, in dem Elsa bedienstet war. Er wollte es auch noch später nach der Unterredung mit Fräulein Bürstner tun.

Es war ½12 vorüber, als jemand im Treppenhaus zu hören war. K., der seinen Gedanken hingegeben im Vorzimmer, so als wäre es sein eigenes Zimmer, laut auf und abgieng, flüchtete hinter seine Tür. Es war Fräulein Bürstner, die gekommen war. Fröstelnd zog sie, während sie die Tür versperrte, einen seidenen Shawl um ihre schmalen Schultern zusammen. Im nächsten Augenblick musste sie in ihr Zimmer gehn, in das K. gewiss um Mitternacht nicht eindringen durfte; er musste sie also jetzt ansprechen, hatte aber unglücklicherweise versäumt, das elektrische Licht in seinem Zimmer anzudrehn, so dass sein Vortreten aus dem dunklen Zimmer den Anschein eines Überfalls hatte und wenigstens sehr erschrecken musste. In seiner Hilflosigkeit und da keine Zeit zu verlieren war, flüsterte er durch den Türspalt: »Fräulein Bürstner.« Es klang wie eine Bitte, nicht wie ein Anruf. »Ist jemand hier«, fragte Fräulein Bürstner und sah sich mit großen Augen um. »Ich bin es«, sagte K. und trat vor. »Ach Herr K.!« sagte Fräulein Bürstner lächelnd, »Guten Abend« und sie reichte ihm die Hand. »Ich wollte ein paar Worte mit Ihnen sprechen, wollen Sie mir das jetzt erlauben?« »Jetzt?« fragte Fräulein Bürstner, »muss es jetzt sein? Es ist ein wenig sonderbar, nicht?« »Ich warte seit 9 Uhr auf Sie.« »Nun ja, ich war im Teater, ich wusste doch nichts von Ihnen.« »Der Anlass für das was ich Ihnen sagen will hat sich erst heute ergeben.« »So, nun ich habe ja nichts grundsätzliches dagegen, außer dass ich zum Hinfallen müde bin. Also kommen Sie auf paar Minuten in mein Zimmer. Hier können wir uns auf keinen Fall unterhalten, wir wecken ja alle und das wäre mir unseretwegen noch unangenehmer als der Leute wegen. Warten Sie hier, bis ich in meinem Zimmer angezündet habe, und drehn Sie dann hier das Licht ab.« K. tat so, wartete dann aber noch, bis Fräulein Bürstner ihn aus ihrem Zimmer nochmals leise aufforderte zu kommen. »Setzen Sie sich«, sagte sie und zeigte auf die Ottomane, sie selbst blieb aufrecht am Bettpfosten trotz der Müdigkeit, von der sie gesprochen hatte; nicht einmal ihren kleinen, aber mit einer Überfülle von Blumen geschmückten Hut legte sie ab. »Was wollten Sie also? Ich bin wirklich neu-

gierig.« Sie kreuzte leicht die Beine. »Sie werden vielleicht
sagen«, begann K., »dass die Sache nicht so dringend war, um
jetzt besprochen zu werden, aber –« »Einleitungen überhöre
ich immer«, sagte Fräulein Bürstner. »Das erleichtert meine
5 Aufgabe«, sagte K. »Ihr Zimmer ist heute früh, gewissermaßen durch meine Schuld, ein wenig in Unordnung gebracht
worden, es geschah durch fremde Leute gegen meinen Willen
und doch wie gesagt durch meine Schuld; dafür wollte ich um
Entschuldigung bitten.« »Mein Zimmer?« fragte Fräulein
10 Bürstner und sah statt des Zimmers, K. prüfend an. »Es ist
so«, sagte K. und nun sahen sich beide zum erstenmal in die
Augen, »die Art und Weise in der es geschah, ist an sich keines
Wortes wert.« »Aber doch das eigentlich Interessante«, sagte
Fräulein Bürstner. »Nein«, sagte K. »Nun«, sagte Fräulein
15 Bürstner, »ich will mich nicht in Geheimnisse eindrängen, bestehen Sie darauf, dass es uninteressant ist, so will ich auch
nichts dagegen einwenden. Die Entschuldigung um die Sie
bitten gebe ich Ihnen hiemit gern, besonders da ich keine Spur
einer Unordnung finden kann.« Sie machte, die flachen Hän-
20 de tief an die Hüften gelegt, einen Rundgang durch das Zimmer. Bei der Matte mit den Photographien blieb sie stehn.
»Sehn Sie doch«, rief sie, »meine Photographien sind wirklich
durcheinandergeworfen. Das ist aber hässlich. Es ist also jemand unberechtigter Weise in meinem Zimmer gewesen.« K.
25 nickte und verfluchte im stillen den Beamten Kaminer, der
seine öde sinnlose Lebhaftigkeit niemals zähmen konnte. »Es
ist sonderbar«, sagte Fräulein Bürstner, »dass ich gezwungen
bin, Ihnen etwas zu verbieten was Sie sich selbst verbieten
müssten, nämlich in meiner Abwesenheit mein Zimmer zu be-
30 treten.« »Ich erklärte Ihnen doch Fräulein«, sagte K. und
gieng auch zu den Photographien, »dass nicht ich es war, der
sich an Ihren Photographien vergangen hat; aber da Sie mir
nicht glauben, so muss ich also eingestehn, dass die Untersuchungskommission drei Bankbeamte mitgebracht hat, von
35 denen der eine, den ich bei nächster Gelegenheit aus der Bank
hinausbefördern werde, die Photographien wahrscheinlich in
die Hand genommen hat.« »Ja es war eine Untersuchungs-

[handschriftliche Notiz am rechten Rand:] Was ist die Wirklichkeit der Photographien?

kommission hier«, fügte K. hinzu, da ihn das Fräulein mit einem fragenden Blick ansah. »Ihretwegen?« fragte das Fräulein. »Ja«, antwortete K. »Nein«, rief das Fräulein und lachte. »Doch«, sagte K., »glauben Sie denn dass ich schuldlos bin?« »Nun schuldlos ... «, sagte das Fräulein, »ich will nicht gleich ein vielleicht folgenschweres Urteil aussprechen, auch kenne ich Sie doch nicht, immerhin, es muss doch schon ein schwerer Verbrecher sein, dem man gleich eine Untersuchungskommission auf den Leib schickt. Da Sie aber doch frei sind – ich schließe wenigstens aus Ihrer Ruhe, dass Sie nicht aus dem Gefängnis entlaufen sind – so können Sie doch kein solches Verbrechen begangen haben.« »Ja«, sagte K., »aber die Untersuchungskommission kann doch eingesehen haben, dass ich unschuldig bin oder doch nicht so schuldig wie angenommen wurde.« »Gewiss, das kann sein«, sagte Fräulein Bürstner sehr aufmerksam. »Sehn Sie«, sagte K., »Sie haben nicht viel Erfahrung in Gerichtssachen.« »Nein das habe ich nicht«, sagte Fräulein Bürstner, »und habe es auch schon oft bedauert, denn ich möchte alles wissen und gerade Gerichtssachen interessieren mich ungemein. Das Gericht hat eine eigentümliche Anziehungskraft, nicht? Aber ich werde in dieser Richtung meine Kenntnisse sicher vervollständigen, denn ich trete nächsten Monat als Kanzleikraft in ein Advokatenbureau ein.« »Das ist sehr gut«, sagte K., »Sie werden mir dann in meinem Process ein wenig helfen können.« »Das könnte sein«, sagte Fräulein Bürstner, »warum denn nicht? Ich verwende gern meine Kenntnisse.« »Ich meine es auch im Ernst«, sagte K., »oder zumindest in dem halben Ernst, in dem Sie es meinen. Um einen Advokaten heranzuziehn, dazu ist die Sache doch zu kleinlich, aber einen Ratgeber könnte ich gut brauchen.« »Ja, aber wenn ich Ratgeber sein soll, müsste ich wissen, um was es sich handelt«, sagte Fräulein Bürstner. »Das ist eben der Haken«, sagte K., »das weiß ich selbst nicht.« »Dann haben Sie sich also einen Spaß aus mir gemacht«, sagte Fräulein Bürstner übermäßig enttäuscht, »es war höchst unnötig sich diese späte Nachtzeit dazu auszusuchen.« Und sie gieng von den Photographien weg, wo sie so lang vereinigt gestanden waren. »Aber nein Fräulein«, sagte K., »ich mache keinen Spaß. Dass Sie mir nicht glauben wollen! Was ich weiß habe ich Ihnen schon gesagt. Sogar mehr als ich weiß, denn es war gar keine Untersuchungskommission, ich nenne es so weil ich keinen andern Namen dafür weiß. Es wurde gar nichts untersucht, ich wurde nur verhaftet, aber von einer Kommission.« Fräulein Bürstner saß auf der Ottomane und lachte wieder: »Wie war es denn?« fragte sie. »Schrecklich«, sagte K. aber er dachte jetzt gar nicht daran, sondern war ganz vom Anblick des Fräulein Bürstner ergriffen, die das Gesicht auf eine Hand stützte – der Elbogen ruhte auf dem Kissen der Ottomane – während die andere Hand langsam die Hüfte strich. »Das ist zu allgemein«, sagte Fräulein Bürstner. »Was ist zu allgemein?« fragte K. Dann erinnerte er sich und fragte: »Soll ich Ihnen zeigen, wie es gewesen ist?« Er wollte Bewegung machen und doch nicht weggehn. »Ich bin schon müde«, sagte Fräulein Bürstner. »Sie kamen so spät«, sagte K. »Nun endet es damit, dass ich Vorwürfe bekomme, es ist auch berechtigt, denn ich hätte Sie nicht mehr hereinlassen sollen. Notwendig war es ja auch nicht, wie sich gezeigt hat.« »Es war notwendig, das werden Sie erst jetzt sehn«, sagte K. »Darf ich das Nachttischchen von Ihrem Bett herrücken?« »Was fällt Ihnen ein?« sagte Fräulein Bürstner, »das dürfen Sie natürlich nicht!« »Dann kann ich es Ihnen nicht zeigen«, sagte K. aufgeregt, als füge man ihm dadurch einen unermesslichen Schaden zu. »Ja wenn Sie es zur Darstellung brauchen, dann rücken Sie das Tischchen nur ruhig fort«, sagte Fräulein Bürstner und fügte nach einem Weilchen mit schwächerer Stimme hinzu: »Ich bin so müde, dass ich mehr erlaube, als gut ist.« K. stellte das Tischchen in die Mitte des Zimmers und setzte sich dahinter. »Sie müssen sich die Verteilung der Personen richtig vorstellen, es ist sehr interessant. Ich bin der Aufseher, dort auf dem Koffer sitzen zwei Wächter, bei den Photographien stehn drei junge Leute. An der Fensterklinke hängt, was ich nur nebenbei erwähne, eine weiße Bluse. Und jetzt fängt es an. Ja, ich vergesse mich, die wichtigste Person, also ich stehe hier vor dem Tischchen. Der

Aufseher sitzt äußerst bequem, die Beine übereinandergelegt, den Arm hier über die Lehne hinunterhängend, ein Lümmel sondergleichen. Und jetzt fängt es also wirklich an. Der Aufseher ruft als ob er mich wecken müsste, er schreit geradezu, ich muss leider, wenn ich es Ihnen begreiflich machen will, auch schreien, es ist übrigens nur mein Name, den er so schreit.« Fräulein Bürstner die lachend zuhörte legte den Zeigefinger an den Mund, um K. am Schreien zu hindern, aber es war zu spät, K. war zu sehr in der Rolle, er rief langsam »Josef K.!«, übrigens nicht so laut wie er gedroht hatte, aber doch so dass sich der Ruf, nachdem er plötzlich ausgestoßen war, erst allmählich im Zimmer zu verbreiten schien.

Da klopfte es an die Tür des Nebenzimmers einigemal, stark, kurz und regelmäßig. Fräulein Bürstner erbleichte und legte die Hand aufs Herz. K. erschrak deshalb besonders stark, weil er noch ein Weilchen ganz unfähig gewesen war, an etwas anderes zu denken, als an die Vorfälle des Morgens und an das Mädchen, dem er sie vorführte. Kaum hatte er sich gefasst sprang er zu Fräulein Bürstner und nahm ihre Hand. »Fürchten Sie nichts«, flüsterte er, »ich werde alles in Ordnung bringen. Wer kann es aber sein? Hier nebenan ist doch nur das Wohnzimmer, in dem niemand schläft.« »Doch«, flüsterte Fräulein Bürstner an K.'s Ohr, »seit gestern schläft hier ein Neffe von Frau Grubach, ein Hauptmann. Es ist gerade kein anderes Zimmer frei. Auch ich habe daran vergessen. Dass Sie so schreien mussten! Ich bin unglücklich darüber.« »Dafür ist gar kein Grund«, sagte K. und küsste, als sie jetzt auf das Kissen zurücksank, ihre Stirn. »Weg, weg«, sagte sie und richtete sich eilig wieder auf, »gehn Sie doch, gehn Sie doch. Was wollen Sie, er horcht doch an der Tür, er hört doch alles. Wie Sie mich quälen!« »Ich gehe nicht früher«, sagte K., »bis Sie ein wenig beruhigt sind. Kommen Sie in die andere Ecke des Zimmers, dort kann er uns nicht hören.« Sie ließ sich dorthin führen. »Sie überlegen nicht«, sagte er, »dass es sich zwar um eine Unannehmlichkeit für Sie handelt, aber durchaus nicht um eine Gefahr. Sie wissen wie mich Frau Grubach, die in dieser Sache doch entscheidet, besonders da der Haupt-

mann ihr Neffe ist, geradezu verehrt und alles was ich sage
unbedingt glaubt. Sie ist auch im übrigen von mir abhängig,
denn sie hat eine größere Summe von mir geliehn. Jeden Ihrer
Vorschläge über eine Erklärung für unser Beisammen nehme
ich an, wenn er nur ein wenig zweckentsprechend ist und verbürge mich Frau Grubach dazu zu bringen, die Erklärung
nicht nur vor der Öffentlichkeit, sondern wirklich und aufrichtig zu glauben. Mich müssen Sie dabei in keiner Weise
schonen. Wollen Sie verbreitet haben, dass ich Sie überfallen
habe, so wird Frau Grubach in diesem Sinne unterrichtet werden und wird es glauben, ohne das Vertrauen zu mir zu verlieren, so sehr hängt sie an mir.« Fräulein Bürstner sah still
und ein wenig zusammengesunken vor sich auf den Boden.
»Warum sollte Frau Grubach nicht glauben, dass ich Sie überfallen habe«, fügte K. hinzu. Vor sich sah er ihr Haar, geteiltes,
niedrig gebauschtes, fest zusammengehaltenes rötliches Haar.
Er glaubte sie werde ihm den Blick zuwenden, aber sie sagte
in unveränderter Haltung: »Verzeihen Sie, ich bin durch das
plötzliche Klopfen so erschreckt worden, nicht so sehr durch
die Folgen, die die Anwesenheit des Hauptmanns haben
könnte. Es war so still nach Ihrem Schrei und da klopfte es,
deshalb bin ich so erschrocken, ich saß auch in der Nähe der
Tür, es klopfte fast neben mir. Für Ihre Vorschläge danke ich,
aber ich nehme sie nicht an. Ich kann für alles, was in meinem
Zimmer geschieht die Verantwortung tragen undzwar gegenüber jedem. Ich wundere mich, dass Sie nicht merken, was für
eine Beleidigung für mich in Ihren Vorschlägen liegt, neben
den guten Absichten natürlich, die ich gewiss anerkenne. Aber
nun gehn Sie, lassen Sie mich allein, ich habe es jetzt noch
nötiger als früher. Aus den paar Minuten, um die Sie gebeten
haben, ist nun eine halbe Stunde und mehr geworden.« K.
fasste sie bei der Hand und dann beim Handgelenk: »Sie sind
mir aber nicht böse?« sagte er. Sie streifte seine Hand ab und
antwortete: »Nein, nein, ich bin niemals und niemandem
böse.« Er fasste wieder nach ihrem Handgelenk, sie duldete es
jetzt und führte ihn so zur Tür. Er war fest entschlossen wegzugehn. Aber vor der Tür, als hätte er nicht erwartet, hier eine

Tür zu finden, stockte er, diesen Augenblick benützte Fräulein Bürstner sich loszumachen, die Tür zu öffnen, ins Vorzimmer zu schlüpfen und von dort aus K. leise zu sagen: »Nun kommen Sie doch, bitte. Sehn Sie« – sie zeigte auf die Tür des Hauptmanns, unter der ein Lichtschein hervorkam – »er hat angezündet und unterhält sich über uns.« »Ich komme schon«, sagte K., lief vor, fasste sie, küsste sie auf den Mund und dann über das ganze Gesicht, wie ein durstiges Tier mit der Zunge über das endlich gefundene Quellwasser hinjagt. Schließlich küsste er sie auf den Hals, wo die Gurgel ist, und dort ließ er die Lippen lange liegen. Ein Geräusch aus dem Zimmer des Hauptmanns ließ ihn aufschauen. »Jetzt werde ich gehn«, sagte er, er wollte Fräulein Bürstner beim Taufnamen nennen, wusste ihn aber nicht. Sie nickte müde, überließ ihm schon halb abgewendet die Hand zum Küssen, als wisse sie nichts davon und gieng gebückt in ihr Zimmer. Kurz darauf lag K. in seinem Bett. Er schlief sehr bald ein, vor dem Einschlafen dachte er noch ein Weilchen über sein Verhalten nach, er war damit zufrieden, wunderte sich aber, dass er nicht noch zufriedener war; wegen des Hauptmanns machte er sich für Fräulein Bürstner ernstliche Sorgen.

---

6 **angezündet:** ein Licht angezündet | 6 **unterhält sich über uns:** amüsiert sich über uns

Erste Untersuchung

K. war telephonisch verständigt worden, dass am nächsten Sonntag eine kleine Untersuchung in seiner Angelegenheit stattfinden würde. Man machte ihn darauf aufmerksam, dass
5 diese Untersuchungen nun regelmäßig, wenn auch vielleicht nicht jede Woche so doch häufiger einander folgen würden. Es liege einerseits im allgemeinen Interesse, den Process rasch zu Ende zu führen, anderseits aber müssten die Untersuchungen in jeder Hinsicht gründlich sein und doch wegen der da-
10 mit verbundenen Anstrengung niemals allzulange dauern. Deshalb habe man den Ausweg dieser rasch aufeinanderfolgenden aber kurzen Untersuchungen gewählt. Die Bestimmung des Sonntags als Untersuchungstag habe man deshalb vorgenommen, um K. in seiner beruflichen Arbeit nicht zu
15 stören. Man setze voraus, dass er damit einverstanden sei, sollte er einen andern Termin wünschen, so würde man ihm so gut es gienge entgegenkommen. Die Untersuchungen wären beispielsweise auch in der Nacht möglich, aber da sei wohl K. nicht genug frisch. Jedenfalls werde man es, solange K. nichts
20 einwende, beim Sonntag belassen. Es sei selbstverständlich, da er bestimmt erscheinen müsse, darauf müsse man ihn wohl nicht erst aufmerksam machen. Es wurde ihm die Nummer des Hauses genannt, in dem er sich einfinden solle, es war ein Haus in einer entlegenen Vorstadtstraße, in der K. noch
25 niemals gewesen war.

K. hängte, als er diese Meldung erhalten hatte, ohne zu antworten, den Hörer an; er war gleich entschlossen, Sonntag zu gehn, es war gewiss notwendig, der Process kam in Gang und er musste sich dem entgegenstellen, diese erste Untersuchung
30 sollte auch die letzte sein. Er stand noch nachdenklich beim Apparat, da hörte er hinter sich die Stimme des Direktor-Stellvertreters, der telephonieren wollte, dem aber K. den Weg

---

26 f. **hängte ... den Hörer an:** Der Telefonapparat hängt an der Wand, der Hörer wird wie in einen Haken eingehängt

verstellte. »Schlechte Nachrichten?« fragte der Direktor-Stellvertreter leichthin, nicht um etwas zu erfahren, sondern um K. vom Apparat wegzubringen. »Nein, nein«, sagte K., trat beiseite, gieng aber nicht weg. Der Direktor-Stellvertreter nahm den Hörer und sagte, während er auf die telephonische Verbindung wartete, über das Hörrohr hinweg: »Eine Frage, Herr K.? Möchten Sie mir Sonntag früh das Vergnügen machen, eine Partie auf meinem Segelboot mitzumachen? Es wird eine größere Gesellschaft sein, gewiss auch Ihre Bekannten darunter. Unter anderem Staatsanwalt Hasterer. Wollen Sie kommen? Kommen Sie doch!« K. versuchte darauf achtzugeben, was der Direktor-Stellvertreter sagte. Es war nicht unwichtig für ihn, denn diese Einladung des Direktor-Stellvertreters, mit dem er sich niemals sehr gut vertragen hatte, bedeutete einen Versöhnungsversuch von dessen Seite und zeigte, wie wichtig K. in der Bank geworden war und wie wertvoll seine Freundschaft oder wenigstens seine Unparteilichkeit dem zweithöchsten Beamten der Bank erschien. Diese Einladung war eine Demütigung des Direktor-Stellvertreters, mochte sie auch nur in Erwartung der telephonischen Verbindung über das Hörrohr hinweg gesagt sein. Aber K. musste eine zweite Demütigung folgen lassen, er sagte: »Vielen Dank! Aber ich habe leider Sonntag keine Zeit, ich habe schon eine Verpflichtung.« »Schade«, sagte der Direktor-Stellvertreter und wandte sich dem telephonischen Gespräch zu, das gerade hergestellt worden war. Es war kein kurzes Gespräch, aber K. blieb in seiner Zerstreutheit die ganze Zeit über neben dem Apparat stehn. Erst als der Direktor-Stellvertreter abläutete, erschrak er und sagte, um sein unnützes Dastehn nur ein wenig zu entschuldigen: »Ich bin jetzt antelephoniert worden, ich möchte irgendwo hinkommen, aber man hat vergessen, mir zu sagen zu welcher Stunde.« »Fragen Sie doch noch einmal nach«, sagte der Direktor-Stellvertreter. »Es ist nicht so wichtig«, sagte K., trotzdem dadurch seine frühere schon an sich mangelhafte Entschuldigung noch weiter zerfiel. Der Direktor-Stellvertreter sprach noch im Weggehn über andere Dinge, K. zwang sich auch zu antworten,

---

5 f. **telephonische Verbindung:** Verbindungen wurden damals im Amt mechanisch gesteckt, nicht wie heute automatisch durch Tastenwahl hergestellt | 29 **abläutete:** eine Kurbel am Gehäuse betätigte, die so durch einen Impuls das Ende des Gesprächs signalisierte | 34 **trotzdem:** obwohl

dachte aber hauptsächlich daran, dass es am besten sein werde, Sonntag um 9 Uhr vormittag hinzukommen, da zu dieser Stunde an Werketagen alle Gerichte zu arbeiten anfangen.

Sonntag war trübes Wetter, K. war sehr ermüdet, da er we-
gen einer Stammtischfeierlichkeit bis spät in die Nacht im Gasthaus geblieben war, er hätte fast verschlafen. Eilig, ohne Zeit zu haben, zu überlegen und die verschiedenen Pläne, die er während der Woche ausgedacht hatte, zusammenzustellen, kleidete er sich an und lief, ohne zu frühstücken in die ihm
bezeichnete Vorstadt. Eigentümlicher Weise traf er, trotzdem er wenig Zeit hatte umherzublicken, die drei an seiner Ange-legenheit beteiligten Beamten, Rabensteiner, Kullych und Ka-miner. Die erstern zwei fuhren in einer Elektrischen quer über K.'s Weg, Kaminer aber saß auf der Terasse eines Kafeehauses
und beugte sich gerade als K. vorüberkam, neugierig über die Brüstung. Alle sahen ihm wohl nach und wunderten sich, wie ihr Vorgesetzter lief; es war irgendein Trotz, der K. davon abgehalten hatte zu fahren, er hatte Abscheu vor jeder, selbst der geringsten fremden Hilfe in dieser seiner Sache, auch
wollte er niemanden in Anspruch nehmen und dadurch selbst nur im allerentferntesten einweihen, schließlich hatte er aber auch nicht die geringste Lust sich durch allzugroße Pünkt-lichkeit vor der Untersuchungskommission zu erniedrigen. Allerdings lief er jetzt, um nur möglichst um 9 Uhr einzu-
treffen, trotzdem er nicht einmal für eine bestimmte Stunde bestellt war.

Er hatte gedacht das Haus schon von der Ferne an irgend-einem Zeichen, das er sich selbst nicht genau vorgestellt hatte, oder an einer besondern Bewegung vor dem Eingang schon
von weitem zu erkennen. Aber die Juliusstraße, in der es sein sollte und an deren Beginn K. einen Augenblick lang stehen blieb, enthielt auf beiden Seiten fast ganz einförmige Häuser, hohe graue von armen Leuten bewohnte Miethäuser. Jetzt am Sonntagmorgen waren die meisten Fenster besetzt, Männer in
Hemdärmeln lehnten dort und rauchten oder hielten kleine Kinder vorsichtig und zärtlich an den Fensterrand. Andere Fenster waren hoch mit Bettzeug angefüllt, über dem flüchtig

---

3 **Werketagen:** Werktagen

der zerraufte Kopf einer Frau erschien. Man rief einander über die Gasse zu, ein solcher Zuruf bewirkte gerade über K. ein großes Gelächter. Regelmäßig verteilt befanden sich in der langen Straße kleine unter dem Straßenniveau liegende, durch paar Treppen erreichbare Läden mit verschiedenen Lebensmitteln. Dort gingen Frauen aus und ein oder standen auf den Stufen und plauderten. Ein Obsthändler, der seine Waren zu den Fenstern hinauf empfahl, hätte ebenso unaufmerksam wie K. mit seinem Karren diesen fast niedergeworfen. Eben begann ein in bessern Stadtvierteln ausgedientes Grammophon mörderisch zu spielen.

K. gieng tiefer in die Gasse hinein, langsam, als hätte er nun schon Zeit oder als sähe ihn der Untersuchungsrichter aus irgendeinem Fenster und wisse also dass sich K. eingefunden habe. Es war kurz nach 9. Das Haus lag ziemlich weit, es war fast ungewöhnlich ausgedehnt, besonders die Toreinfahrt war hoch und weit. Sie war offenbar für Lastfuhren bestimmt, die zu den verschiedenen Warenmagazinen gehörten, die, jetzt versperrt, den großen Hof umgaben und Aufschriften von Firmen trugen, von denen K. einige aus dem Bankgeschäft kannte. Gegen seine sonstige Gewohnheit sich mit allen diesen Äußerlichkeiten genauer befassend, blieb er auch ein wenig am Eingang des Hofes stehn. In seiner Nähe auf einer Kiste saß ein bloßfüßiger Mann und las eine Zeitung. Auf einem Handkarren schaukelten zwei Jungen. Vor einer Pumpe stand ein schwaches junges Mädchen in einer Nachtjoppe und blickte, während das Wasser in ihre Kanne strömte, auf K. hin. In einer Ecke des Hofes wurde zwischen zwei Fenstern ein Strick gespannt, auf dem die zum Trocknen bestimmte Wäsche schon hieng. Ein Mann stand unten und leitete die Arbeit durch ein paar Zurufe.

K. wandte sich der Treppe zu, um zum Untersuchungszimmer zu kommen, stand dann aber wieder still, denn außer dieser Treppe sah er im Hof noch drei verschiedene Treppenaufgänge und überdies schien ein kleiner Durchgang am Ende des Hofes noch in einen zweiten Hof zu führen. Er ärgerte sich dass man ihm die Lage des Zimmers nicht näher bezeich-

---

5 **paar Treppen:** ein paar Treppen (österr.) | 24 **bloßfüßiger:** barfüßiger | 26 f. **Nachtjoppe:** eine Jacke, die man eigentlich im Bett trägt

net hatte, es war doch eine sonderbare Nachlässigkeit oder
Gleichgültigkeit, mit der man ihn behandelte, er beabsichtigte, das sehr laut und deutlich festzustellen. Schließlich stieg er
doch die erste Treppe hinauf und spielte in Gedanken mit
einer Erinnerung an den Ausspruch des Wächters Willem,
dass das Gericht von der Schuld angezogen werde, woraus
eigentlich folgte, dass das Untersuchungszimmer an der Treppe liegen musste, die K. zufällig wählte.

Er störte im Hinaufgehn viele Kinder, die auf der Treppe
spielten und ihn, wenn er durch ihre Reihe schritt, böse an-
sahn. »Wenn ich nächstens wieder hergehen sollte«, sagte er
sich, »muss ich entweder Zuckerwerk mitnehmen, um sie zu
gewinnen oder den Stock um sie zu prügeln.« Knapp vor dem
ersten Stockwerk musste er sogar ein Weilchen warten, bis
eine Spielkugel ihren Weg vollendet hatte, zwei kleine Jungen
mit den verzwickten Gesichtern erwachsener Strolche hielten
ihn indessen an den Beinkleidern; hätte er sie abschütteln wollen, hätte er ihnen wehtun müssen und er fürchtete ihr Geschrei.

Im ersten Stockwerk begann die eigentliche Suche. Da er
doch nicht nach der Untersuchungskommission fragen konnte, erfand er einen Tischler Lanz – der Name fiel ihm ein weil
der Hauptmann, der Neffe der Frau Grubach, so hieß – und
wollte nun in allen Wohnungen nachfragen, ob hier ein Tischler Lanz wohne, um so die Möglichkeit zu bekommen, in die
Zimmer hineinzusehn. Es zeigte sich aber, dass das meistens
ohne weiters möglich war, denn fast alle Türen standen offen
und die Kinder liefen ein und aus. Es waren in der Regel kleine einfenstrige Zimmer, in denen auch gekocht wurde. Manche Frauen hielten Säuglinge im Arm und arbeiteten mit der
freien Hand auf dem Herd. Halbwüchsige scheinbar nur mit
Schürzen bekleidete Mädchen liefen am fleißigsten hin und
her. In allen Zimmern standen die Betten noch in Benützung,
es lagen dort Kranke oder noch Schlafende oder Leute die sich
dort in Kleidern streckten. An den Wohnungen, deren Türen
geschlossen waren, klopfte K. an und fragte, ob hier ein Tischler Lanz wohne. Meistens öffnete eine Frau, hörte die Frage

an und wandte sich ins Zimmer zu jemanden der sich aus dem Bett erhob. »Der Herr frägt ob ein Tischler Lanz hier wohnt.« »Tischler Lanz?« fragte der aus dem Bett. »Ja«, sagte K., trotzdem sich hier die Untersuchungskommission zweifellos nicht befand und daher seine Aufgabe beendet war. Viele glaubten es liege K. sehr viel daran den Tischler Lanz zu finden, dachten lange nach, nannten einen Tischler, der aber nicht Lanz hieß, oder einen Namen, der mit Lanz eine ganz entfernte Ähnlichkeit hatte, oder sie fragten bei Nachbarn oder begleiteten K. zu einer weit entfernten Tür, wo ihrer Meinung nach ein derartiger Mann möglicherweise in Aftermiete wohne oder wo jemand sei der bessere Auskunft als sie selbst geben könne. Schließlich musste K. kaum mehr selbst fragen, sondern wurde auf diese Weise durch die Stockwerke gezogen. Er bedauerte seinen Plan, der ihm zuerst so praktisch erschienen war. Vor dem 5ten Stockwerk entschloss er sich die Suche aufzugeben, verabschiedete sich von einem freundlichen jungen Arbeiter, der ihn weiter hinaufführen wollte, und gieng hinunter. Dann aber ärgerte ihn wieder das Nutzlose dieser ganzen Unternehmung, er gieng nochmals zurück und klopfte an die erste Tür des 5ten Stockwerks. Das erste was er in dem kleinen Zimmer sah, war eine große Wanduhr, die schon 10 Uhr zeigte. »Wohnt ein Tischler Lanz hier?« fragte er. »Bitte«, sagte eine junge Frau mit schwarzen leuchtenden Augen, die gerade in einem Kübel Kinderwäsche wusch, und zeigte mit der nassen Hand auf die offene Tür des Nebenzimmers.

K. glaubte in eine Versammlung einzutreten. Ein Gedränge der verschiedensten Leute – niemand kümmerte sich um den Eintretenden – füllte ein mittelgroßes 2fenstriges Zimmer, das knapp an der Decke von einer Galerie umgeben war, die gleichfalls vollständig besetzt war und wo die Leute nur gebückt stehen konnten und mit Kopf und Rücken an die Decke stießen. K., dem die Luft zu dumpf war, trat wieder hinaus und sagte zu der jungen Frau, die ihn wahrscheinlich falsch verstanden hatte: »Ich habe nach einem Tischler, einem gewissen Lanz gefragt?« »Ja«, sagte die Frau, »gehn Sie bitte hin-

---

11 f. **in Aftermiete:** zur Untermiete, zur Miete bei einem Mieter (österr.)

ein.« K. hätte ihr vielleicht nicht gefolgt, wenn die Frau nicht
auf ihn zugegangen wäre, die Türklinke ergriffen und gesagt
hätte: »Nach Ihnen muss ich schließen, es darf niemand mehr
hinein.« »Sehr vernünftig«, sagte K., »es ist aber schon jetzt
5 zu voll.« Dann gieng er aber doch wieder hinein.

Zwischen 2 Männern hindurch, die sich unmittelbar bei
der Tür unterhielten – der eine machte mit beiden weit vorgestreckten Händen die Bewegung des Geldaufzählens, der andere sah ihm scharf in die Augen – fasste eine Hand nach K.
10 Es war ein kleiner rotbäckiger Junge. »Kommen Sie, kommen
Sie«, sagte er. K. ließ sich von ihm führen, es zeigte sich, dass
in dem durcheinanderwimmelnden Gedränge doch ein
schmaler Weg frei war, der möglicherweise zwei Parteien
schied; dafür sprach auch dass K. in den ersten Reihen rechts
15 und links kaum ein ihm zugewendetes Gesicht sah, sondern
nur die Rücken von Leuten, welche ihre Reden und Bewegungen nur an Leute ihrer Partei richteten. Die meisten waren
schwarz angezogen, in alten lange und lose hinunterhängen-
den Feiertagsröcken. Nur diese Kleidung beirrte K., sonst
20 hätte er das ganze als eine politische Bezirksversammlung angesehn.

Am andern Ende des Saales, zu dem K. geführt wurde,
stand auf einem sehr niedrigen gleichfalls überfüllten Podium
ein kleiner Tisch der Quere nach aufgestellt und hinter ihm,
25 nahe am Rand des Podiums, saß ein kleiner dicker schnaufen-
der Mann, der sich gerade mit einem hinter ihm Stehenden –
dieser hatte den Elbogen auf die Sessellehne gestützt und die
Beine gekreuzt – unter großem Gelächter unterhielt. Manchmal warf er den Arm in die Luft, als karrikiere er jemanden.
30 Der Junge, der K. führte, hatte Mühe seine Meldung vorzu-
bringen. Zweimal hatte er schon auf den Fußspitzen stehend
etwas auszurichten versucht, ohne von dem Mann oben be-
achtet worden zu sein. Erst als einer der Leute oben auf dem
Podium auf den Jungen aufmerksam machte, wandte sich der
35 Mann ihm zu und hörte heruntergebeugt seinen leisen Bericht
an. Dann zog er seine Uhr und sah schnell nach K. hin. »Sie
hätten vor 1 Stunde und 5 Minuten erscheinen sollen«,

---

19 **beirrte:** verwirrte | 20 **politische:** im Ms. ursprünglich: »sozialis-
tische«

sagte er. K. wollte etwas antworten, aber er hatte keine Zeit,
denn kaum hatte der Mann ausgesprochen, erhob sich in der
rechten Saalhälfte ein allgemeines Murren. »Sie hätten vor
1 Stunde und 5 Minuten erscheinen sollen«, wiederholte
nun der Mann mit erhobener Stimme und sah nun auch   5
schnell in den Saal hinunter. Sofort wurde auch das Murren
stärker und verlor sich, da der Mann nichts mehr sagte, nur
allmählich. Es war jetzt im Saal viel stiller als bei K.'s Eintritt.
Nur die Leute auf der Gallerie hörten nicht auf, ihre Bemerkungen zu machen. Sie schienen soweit man oben in dem   10
Halbdunkel, Dunst und Staub etwas unterscheiden konnte
schlechter angezogen zu sein, als die unten. Manche hatten
Pölster mitgebracht, die sie zwischen den Kopf und die Zim-
merdecke gelegt hatten, um sich nicht wundzudrücken.

K. hatte sich entschlossen mehr zu beobachten als zu reden,   15
infolgedessen verzichtete er auf die Verteidigung wegen seines
angeblichen Zuspätkommens und sagte bloß: »Mag ich zu
spät gekommen sein, jetzt bin ich hier.« Ein Beifallklatschen
wieder aus der rechten Saalhälfte folgte. »Leicht zu gewinnen-
de Leute«, dachte K. und war nur gestört durch die Stille in   20
der linken Saalhälfte, die gerade hinter ihm lag und aus der
sich nur ganz vereinzeltes Händeklatschen erhoben hatte. Er
dachte nach, was er sagen könnte, um alle auf einmal oder
wenn das nicht möglich sein sollte, wenigstens zeitweilig auch
die andern zu gewinnen.   25

»Ja«, sagte der Mann, »aber ich bin nicht mehr verpflichtet,
Sie jetzt zu verhören« – wieder das Murren, diesmal aber miss-
verständlich, denn der Mann fuhr, indem er den Leuten mit
der Hand abwinkte, fort – »ich will es jedoch ausnahmsweise
heute noch tun. Eine solche Verspätung darf sich aber nicht   30
mehr wiederholen. Und nun treten Sie vor!« Irgendjemand
sprang vom Podium herunter, so dass für K. ein Platz freiwur-
de, auf den er hinaufstieg. Er stand eng an den Tisch gedrückt,
das Gedränge hinter ihm war so groß, dass er ihm Widerstand
leisten musste, wollte er nicht den Tisch des Untersuchungs-   35
richters und vielleicht auch diesen selbst vom Podium hinun-
terstoßen.

---

13 **Pölster:** österr. Pluralform von Polster (Kissen)

Der Untersuchungsrichter kümmerte sich aber nicht darum, sondern saß genug bequem auf seinem Sessel und griff,
nachdem er dem Mann hinter ihm ein abschließendes Wort
gesagt hatte, nach einem kleinen Anmerkungsbuch, dem ein-
5 zigen Gegenstand auf seinem Tisch. Es war schulheftartig, alt,
durch vieles Blättern ganz aus der Form gebracht. »Also«,
sagte der Untersuchungsrichter, blätterte in dem Heft und
wendete sich im Tone einer Feststellung an K.: »Sie sind Zim-
mermaler?« »Nein«, sagte K., »sondern erster Prokurist einer
10 großen Bank.« Dieser Antwort folgte bei der rechten Partei
unten ein Gelächter, das so herzlich war, dass K. mitlachen
musste. Die Leute stützten sich mit den Händen auf ihre Knie
und schüttelten sich wie unter schweren Hustenanfällen. Es
lachten sogar einzelne auf der Gallerie. Der ganz böse gewor-
15 dene Untersuchungsrichter, der wahrscheinlich gegen die
Leute unten machtlos war, suchte sich an der Gallerie zu ent-
schädigen, sprang auf, drohte der Gallerie und seine sonst wenig auffallenden Augenbrauen drängten sich buschig schwarz
und groß über seinen Augen.

20 Die linke Saalhälfte war aber noch immer still, die Leute
standen dort in Reihen, hatten ihre Gesichter dem Podium
zugewendet und hörten den Worten die oben gewechselt
wurden ebenso ruhig zu wie dem Lärm der andern Partei, sie
duldeten sogar, dass einzelne aus ihren Reihen mit der andern
25 Partei hie und da gemeinsam vorgiengen. Die Leute der linken
Partei, die übrigens weniger zahlreich war, mochten im Grunde ebenso unbedeutend sein wie die der rechten Partei, aber
die Ruhe ihres Verhaltens ließ sie bedeutungsvoller erscheinen. Als K. jetzt zu reden begann, war er überzeugt, in ihrem
30 Sinne zu sprechen.

»Ihre Frage Herr Untersuchungsrichter ob ich Zimmerma-
ler bin – vielmehr Sie haben gar nicht gefragt, sondern es mir
auf den Kopf zugesagt – ist bezeichnend für die ganze Art des
Verfahrens, das gegen mich geführt wird. Sie können einwen-
35 den, dass es ja überhaupt kein Verfahren ist, Sie haben sehr
Recht, denn es ist ja nur ein Verfahren, wenn ich es als solches
anerkenne. Aber ich erkenne es also für den Augenblick jetzt

an, aus Mitleid gewissermaßen. Man kann sich nicht anders als mitleidig dazu stellen, wenn man es überhaupt beachten will. Ich sage nicht, dass es ein lüderliches Verfahren ist, aber ich möchte Ihnen diese Bezeichnung zur Selbsterkenntnis angeboten haben.«

K. unterbrach sich und sah in den Saal hinunter. Was er gesagt hatte, war scharf, schärfer als er es beabsichtigt hatte, aber doch richtig. Es hätte Beifall hier oder dort verdient, es war jedoch alles still, man wartete offenbar gespannt auf das Folgende, es bereitete sich vielleicht in der Stille ein Ausbruch vor, der allem ein Ende machen würde. Störend war es, dass sich jetzt die Tür am Saalende öffnete, die junge Wäscherin, die ihre Arbeit wahrscheinlich beendet hatte, eintrat und trotz aller Vorsicht die sie aufwendete, einige Blicke auf sich zog. Nur der Untersuchungsrichter machte K. unmittelbare Freude, denn er schien von den Worten sofort getroffen zu werden. Er hatte bisher stehend zugehört, denn er war von K.'s Ansprache überrascht worden, während er sich für die Gallerie aufgerichtet hatte. Jetzt in der Pause setzte er sich allmählich als sollte es nicht bemerkt werden. Wahrscheinlich um seine Miene zu beruhigen nahm er wieder das Heftchen vor.

»Es hilft nichts«, fuhr K. fort, »auch Ihr Heftchen Herr Untersuchungsrichter bestätigt was ich sage.« Zufrieden damit, nur seine ruhigen Worte in der fremden Versammlung zu hören, wagte es K. sogar, kurzerhand das Heft dem Untersuchungsrichter wegzunehmen und es mit den Fingerspitzen, als scheue er sich davor, an einem mittleren Blatte hochzuheben, so dass beiderseits die engbeschriebenen fleckigen, gelbrandigen Blätter hinunterhiengen. »Das sind die Akten des Untersuchungsrichters«, sagte er und ließ das Heft auf den Tisch hinunterfallen. »Lesen Sie darin ruhig weiter Herr Untersuchungsrichter, vor diesem Schuldbuch fürchte ich mich wahrhaftig nicht, trotzdem es mir unzugänglich ist, denn ich kann es nur mit zwei Fingerspitzen anfassen.« Es konnte nur ein Zeichen tiefer Demütigung sein oder es musste zumindest so aufgefasst werden, dass der Untersuchungsrichter nach dem Heftchen, wie es auf den Tisch gefallen war, griff, es ein wenig

---

3 **lüderliches:** liederliches (unsittliches, unmoralisches, verdorbenes)

in Ordnung zu bringen suchte und es wieder vornahm, um darin zu lesen.

Die Gesichter der Leute in der ersten Reihe waren so gespannt auf K. gerichtet, dass er ein Weilchen lang zu ihnen hinuntersah. Es waren durchwegs ältere Männer, einige waren weißbärtig. Waren vielleicht sie die Entscheidenden, die die ganze Versammlung beeinflussen konnten, welche auch durch die Demütigung des Untersuchungsrichters sich nicht aus der Regungslosigkeit bringen ließ, in welche sie seit K.'s Rede versunken war.

»Was mir geschehen ist«, fuhr K. fort etwas leiser als früher und suchte immer wieder die Gesichter der ersten Reihe ab, was seiner Rede einen etwas fahrigen Ausdruck gab, »was mir geschehen ist, ist ja nur ein einzelner Fall und als solcher nicht sehr wichtig, da ich es nicht sehr schwer nehme, aber es ist das Zeichen eines Verfahrens wie es gegen viele geübt wird. Für diese stehe ich hier ein, nicht für mich.«

Er hatte unwillkürlich seine Stimme gehoben. Irgendwo klatschte jemand mit erhobenen Händen und rief: »Bravo! Warum denn nicht? Bravo! Und wieder Bravo!« Die in der ersten Reihe griffen hie und da in ihre Bärte, keiner kehrte sich wegen des Ausrufs um. Auch K. maß ihm keine Bedeutung bei, war aber doch aufgemuntert; er hielt es jetzt gar nicht mehr für nötig, dass alle Beifall klatschten, es genügte wenn die Allgemeinheit über die Sache nachzudenken begann und nur manchmal einer durch Überredung gewonnen wurde.

»Ich will nicht Rednererfolg«, sagte K. aus dieser Überlegung heraus, »er dürfte mir auch nicht erreichbar sein. Der Herr Untersuchungsrichter spricht wahrscheinlich viel besser, es gehört ja zu seinem Beruf. Was ich will, ist nur die öffentliche Besprechung eines öffentlichen Missstandes. Hören Sie: Ich bin vor etwa 10 Tagen verhaftet worden, über die Tatsache der Verhaftung selbst lache ich, aber das gehört jetzt nicht hierher. Ich wurde früh im Bett überfallen, vielleicht hatte man – es ist nach dem was der Untersuchungsrichter sagte nicht ausgeschlossen – den Befehl irgendeinen Zim-

mermaler der ebenso unschuldig ist, wie ich zu verhaften,
aber man wählte mich. Das Nebenzimmer war von zwei groben Wächtern besetzt. Wenn ich ein gefährlicher Räuber
wäre, hätte man nicht bessere Vorsorge treffen können. Diese Wächter waren überdies demoralisiertes Gesindel, sie   5
schwätzten mir die Ohren voll, sie wollten sich bestechen lassen, sie wollten mir unter Vorspiegelungen Wäsche und Kleider herauslocken, sie wollten Geld, um mir angeblich ein
Frühstück zu bringen, nachdem sie mein eigenes Frühstück
vor meinen Augen schamlos aufgegessen hatten. Nicht genug   10
daran. Ich wurde in ein drittes Zimmer vor den Aufseher geführt. Es war das Zimmer einer Dame die ich sehr schätze und
ich musste zusehn, wie dieses Zimmer meinetwegen aber ohne
meine Schuld durch die Anwesenheit der Wächter und des
Aufsehers gewissermaßen verunreinigt wurde. Es war nicht   15
leicht ruhig zu bleiben. Es gelang mir aber und ich fragte den
Aufseher vollständig ruhig – wenn er hier wäre, müsste er es
bestätigen – warum ich verhaftet sei. Was antwortete nun dieser Aufseher den ich jetzt noch vor mir sehe, wie er auf dem
Sessel der erwähnten Dame als eine Darstellung des stumpf-   20
sinnigsten Hochmuts sitzt? Meine Herren, er antwortete im
Grunde nichts, vielleicht wusste er wirklich nichts, er hatte
mich verhaftet und war damit zufrieden. Er hat sogar noch ein
übriges getan und in das Zimmer jener Dame 3 niedrige
Angestellte meiner Bank gebracht, die sich damit beschäftig- 25
ten, Photographien, Eigentum der Dame, zu betasten und in
Unordnung zu bringen. Die Anwesenheit dieser Angestellten
hatte natürlich noch einen andern Zweck, sie sollten, ebenso
wie meine Vermieterin und ihr Dienstmädchen die Nachricht
von meiner Verhaftung verbreiten, mein öffentliches Ansehen 30
schädigen und insbesondere in der Bank meine Stellung er-
schüttern. Nun ist nichts davon auch nicht im geringsten gelungen, selbst meine Vermieterin, eine ganz einfache Person –
ich will ihren Namen hier in ehrendem Sinne nennen, sie heißt
Frau Grubach – selbst Frau Grubach war verständig genug   35
einzusehn, dass eine solche Verhaftung nicht mehr bedeutet,
als ein Anschlag, den nicht genügend beaufsichtigte Jungen

---

5 **demoralisiertes:** unmoralisches, verdorbenes

Kinderspiel

auf der Gasse ausführen. Ich wiederhole, mir hat das Ganze nur Unannehmlichkeiten und vorübergehenden Ärger bereitet, hätte es aber nicht auch schlimmere Folgen haben können?«

Als K. sich hier unterbrach und nach dem stillen Untersuchungsrichter hinsah, glaubte er zu bemerken, dass dieser gerade mit einem Blick jemandem in der Menge ein Zeichen gab. K. lächelte und sagte: »Eben gibt hier neben mir der Herr Untersuchungsrichter jemandem von Ihnen ein geheimes Zeichen. Es sind also Leute unter Ihnen, die von hier oben dirigiert werden. Ich weiß nicht, ob das Zeichen jetzt Zischen oder Beifall bewirken sollte und verzichte dadurch, dass ich die Sache vorzeitig verrate, ganz bewusst darauf, die Bedeutung des Zeichens zu erfahren. Es ist mir vollständig gleichgültig und ich ermächtige den Herrn Untersuchungsrichter öffentlich, seine bezahlten Angestellten dort unten statt mit geheimen Zeichen, laut mit Worten zu befehligen, indem er etwa einmal sagt: ›Jetzt zischt‹ und das nächste Mal: ›Jetzt klatscht‹.«

In Verlegenheit oder Ungeduld rückte der Untersuchungsrichter auf seinem Sessel hin und her. Der Mann hinter ihm, mit dem er sich schon früher unterhalten hatte, beugte sich wieder zu ihm, sei es um ihm im allgemeinen Mut zuzusprechen oder um ihm einen besondern Rat zu geben. Unten unterhielten sich die Leute leise, aber lebhaft. Die zwei Parteien, die früher so entgegengesetzte Meinungen gehabt zu haben schienen, vermischten sich, einzelne Leute zeigten mit dem Finger auf K., andere auf den Untersuchungsrichter. Der nebelige Dunst im Zimmer war äußerst lästig, er verhinderte sogar eine genauere Beobachtung der Fernerstehenden. Besonders für die Galleriebesucher musste er störend sein, sie waren gezwungen, allerdings unter scheuen Seitenblicken nach dem Untersuchungsrichter, leise Fragen an die Versammlungsteilnehmer zu stellen, um sich näher zu unterrichten. Die Antworten wurden im Schutz der vorgehaltenen Hände ebenso leise gegeben.

»Ich bin gleich zuende«, sagte K. und schlug, da keine

Glocke vorhanden war mit der Faust auf den Tisch, im Schrecken darüber fuhren die Köpfe des Untersuchungsrichters und seines Ratgebers augenblicklich auseinander: »Mir steht die ganze Sache fern, ich beurteile sie daher ruhig und Sie können, vorausgesetzt dass Ihnen an diesem angeblichen Gericht etwas gelegen ist, großen Vorteil davon haben, wenn Sie mir zuhören. Ihre gegenseitigen Besprechungen dessen, was ich vorbringe, bitte ich Sie für späterhin zu verschieben, denn ich habe keine Zeit und werde bald weggehn.«

Sofort war es still, so sehr beherrschte schon K. die Versammlung. Man schrie nicht mehr durcheinander wie am Anfang, man klatschte nicht einmal mehr Beifall, aber man schien schon überzeugt oder auf dem nächsten Wege dazu.

»Es ist kein Zweifel«, sagte K. sehr leise, denn ihn freute das angespannte Aufhorchen der ganzen Versammlung, in dieser Stille entstand ein Sausen, das aufreizender war als der verzückteste Beifall, »es ist kein Zweifel, dass hinter allen Äußerungen dieses Gerichtes, in meinem Fall also hinter der Verhaftung und der heutigen Untersuchung eine große Organisation sich befindet. Eine Organisation, die nicht nur bestechliche Wächter, läppische Aufseher und Untersuchungsrichter, die günstigsten Falles bescheiden sind, beschäftigt, sondern die weiterhin jedenfalls eine Richterschaft hohen und höchsten Grades unterhält mit dem zahllosen unumgänglichen Gefolge von Dienern, Schreibern, Gendarmen und andern Hilfskräften, vielleicht sogar Henkern, ich scheue vor dem Wort nicht zurück. Und der Sinn dieser großen Organisation, meine Herren? Er besteht darin, dass unschuldige Personen verhaftet und gegen sie ein sinnloses und meistens wie in meinem Fall ergebnisloses Verfahren eingeleitet wird. Wie ließe sich bei dieser Sinnlosigkeit des Ganzen, die schlimmste Korruption der Beamtenschaft vermeiden? Das ist unmöglich, das brächte auch der höchste Richter nicht einmal für sich selbst zustande. Darum suchen die Wächter den Verhafteten die Kleider vom Leib zu stehlen, darum brechen Aufseher in fremde Wohnungen ein, darum sollen Unschuldige statt verhört lieber vor ganzen Versammlungen entwürdigt

werden. Die Wächter haben mir von Depots erzählt, in die
man das Eigentum der Verhafteten bringt, ich wollte einmal
diese Depotsplätze sehn, in denen das mühsam erarbeitete
Vermögen der Verhafteten fault soweit es nicht von diebi-
schen Depotbeamten gestohlen ist.«

K. wurde durch ein Kreischen vom Saalende unterbrochen,
er beschattete die Augen um hinsehn zu können, denn das
trübe Tageslicht machte den Dunst weißlich und blendete. Es
handelte sich um die Waschfrau, die K. gleich bei ihrem Eintritt als eine wesentliche Störung erkannt hatte. Ob sie jetzt
schuldig war oder nicht konnte man nicht erkennen. K. sah
nur, dass ein Mann sie in einen Winkel bei der Tür gezogen
hatte und dort an sich drückte. Aber nicht sie kreischte sondern der Mann, er hatte den Mund breit gezogen und blickte
zur Decke. Ein kleiner Kreis hatte sich um beide gebildet, die
Galleriebesucher in der Nähe schienen darüber begeistert,
dass der Ernst, der K. in die Versammlung eingeführt hatte,
auf diese Weise unterbrochen wurde. K. wollte unter dem ersten Eindruck gleich hinlaufen, auch dachte er allen würde
daran gelegen sein, dort Ordnung zu schaffen und zumindest
das Paar aus dem Saal zu weisen, aber die ersten Reihen vor
ihm blieben ganz fest, keiner rührte sich und keiner ließ K.
durch. Im Gegenteil man hinderte ihn, alte Männer hielten
den Arm vor und irgendeine Hand – er hatte nicht Zeit sich
umzudrehn – fasste ihn hinten am Kragen, K. dachte nicht
eigentlich mehr an das Paar, ihm war, als werde seine Freiheit
eingeschränkt, als mache man mit der Verhaftung ernst und er
sprang rücksichtslos vom Podium hinunter. Nun stand er
Aug' in Aug' dem Gedränge gegenüber. Hatte er die Leute
nicht richtig beurteilt? Hatte er seiner Rede zuviel Wirkung
zugetraut? Hatte man sich verstellt, solange er gesprochen
hatte und hatte man jetzt, da er zu den Schlussfolgerungen
kam, die Verstellung satt? Was für Gesichter rings um ihn!
Kleine schwarze Äuglein huschten hin und her, die Wangen
hiengen herab, wie bei Versoffenen, die langen Bärte waren
steif und schütter und griff man in sie, so war es als bilde man
bloß Krallen, nicht als griffe man in Bärte. Unter den Bärten

---

1 **Depots:** Lager für das den Gefangenen bei der Inhaftierung abgenom-
mene Eigentum

aber – und das war die eigentliche Entdeckung, die K. machte – schimmerten am Rockkragen Abzeichen in verschiedener Größe und Farbe. Alle hatten diese Abzeichen, soweit man sehen konnte. Alle gehörten zu einander, die scheinbaren Parteien rechts und links, und als er sich plötzlich umdrehte, sah er die gleichen Abzeichen am Kragen des Untersuchungsrichters, der, die Hände im Schooß, ruhig hinuntersah. »So!« rief K. und warf die Arme in die Höhe, die plötzliche Erkenntnis wollte Raum, – »Ihr seid ja alle Beamte wie ich sehe. Ihr seid ja die korrupte Bande, gegen die ich sprach. Ihr habt Euch hier gedrängt, als Zuhörer und Schnüffler, habt scheinbare Parteien gebildet und eine hat applaudiert um mich zu prüfen. Ihr wolltet lernen, wie man Unschuldige verführen soll. Nun Ihr seid nicht nutzlos hier gewesen, hoffe ich, entweder habt Ihr Euch darüber unterhalten, dass jemand die Verteidigung der Unschuld von Euch erwartet hat oder aber – lass mich oder ich schlage«, rief K. einem zitternden Greis zu, der sich besonders nahe an ihn geschoben hatte – »oder aber Ihr habt wirklich etwas gelernt. Und damit wünsche ich Euch Glück zu Euerem Gewerbe.« Er nahm schnell seinen Hut, der am Rand des Tisches lag, und drängte sich unter allgemeiner Stille, jedenfalls der Stille vollkommenster Überraschung, zum Ausgang. Der Untersuchungsrichter schien aber noch schneller als K. gewesen zu sein, denn er erwartete ihn bei der Tür. »Einen Augenblick«, sagte er, K. blieb stehn, sah aber nicht auf den Untersuchungsrichter sondern auf die Tür, deren Klinke er schon ergriffen hatte. »Ich wollte Sie nur darauf aufmerksam machen«, sagte der Untersuchungsrichter, »dass Sie sich heute – es dürfte Ihnen noch nicht zu Bewusstsein gekommen sein – des Vorteils beraubt haben, den ein Verhör für den Verhafteten in jedem Falle bedeutet.« K. lachte die Tür an. »Ihr Lumpen«, rief er, »ich schenke Euch alle Verhöre«, öffnete die Tür und eilte die Treppe hinunter. Hinter ihm erhob sich der Lärm der wieder lebendig gewordenen Versammlung, welche die Vorfälle wahrscheinlich nach Art von Studierenden zu besprechen begann.

---

35 **Studierenden:** Studenten, jungen Menschen

Im leeren Sitzungssaal
Der Student
Die Kanzleien

K. wartete während der nächsten Woche von Tag zu Tag auf
eine neuerliche Verständigung, er konnte nicht glauben, dass
man seinen Verzicht auf Verhöre wörtlich genommen hatte
und als die erwartete Verständigung bis Samstag abend wirklich nicht kam, nahm er an, er sei stillschweigend in das gleiche Haus für die gleiche Zeit wieder vorgeladen. Er begab sich
daher Sonntags wieder hin, gieng diesmal geradewegs über
Treppen und Gänge, einige Leute, die sich seiner erinnerten,
grüßten ihn an ihren Türen, aber er musste niemanden mehr
fragen und kam bald zu der richtigen Tür. Auf sein Klopfen
wurde ihm gleich aufgemacht und ohne sich weiter nach der
bekannten Frau umzusehn, die bei der Tür stehen blieb, wollte er gleich ins Nebenzimmer. »Heute ist keine Sitzung«, sagte
die Frau. »Warum sollte keine Sitzung sein?« fragte er und
wollte es nicht glauben. Aber die Frau überzeugte ihn, indem
sie die Tür des Nebenzimmers öffnete. Es war wirklich leer
und sah in seiner Leere noch kläglicher aus, als am letzten
Sonntag. Auf dem Tisch, der unverändert auf dem Podium
stand, lagen einige Bücher. »Kann ich mir die Bücher anschau-
en«, fragte K., nicht aus besonderer Neugierde, sondern nur
um nicht vollständig nutzlos hiergewesen zu sein. »Nein«,
sagte die Frau und schloss wieder die Tür, »das ist nicht erlaubt. Die Bücher gehören dem Untersuchungsrichter.« »Ach
so«, sagte K. und nickte, »die Bücher sind wohl Gesetzbücher
und es gehört zu der Art dieses Gerichtswesens, dass man
nicht nur unschuldig, sondern auch unwissend verurteilt
wird.« »Es wird so sein«, sagte die Frau, die ihn nicht genau
verstanden hatte. »Nun, dann gehe ich wieder«, sagte K. »Soll

ich dem Untersuchungsrichter etwas melden?« fragte die
Frau. »Sie kennen ihn?« fragte K. »Natürlich«, sagte die Frau,
»mein Mann ist ja Gerichtsdiener.« Erst jetzt merkte K. dass
das Zimmer, in dem letzthin nur ein Waschbottich gestanden
war, jetzt ein völlig eingerichtetes Wohnzimmer bildete. Die
Frau bemerkte sein Staunen und sagte: »Ja, wir haben hier
freie Wohnung, müssen aber an Sitzungstagen das Zimmer
ausräumen. Die Stellung meines Mannes hat manche Nachteile.« »Ich staune nicht so sehr über das Zimmer«, sagte K.
und blickte sie böse an, »als vielmehr darüber, dass Sie verhei-
ratet sind.« »Spielen Sie vielleicht auf den Vorfall in der letzten
Sitzung an, durch den ich Ihre Rede störte«, fragte die Frau.
»Natürlich«, sagte K., »heute ist es ja schon vorüber und fast
vergessen, aber damals hat es mich geradezu wütend gemacht.
Und nun sagen Sie selbst, dass Sie eine verheiratete Frau sind.«
»Es war nicht zu Ihrem Nachteil, dass Ihre Rede abgebrochen
wurde. Man hat nachher noch sehr ungünstig über sie geur-
teilt.« »Mag sein«, sagte K. ablenkend, »aber Sie entschuldigt
das nicht.« »Ich bin vor allen entschuldigt, die mich kennen«,
sagte die Frau, »der welcher mich damals umarmt hat, verfolgt mich schon seit langem. Ich mag im allgemeinen nicht
verlockend sein, für ihn bin ich es aber. Es gibt hiefür keinen
Schutz, auch mein Mann hat sich schon damit abgefunden;
will er seine Stellung behalten muss er es dulden, denn jener
Mann ist Student und wird voraussichtlich zu größerer Macht
kommen. Er ist immerfort hinter mir her, gerade ehe Sie kamen, ist er fortgegangen.« »Es passt zu allem andern«, sagte
K., »es überrascht mich nicht.« »Sie wollen hier wohl einiges
verbessern?« fragte die Frau langsam und prüfend, als sage sie
etwas was sowohl für sie als für K. gefährlich war. »Ich habe
das schon aus Ihrer Rede geschlossen, die mir persönlich sehr
gut gefallen hat. Ich habe allerdings nur einen Teil gehört, den
Anfang habe ich versäumt und während des Schlusses lag ich
mit dem Studenten auf dem Boden.« »Es ist ja so widerlich
hier«, sagte sie nach einer Pause und fasste K.'s Hand. »Glauben Sie, dass es Ihnen gelingen wird, eine Besserung zu erreichen?« K. lächelte und drehte seine Hand ein wenig in ihren

weichen Händen. »Eigentlich«, sagte er, »bin ich nicht dazu
angestellt, Besserungen hier zu erreichen, wie Sie sich ausdrücken, und wenn Sie es z.B. dem Untersuchungsrichter sagen würden, würden Sie ausgelacht oder bestraft werden. Tatsächlich hätte ich mich auch aus freiem Willen in diese Dinge
gewiss nicht eingemischt und meinen Schlaf hätte die Verbes-
serungsbedürftigkeit dieses Gerichtswesens niemals gestört.
Aber ich bin, dadurch dass ich angeblich verhaftet wurde – ich
bin nämlich verhaftet – gezwungen worden, hier einzugreifen, undzwar um meinetwillen. Wenn ich aber dabei auch Ihnen irgendwie nützlich sein kann, werde ich es natürlich sehr
gerne tun. Nicht etwa nur aus Nächstenliebe, sondern außerdem deshalb, weil auch Sie mir helfen können.« »Wie könnte
ich denn das«, fragte die Frau. »Indem Sie mir z.B. jetzt die
Bücher dort auf dem Tisch zeigen.« »Aber gewiss«, rief die
Frau und zog ihn eiligst hinter sich her. Es waren alte abge-
griffene Bücher, ein Einbanddeckel war in der Mitte fast zer-
brochen, die Stücke hiengen nur durch Fasern zusammen.
»Wie schmutzig hier alles ist«, sagte K. kopfschüttelnd und
die Frau wischte mit ihrer Schürze, ehe K. nach den Büchern
greifen konnte wenigstens oberflächlich den Staub weg. K.
schlug das oberste Buch auf, es erschien ein unanständiges
Bild. Ein Mann und eine Frau saßen nackt auf einem Kanapee,
die gemeine Absicht des Zeichners war deutlich zu erkennen,
aber seine Ungeschicklichkeit war so groß gewesen, dass
schließlich doch nur ein Mann und eine Frau zu sehen waren,
die allzu körperlich aus dem Bilde hervorragten, übermäßig
aufrecht dasaßen und infolge falscher Perspektive nur mühsam sich einander zuwendeten. K. blätterte nicht weiter sondern schlug nur noch das Titelblatt des zweiten Buches auf, es
war ein Roman mit dem Titel: »Die Plagen, welche Grete von
ihrem Manne Hans zu erleiden hatte.« »Das sind die Gesetzbücher, die hier studiert werden«, sagte K. »Von solchen Menschen soll ich gerichtet werden.« »Ich werde Ihnen helfen«,
sagte die Frau. »Wollen Sie?« »Könnten Sie denn das wirklich
ohne sich selbst in Gefahr zu bringen, Sie sagten doch vorhin,
Ihr Mann sei sehr abhängig von Vorgesetzten.« »Trotzdem

will ich Ihnen helfen«, sagte die Frau. »Kommen Sie, wir müssen es besprechen. Über meine Gefahr reden Sie nicht mehr, ich fürchte die Gefahr nur dort, wo ich sie fürchten will. Kommen Sie.« Sie zeigte auf das Podium und bat ihn sich mit ihr auf die Stufe zu setzen. »Sie haben schöne dunkle Augen«, sagte sie, nachdem sie sich gesetzt hatten und sah K. von unten ins Gesicht, »man sagt mir ich hätte auch schöne Augen, aber Ihre sind viel schöner. Sie fielen mir übrigens gleich damals auf, als Sie zum erstenmal hier eintraten. Sie waren auch der Grund, warum ich dann später hierher ins Versammlungszimmer gieng, was ich sonst niemals tue und was mir sogar gewissermaßen verboten ist.« »Das ist also alles«, dachte K., »sie bietet sich mir an, sie ist verdorben wie alle hier ringsherum, sie hat die Gerichtsbeamten satt, was ja begreiflich ist, und begrüßt deshalb jeden beliebigen Fremden mit einem Kompliment wegen seiner Augen.« Und K. stand stillschweigend auf, als hätte er seine Gedanken laut ausgesprochen und dadurch der Frau sein Verhalten erklärt. »Ich glaube nicht, dass Sie mir helfen könnten«, sagte er, »um mir wirklich zu helfen, müsste man Beziehungen zu hohen Beamten haben. Sie aber kennen gewiss nur die niedrigen Angestellten, die sich hier in Mengen herumtreiben. Diese kennen Sie gewiss sehr gut und könnten bei ihnen auch manches durchsetzen, das bezweifle ich nicht, aber das Größte, was man bei ihnen durchsetzen könnte, wäre für den endgiltigen Ausgang des Processes gänzlich belanglos. Sie aber hätten sich dadurch doch einige Freunde verscherzt. Das will ich nicht. Führen Sie Ihr bisheriges Verhältnis zu diesen Leuten weiter, es scheint mir nämlich dass es Ihnen unentbehrlich ist. Ich sage das nicht ohne Bedauern, denn, um Ihr Kompliment doch auch irgendwie zu erwidern, auch Sie gefallen mir gut, besonders wenn Sie mich wie jetzt so traurig ansehn, wozu übrigens für Sie gar kein Grund ist. Sie gehören zu der Gesellschaft, die ich bekämpfen muss, befinden sich aber in ihr sehr wohl, Sie lieben sogar den Studenten und wenn Sie ihn nicht lieben, so ziehen Sie ihn doch wenigstens Ihrem Manne vor. Das konnte man aus Ihren Worten leicht erkennen.« »Nein«, rief sie, blieb sit-

---

25 **endgiltigen:** endgültigen

zen und griff nur nach K.'s Hand, die er ihr nicht rasch genug entzog, »Sie dürfen jetzt nicht weggehn, Sie dürfen nicht mit einem falschen Urteil über mich weggehn. Brächten Sie es wirklich zustande, jetzt wegzugehn? Bin ich wirklich so wert-los, dass Sie mir nicht einmal den Gefallen tun wollen noch ein kleines Weilchen hierzubleiben?« »Sie missverstehen mich«, sagte K. und setzte sich, »wenn Ihnen wirklich daran liegt, dass ich hier bleibe, bleibe ich gern, ich habe ja Zeit, ich kam doch in der Erwartung her, dass heute eine Verhandlung sein werde. Mit dem, was ich früher sagte, wollte ich Sie nur bitten, in meinem Process nichts für mich zu unternehmen. Aber auch das muss Sie nicht kränken, wenn Sie bedenken, dass mir am Ausgang des Processes gar nichts liegt und dass ich über eine Verurteilung nur lachen werde. Vorausgesetzt dass es überhaupt zu einem wirklichen Abschluss des Processes kommt, was ich sehr bezweifle. Ich glaube vielmehr, dass das Verfahren infolge Faulheit oder Vergesslichkeit oder vielleicht sogar infolge Angst der Beamtenschaft schon abgebrochen ist oder in der nächsten Zeit abgebrochen werden wird. Möglich ist allerdings auch, dass man in Hoffnung auf irgendeine größere Bestechung den Process scheinbar weiterführen wird, ganz vergeblich, wie ich heute schon sagen kann, denn ich besteche niemanden. Es wäre immerhin eine Gefälligkeit, die Sie mir leisten könnten, wenn Sie dem Untersuchungsrichter oder irgendjemandem sonst, der wichtige Nachrichten gern verbreitet, mitteilen würden, dass ich niemals und durch keine Kunststücke, an denen die Herren wohl reich sind, zu einer Bestechung zu bewegen sein werde. Es wäre ganz aussichts-los, das können Sie ihnen offen sagen. Übrigens wird man es vielleicht selbst schon bemerkt haben und selbst wenn dies nicht sein sollte, liegt mir gar nicht soviel daran, dass man es jetzt schon erfährt. Es würde ja dadurch den Herren nur Ar-beit erspart werden, allerdings auch mir einige Unannehm-lichkeiten, die ich aber gern auf mich nehme, wenn ich weiß, dass jede gleichzeitig ein Hieb für die andern ist. Und dass es so wird, dafür will ich sorgen. Kennen Sie eigentlich den Un-tersuchungsrichter?« »Natürlich«, sagte die Frau, »an den

dachte ich sogar zuerst, als ich Ihnen Hilfe anbot. Ich wusste
nicht dass er nur ein niedriger Beamter ist, aber da Sie es sagen,
wird es wahrscheinlich richtig sein. Trotzdem glaube ich dass
der Bericht, den er nach oben liefert, immerhin einigen Einfluss hat. Und er schreibt soviel Berichte. Sie sagen, dass die 5
Beamten faul sind, alle gewiss nicht, besonders dieser Untersuchungsrichter nicht, er schreibt sehr viel. Letzten Sonntag
z.B. dauerte die Sitzung bis gegen Abend. Alle Leute giengen
weg, der Untersuchungsrichter aber blieb im Saal, ich musste
ihm eine Lampe bringen, ich hatte nur eine kleine Küchen- 10
lampe, aber er war mit ihr zufrieden und fieng gleich zu
schreiben an. Inzwischen war auch mein Mann gekommen,
der an jenem Sonntag gerade Urlaub hatte, wir holten die Mö-
bel, richteten wieder unser Zimmer ein, es kamen dann noch
Nachbarn, wir unterhielten uns noch bei einer Kerze, 15
kurz wir vergaßen an den Untersuchungsrichter und giengen
schlafen. Plötzlich in der Nacht, es muss schon tief in der
Nacht gewesen sein, wache ich auf, neben dem Bett steht der
Untersuchungsrichter und blendet die Lampe mit der Hand
ab, so dass auf meinen Mann kein Licht fällt, es war unnötige 20
Vorsicht, mein Mann hat einen solchen Schlaf dass ihn auch
das Licht nicht geweckt hätte. Ich war so erschrocken, dass ich
fast geschrien hätte, aber der Untersuchungsrichter war sehr
freundlich, ermahnte mich zur Vorsicht, flüsterte mir zu, dass
er bis jetzt geschrieben habe, dass er mir jetzt die Lampe zu- 25
rückbringe und dass er niemals den Anblick vergessen werde,
wie er mich schlafend gefunden habe. Mit dem allen wollte ich
Ihnen nur sagen, dass der Untersuchungsrichter tatsächlich
viel Berichte schreibt, insbesondere über Sie: denn Ihre Einvernahme war gewiss einer der Hauptgegenstände der sonntä- 30
gigen Sitzung. Solche lange Berichte können aber doch nicht
ganz bedeutungslos sein. Außerdem aber können Sie doch
auch aus dem Vorfall sehn, dass sich der Untersuchungsrichter
um mich bewirbt und dass ich gerade jetzt in der ersten Zeit,
er muss mich überhaupt erst jetzt bemerkt haben, großen Ein- 35
fluss auf ihn haben kann. Dass ihm viel an mir liegt, dafür habe
ich jetzt auch noch andere Beweise. Er hat mir gestern durch

den Studenten, zu dem er viel Vertrauen hat und der sein Mitarbeiter ist, seidene Strümpfe zum Geschenk geschickt, angeblich dafür, dass ich das Sitzungszimmer aufräume, aber das ist nur ein Vorwand, denn diese Arbeit ist doch meine Pflicht und für sie wird mein Mann bezahlt. Es sind schöne Strümpfe, sehen Sie« – sie streckte die Beine, zog die Röcke bis zum Knie hinauf und sah auch selbst die Strümpfe an – »es sind schöne Strümpfe aber doch eigentlich zu fein und für mich nicht geeignet.«

Plötzlich unterbrach sie sich, legte ihre Hand auf K.'s Hand, als wolle sie ihn beruhigen und flüsterte: »Still, Bertold sieht uns zu!« K. hob langsam den Blick. In der Tür des Sitzungszimmers stand ein junger Mann, er war klein, hatte nicht ganz gerade Beine, und suchte sich durch einen kurzen schütteren rötlichen Vollbart, in dem er die Finger fortwährend herumführte, Würde zu geben. K. sah ihn neugierig an, es war ja der erste Student der unbekannten Rechtswissenschaft, dem er gewissermaßen menschlich begegnete, ein Mann, der wahrscheinlich auch einmal zu höhern Beamtenstellen gelangen würde. Der Student dagegen kümmerte sich um K. scheinbar gar nicht, er winkte nur mit einem Finger, den er für einen Augenblick aus seinem Barte zog, der Frau und gieng zum Fenster, die Frau beugte sich zu K. und flüsterte: »Seien Sie mir nicht böse, ich bitte Sie vielemals, denken Sie auch nicht schlecht von mir, ich muss jetzt zu ihm gehn, zu diesem scheußlichen Menschen, sehn Sie nur seine krummen Beine an. Aber ich komme gleich zurück und dann geh ich mit Ihnen, wenn Sie mich mitnehmen, ich gehe wohin Sie wollen, Sie können mit mir tun, was Sie wollen, ich werde glücklich sein, wenn ich von hier für möglichst lange Zeit fort bin, am liebsten allerdings für immer.« Sie streichelte noch K.'s Hand, sprang auf und lief zum Fenster. Unwillkürlich haschte noch K. nach ihrer Hand ins Leere. Die Frau verlockte ihn wirklich, er fand trotz alles Nachdenkens keinen haltbaren Grund dafür, warum er der Verlockung nicht nachgeben sollte. Den flüchtigen Einwand, dass ihn die Frau für das Gericht einfange, wehrte er ohne Mühe ab. Auf welche Weise konnte sie ihn

einfangen? Blieb er nicht immer so frei, dass er das ganze Gericht, wenigstens soweit es ihn betraf, sofort zerschlagen
konnte? Konnte er nicht dieses geringe Vertrauen zu sich haben? Und ihr Anerbieten einer Hilfe klang aufrichtig und war
vielleicht nicht wertlos. Und es gab vielleicht keine bessere 5
Rache an dem Untersuchungsrichter und seinem Anhang, als
dass er ihnen diese Frau entzog und an sich nahm. Es könnte
sich dann einmal der Fall ereignen, dass der Untersuchungsrichter nach mühevoller Arbeit an Lügenberichten über K. in
später Nacht das Bett der Frau leer fand. Und leer deshalb, 10
weil sie K. gehörte, weil diese Frau am Fenster, dieser üppige
gelenkige warme Körper im dunklen Kleid aus grobem
schweren Stoff durchaus nur K. gehörte.

Nachdem er auf diese Weise die Bedenken gegen die Frau
beseitigt hatte, wurde ihm das leise Zwiegespräch am Fenster 15
zu lang, er klopfte mit den Knöcheln auf das Podium und
dann auch mit der Faust. Der Student sah kurz über die Schulter der Frau hinweg nach K. hin, ließ sich aber nicht stören, ja
drückte sich sogar enger an die Frau und umfasste sie. Sie
senkte tief den Kopf, als höre sie ihm aufmerksam zu, er küsste 20
sie, als sie sich bückte, laut auf den Hals, ohne sich im Reden
wesentlich zu unterbrechen. K. sah darin die Tyrannei bestätigt, die der Student nach den Klagen der Frau über sie ausüb-
te, stand auf und gieng im Zimmer auf und ab. Er überlegte
unter Seitenblicken nach dem Studenten wie er ihn möglichst 25
schnell wegschaffen könnte und es war ihm daher nicht unwillkommen, als der Student, offenbar gestört durch K.'s
Herumgehn, das schon zeitweilig zu einem Trampeln ausge-
artet war, bemerkte: »Wenn Sie ungeduldig sind, können Sie
weggehn. Sie hätten auch schon früher weggehn können, es 30
hätte Sie niemand vermisst. Ja, Sie hätten sogar weggehn sollen
undzwar schon bei meinem Eintritt undzwar schleunigst.« Es
mochte in dieser Bemerkung alle mögliche Wut zum Ausbruch kommen, jedenfalls lag darin aber auch der Hochmut
des künftigen Gerichtsbeamten der zu einem missliebigen An- 35
geklagten sprach. K. blieb ganz nahe bei ihm stehn und sagte
lächelnd: »Ich bin ungeduldig das ist richtig, aber diese Unge-

duld wird am leichtesten dadurch zu beseitigen sein, dass Sie
uns verlassen. Wenn Sie aber vielleicht hergekommen sind,
um zu studieren – ich hörte dass Sie Student sind – so will ich
Ihnen gerne Platz machen und mit der Frau weggehn. Sie
5 werden übrigens noch viel studieren müssen, ehe Sie Richter
werden. Ich kenne zwar Ihr Gerichtswesen noch nicht sehr
genau, nehme aber an, dass es mit groben Reden allein, die Sie
allerdings schon unverschämt gut zu führen wissen, noch lange nicht getan ist.« »Man hätte ihn nicht so frei herumlaufen
10 lassen sollen«, sagte der Student, als wolle er der Frau eine
Erklärung für K.'s beleidigende Rede geben, »es war ein Miss-
griff. Ich habe es dem Untersuchungsrichter gesagt. Man hätte ihn zwischen den Verhören zumindest in seinem Zimmer
halten sollen. Der Untersuchungsrichter ist manchmal unbe-
15 greiflich.« »Unnütze Reden«, sagte K. und streckte die Hand
nach der Frau aus. »Kommen Sie.« »Ach so«, sagte der Student, »nein, nein, die bekommen Sie nicht«, und mit einer
Kraft, die man ihm nicht zugetraut hätte, hob er sie auf einen
Arm, und lief mit gebeugtem Rücken, zärtlich zu ihr aufse-
20 hend zur Tür. Eine gewisse Angst vor K. war hiebei nicht zu
verkennen, trotzdem wagte er es K. noch zu reizen, indem er
mit der freien Hand den Arm der Frau streichelte und drückte. K. lief paar Schritte neben ihm her, bereit ihn zu fassen und
wenn es sein musste zu würgen, da sagte die Frau: »Es hilft
25 nichts, der Untersuchungsrichter lässt mich holen, ich darf
nicht mit Ihnen gehn, dieses kleine Scheusal«, sie fuhr hiebei
dem Studenten mit der Hand übers Gesicht, »dieses kleine
Scheusal lässt mich nicht.« »Und Sie wollen nicht befreit werden«, schrie K. und legte die Hand auf die Schulter des Stu-
30 denten, der mit den Zähnen nach ihr schnappte. »Nein«, rief
die Frau und wehrte K. mit beiden Händen ab, »nein, nein nur
das nicht, woran denken Sie denn! Das wäre mein Verderben.
Lassen Sie ihn doch, o bitte, lassen Sie ihn doch. Er führt ja
nur den Befehl des Untersuchungsrichters aus und trägt mich
35 zu ihm.« »Dann mag er laufen und Sie will ich nie mehr sehn«,
sagte K. wütend vor Enttäuschung und gab dem Studenten
einen Stoß in den Rücken, dass er kurz stolperte, um gleich

darauf, vor Vergnügen darüber, dass er nicht gefallen war, mit seiner Last desto höher zu springen. K. gieng ihnen langsam nach, er sah ein, dass dies die erste zweifellose Niederlage war, die er von diesen Leuten erfahren hatte. Es war natürlich gar kein Grund, sich deshalb zu ängstigen, er erhielt die Nieder- 5 lage nur deshalb, weil er den Kampf aufsuchte. Wenn er zu- hause bliebe und sein gewohntes Leben führen würde, war er jedem dieser Leute tausendfach überlegen und konnte jeden mit einem Fußtritt von seinem Wege räumen. Und er stellte sich die allerlächerlichste Szene vor, die es z.B. geben würde, 10 wenn dieser klägliche Student, dieses aufgeblasene Kind, die- ser krumme Bartträger vor Elsas Bett knien und mit gefalteten Händen um Gnade bitten würde. K. gefiel diese Vorstellung so, dass er beschloss, wenn sich nur irgendeine Gelegenheit dafür ergeben sollte, den Studenten einmal zu Elsa mitzuneh- 15 men.

Aus Neugierde eilte K. noch zur Tür, er wollte sehn, wohin die Frau getragen wurde, der Student würde sie doch nicht etwa über die Straßen auf dem Arm tragen. Es zeigte sich, dass der Weg viel kürzer war. Gleich gegenüber der Wohnungstür 20 führte eine schmale hölzerne Treppe wahrscheinlich zum Dachboden, sie machte eine Wendung, so dass man ihr Ende nicht sah. Über diese Treppe trug der Student die Frau hinauf, schon sehr langsam und stöhnend, denn er war durch das bis- herige Laufen geschwächt. Die Frau grüßte mit der Hand zu 25 K. hinunter, und suchte durch Auf- und Abziehn der Schul- tern zu zeigen, dass sie an der Entführung unschuldig sei, viel Bedauern lag aber in dieser Bewegung nicht. K. sah sie aus- druckslos, wie eine Fremde an, er wollte weder verraten, dass er enttäuscht war, noch auch dass er die Enttäuschung leicht 30 überwinden könne.

Die zwei waren schon verschwunden, K. aber stand noch immer in der Tür. Er musste annehmen, dass ihn die Frau nicht nur betrogen, sondern mit der Angabe dass sie zum Untersu- chungsrichter getragen werde, auch belogen habe. Der Unter- 35 suchungsrichter würde doch nicht auf dem Dachboden sitzen und warten. Die Holztreppe erklärte nichts, solange man sie

auch ansah. Da bemerkte K. einen kleinen Zettel neben dem Aufgang, gieng hinüber und las in einer kindlichen, ungeübten Schrift: »Aufgang zu den Gerichtskanzleien.« Hier auf ↗ dem Dachboden dieses Miethauses waren also die Gerichts-
5 kanzleien? Das war keine Einrichtung, die viel Achtung einzuflößen imstande war und es war für einen Angeklagten beruhigend, sich vorzustellen, wie wenig Geldmittel diesem Gericht zur Verfügung standen, wenn es seine Kanzleien dort unterbrachte, wo die Mietparteien, die schon selbst zu den
10 Ärmsten gehörten, ihren unnützen Kram hinwarfen. Allerdings war es nicht ausgeschlossen, dass man Geld genug hatte, dass aber die Beamtenschaft sich darüber warf, ehe es für Gerichtszwecke verwendet wurde. Das war nach den bisherigen Erfahrungen K.'s sogar sehr wahrscheinlich, nur war dann
15 eine solche Verlotterung des Gerichtes für einen Angeklagten zwar entwürdigend, aber im Grunde noch beruhigender, als es die Armut des Gerichtes gewesen wäre. Nun war es K. auch begreiflich, dass man sich beim ersten Verhör schämte, den Angeklagten auf den Dachboden vorzuladen und es vor-
20 zog, ihn in seiner Wohnung zu belästigen. In welcher Stellung befand sich doch K. gegenüber dem Richter, der auf dem Dachboden saß, während er selbst in der Bank ein großes Zimmer mit einem Vorzimmer hatte und durch eine riesige Fensterscheibe auf den belebten Stadtplatz hinuntersehen
25 konnte. Allerdings hatte er keine Nebeneinkünfte aus Bestechungen oder Unterschlagungen und konnte sich auch vom Diener keine Frau auf dem Arm ins Bureau tragen lassen. Darauf wollte K. aber, wenigstens in diesem Leben, gerne verzichten.
30   K. stand noch vor dem Anschlagzettel, als ein Mann die Treppe heraufkam, durch die offene Tür ins Wohnzimmer sah, aus dem man auch in das Sitzungszimmer sehen konnte, und schließlich K. fragte, ob er hier nicht vor kurzem eine Frau gesehn habe. »Sie sind der Gerichtsdiener, nicht?« fragte
35 K. »Ja«, sagte der Mann, »ach so, Sie sind der Angeklagte K., jetzt erkenne ich Sie auch, seien Sie willkommen.« Und er reichte K., der es gar nicht erwartet hatte, die Hand. »Heute

ist aber keine Sitzung angezeigt«, sagte dann der Gerichtsdiener, als K. schwieg. »Ich weiß«, sagte K. und betrachtete den Civilrock des Gerichtsdieners, der als einziges amtliches Abzeichen neben einigen gewöhnlichen Knöpfen auch zwei vergoldete Knöpfe aufwies, die von einem alten Offiziersmantel abgetrennt zu sein schienen. »Ich habe vor einem Weilchen mit Ihrer Frau gesprochen. Sie ist nicht mehr hier. Der Student hat sie zum Untersuchungsrichter getragen.« »Sehen Sie«, sagte der Gerichtsdiener, »immer trägt man sie mir weg. Heute ist doch Sonntag und ich bin zu keiner Arbeit verpflichtet, aber nur, um mich von hier zu entfernen, schickt man mich mit einer jedenfalls unnützen Meldung weg. Undzwar schickt man mich nicht weit weg, so dass ich die Hoffnung habe, wenn ich mich sehr beeile, vielleicht noch rechtzeitig zurückzukommen. Ich laufe also, so sehr ich kann, schreie dem Amt, zu dem ich geschickt wurde, meine Meldung durch den Türspalt so atemlos zu, dass man sie kaum verstanden haben wird, laufe wieder zurück, aber der Student hat sich noch mehr beeilt als ich, er hatte allerdings auch einen kürzern Weg, er musste nur die Bodentreppe hinunterlaufen. Wäre ich nicht so abhängig, ich hätte den Studenten schon längst hier an der Wand zerdrückt. Hier neben dem Anschlagzettel. Davon träume ich immer. Hier ein wenig über dem Fußboden ist er festgedrückt, die Arme gestreckt, die Finger gespreizt, die krummen Beine zum Kreis gedreht und ringsherum Blutspritzer. Bisher war es aber nur Traum.« »Eine andere Hilfe gibt es nicht?« fragte K. lächelnd. »Ich wüsste keine«, sagte der Gerichtsdiener. »Und jetzt wird es ja noch ärger, bisher hat er sie nur zu sich getragen, jetzt trägt er sie, was ich allerdings längst erwartet habe, auch zum Untersuchungsrichter.« »Hat denn Ihre Frau gar keine Schuld dabei«, fragte K., er musste sich bei dieser Frage bezwingen, so sehr fühlte auch er jetzt die Eifersucht. »Aber gewiss«, sagte der Gerichtsdiener, »sie hat sogar die größte Schuld. Sie hat sich ja an ihn gehängt. Was ihn betrifft, er läuft allen Weibern nach. In diesem Hause allein, ist er schon aus fünf Wohnungen in die er sich eingeschlichen hat, herausgeworfen worden. Meine

Frau ist allerdings die schönste im ganzen Haus und gerade ich darf mich nicht wehren.« »Wenn es sich so verhält, dann gibt es allerdings keine Hilfe«, sagte K. »Warum denn nicht«, fragte der Gerichtsdiener. »Man müsste den Studenten, der ein Feigling ist, einmal wenn er meine Frau anrühren will so durchprügeln, dass er es niemals mehr wagt. Aber ich darf es nicht und andere machen mir den Gefallen nicht, denn alle fürchten seine Macht. Nur ein Mann, wie Sie, könnte es tun.« »Wieso denn ich?« fragte K. erstaunt. »Sie sind doch angeklagt«, sagte der Gerichtsdiener. »Ja«, sagte K., »aber desto mehr müsste ich doch fürchten, dass er wenn auch vielleicht nicht Einfluss auf den Ausgang des Processes, so doch wahrscheinlich auf die Voruntersuchung hat.« »Ja, gewiss«, sagte der Gerichtsdiener, als sei die Ansicht K.'s genau so richtig wie seine eigene. »Es werden aber bei uns in der Regel keine aussichtslosen Processe geführt.« »Ich bin nicht Ihrer Meinung«, sagte K., »das soll mich aber nicht hindern, gelegentlich den Studenten in Behandlung zu nehmen.« »Ich wäre Ihnen sehr dankbar«, sagte der Gerichtsdiener etwas förmlich, er schien eigentlich doch nicht an die Erfüllbarkeit seines höchsten Wunsches zu glauben. »Es würden vielleicht«, fuhr K. fort, »auch noch andere Ihrer Beamten und vielleicht sogar alle das Gleiche verdienen.« »Ja, ja«, sagte der Gerichtsdiener als handle es sich um etwas Selbstverständliches. Dann sah er K. mit einem zutraulichen Blick an, wie er es bisher trotz aller Freundlichkeit nicht getan hatte, und fügte hinzu: »Man rebelliert eben immer.« Aber das Gespräch schien ihm doch ein wenig unbehaglich geworden zu sein, denn er brach es ab, indem er sagte: »Jetzt muss ich mich in der Kanzlei melden. Wollen Sie mitkommen?« »Ich habe dort nichts zu tun«, sagte K. »Sie könnten die Kanzleien ansehn. Es wird sich niemand um Sie kümmern.« »Ist es denn sehenswert?« fragte K. zögernd, hatte aber große Lust mitzugehn. »Nun«, sagte der Gerichtsdiener, »ich dachte es würde Sie interessieren.« »Gut«, sagte K. schließlich, »ich gehe mit«, und er lief schneller als der Gerichtsdiener die Treppe hinauf.

Beim Eintritt wäre er fast hingefallen, denn hinter der Tür

war noch eine Stufe. »Auf das Publikum nimmt man nicht viel Rücksicht«, sagte er. »Man nimmt überhaupt keine Rücksicht«, sagte der Gerichtsdiener, »sehn Sie nur hier das Wartezimmer.« Es war ein langer Gang, von dem aus roh gezimmerte Türen zu den einzelnen Abteilungen des Dachbodens führten. Trotzdem kein unmittelbarer Lichtzutritt bestand, war es doch nicht vollständig dunkel, denn manche Abteilungen hatten gegen den Gang zu statt einheitlicher Bretterwände, bloße allerdings bis zur Decke reichende Holzgitter, durch die einiges Licht drang und durch die man auch einzelne Beamte sehen konnte, wie sie an Tischen schrieben oder geradezu am Gitter standen und durch die Lücken die Leute auf dem Gang beobachteten. Es waren, wahrscheinlich weil Sonntag war, nur wenig Leute auf dem Gang. Sie machten einen sehr bescheidenen Eindruck. In fast regelmäßigen Entfernungen von einander saßen sie auf den zwei Reihen langer Holzbänke, die zu beiden Seiten des Ganges angebracht waren. Alle waren vernachlässigt angezogen, trotzdem die meisten nach dem Gesichtsausdruck, der Haltung, der Barttracht und vielen kaum sicherzustellenden kleinen Einzelheiten den höheren Klassen angehörten. Da keine Kleiderhaken vorhanden waren, hatten sie die Hüte, wahrscheinlich einer dem Beispiel des andern folgend, unter die Bank gestellt. Als die, welche zunächst der Tür saßen, K. und den Gerichtsdiener erblickten, erhoben sie sich zum Gruß; da das die folgenden sahen, glaubten sie auch grüßen zu müssen, so dass alle beim Vorbeigehn der zwei sich erhoben. Sie standen niemals vollständig aufrecht, der Rücken war geneigt, die Knie geknickt, sie standen wie Straßenbettler. K. wartete auf den ein wenig hinter ihm gehenden Gerichtsdiener und sagte: »Wie gedemütigt die sein müssen.« »Ja«, sagte der Gerichtsdiener, »es sind Angeklagte, alle die Sie hier sehn, sind Angeklagte.« »Wirklich?« sagte K. »Dann sind es ja meine Kollegen.« Und er wandte sich an den nächsten, einen großen schlanken schon fast grauhaarigen Mann. »Worauf warten Sie hier?« fragte K. höflich. Die unerwartete Ansprache aber machte den Mann verwirrt, was umso peinlicher aussah, da es sich offenbar um

---

8 **gegen den Gang zu:** in Richtung des Ganges

einen welterfahrenen Menschen handelte, der anderswo gewiss sich zu beherrschen verstand und die Überlegenheit, die er sich über viele erworben hatte, nicht leicht aufgab. Hier aber wusste er auf eine so einfache Frage nicht zu antworten und sah auf die andern hin, als seien sie verpflichtet ihm zu helfen und als könne niemand von ihm eine Antwort verlangen, wenn diese Hilfe ausbliebe. Da trat der Gerichtsdiener hinzu und sagte, um den Mann zu beruhigen und aufzumuntern: »Der Herr hier fragt ja nur, auf was Sie warten. Antworten Sie doch.« Die ihm wahrscheinlich bekannte Stimme des Gerichtsdieners wirkte besser: »Ich warte –« begann er und stockte. Offenbar hatte er diesen Anfang gewählt, um ganz genau auf die Fragestellung zu antworten, fand aber jetzt die Fortsetzung nicht. Einige der Wartenden hatten sich genähert und umstanden die Gruppe, der Gerichtsdiener sagte zu ihnen: »Weg, weg, macht den Gang frei.« Sie wichen ein wenig zurück, aber nicht bis zu ihren frühern Sitzen. Inzwischen hatte sich der Gefragte gesammelt und antwortete sogar mit einem kleinen Lächeln: »Ich habe vor einem Monat einige Beweisanträge in meiner Sache gemacht und warte auf die Erledigung.« »Sie scheinen sich ja viele Mühe zu geben«, sagte K. »Ja«, sagte der Mann, »es ist ja meine Sache.« »Jeder denkt nicht so wie Sie«, sagte K., »ich z.B. bin auch angeklagt, habe aber, so wahr ich selig werden will, weder einen Beweisantrag gestellt noch auch sonst irgendetwas derartiges unternommen. Halten Sie denn das für nötig?« »Ich weiß nicht genau«, sagte der Mann wieder in vollständiger Unsicherheit; er glaubte offenbar K. mache mit ihm einen Scherz, deshalb hätte er wahrscheinlich am liebsten, aus Furcht irgendeinen neuen Fehler zu machen, seine frühere Antwort ganz wiederholt, vor K.'s ungeduldigem Blick aber sagte er nur: »was mich betrifft, ich habe Beweisanträge gestellt.« »Sie glauben wohl nicht dass ich angeklagt bin«, fragte K. »Oh bitte gewiss«, sagte der Mann, und trat ein wenig zur Seite, aber in der Antwort war nicht Glaube, sondern nur Angst. »Sie glauben mir also nicht?« fragte K. und fasste ihn, unbewusst durch das demütige Wesen des Mannes dazu aufgefordert, beim Arm, als wolle er ihn zum Glauben zwingen. Aber er wollte ihm nicht Schmerz bereiten, hatte ihn auch nur ganz leicht angegriffen, trotzdem aber schrie der Mann auf, als habe K. ihn nicht mit zwei Fingern, sondern mit einer glühenden Zange erfasst. Dieses lächerliche Schreien machte ihn K. endgültig überdrüssig; glaubte man ihm nicht dass er angeklagt war, so war es desto besser; vielleicht hielt er ihn sogar für einen Richter. Und er fasste ihn nun zum Abschied wirklich fester, stieß ihn auf die Bank zurück und gieng weiter. »Die meisten Angeklagten sind so empfindlich«, sagte der Gerichtsdiener. Hinter ihnen sammelten sich jetzt fast alle Wartenden um den Mann, der schon zu schreien aufgehört hatte, und schienen ihn über den Zwischenfall genau auszufragen. K. entgegen kam jetzt ein Wächter, der hauptsächlich an einem Säbel kenntlich war, dessen Scheide, wenigstens der Farbe nach, aus Aluminium bestand. K. staunte darüber und griff sogar mit der Hand hin. Der Wächter, der wegen des Schreiens gekommen war, fragte nach dem Vorgefallenen. Der Gerichtsdiener suchte ihn mit einigen Worten zu beruhigen, aber der Wächter erklärte doch noch selbst nachsehn zu müssen, salutierte und gieng weiter mit sehr eiligen aber sehr kurzen, wahrscheinlich durch Gicht abgemessenen Schritten.

K. kümmerte sich nicht lange um ihn und die Gesellschaft auf dem Gang, besonders da er etwa in der Hälfte des Ganges die Möglichkeit sah, rechts durch eine türlose Öffnung einzubiegen. Er verständigte sich mit dem Gerichtsdiener darüber, ob das der richtige Weg sei, der Gerichtsdiener nickte und K. bog nun wirklich dort ein. Es war ihm lästig, dass er immer einen oder 2 Schritte vor dem Gerichtsdiener gehen musste, es konnte wenigstens an diesem Ort den Anschein haben, als ob er verhaftet vorgeführt werde. Er wartete also öfters auf den Gerichtsdiener, aber dieser blieb gleich wieder zurück. Schließlich sagte K. um seinem Unbehagen ein Ende zu machen: »Nun habe ich gesehn wie es hier aussieht, ich will jetzt weggehn.« »Sie haben noch nicht alles gesehn«, sagte der Gerichtsdiener vollständig unverfänglich. »Ich will nicht alles sehn«, sagte K., der sich übrigens wirklich müde fühlte, »ich will gehn, wie kommt man zum Ausgang?« »Sie haben sich doch nicht schon verirrt«, fragte der Gerichtsdiener erstaunt, »Sie gehn hier bis zur Ecke und dann rechts den Gang hinunter geradeaus zur Tür.« »Kommen Sie mit«, sagte K. »Zeigen Sie mir den Weg, ich werde ihn verfehlen, es sind hier so viele Wege.« »Es ist der einzige Weg«, sagte der Gerichtsdiener nun schon vorwurfsvoll, »ich kann nicht wieder mit Ihnen zurückgehn, ich muss doch meine Meldung vorbringen und habe schon viel Zeit durch Sie versäumt.« »Kommen Sie mit«, wiederholte K. jetzt schärfer, als habe er endlich den Gerichtsdiener auf einer Unwahrheit ertappt. »Schreien Sie doch nicht so«, flüsterte der Gerichtsdiener, »es sind ja hier überall Bureaux. Wenn Sie nicht allein zurückgehn wollen, so gehn Sie noch ein Stückchen mit mir oder warten Sie hier bis ich meine Meldung erledigt habe, dann will ich ja gern mit Ihnen wieder zurückgehn.« »Nein, nein«, sagte K., »ich werde nicht warten und Sie müssen jetzt mit mir gehn.« K. hatte sich noch gar nicht in dem Raum umgesehen in dem er sich befand, erst als jetzt eine der vielen Holztüren, die ringsherum standen sich öffnete blickte er hin. Ein Mädchen, das wohl durch K.'s lautes Sprechen herbeigerufen war, trat ein und fragte: »Was wünscht der Herr?« Hinter ihr in der Ferne sah man im Halbdunkel noch einen Mann sich nähern. K. blickte den Gerichtsdiener an. Dieser hatte doch gesagt, dass sich niemand um K. kümmern werde und nun kamen schon zwei, es brauchte nur wenig und die Beamtenschaft wurde auf ihn aufmerksam, würde eine Erklärung seiner Anwesenheit haben wollen. Die einzig verständliche und annehmbare war die, dass er Angeklagter war und das Datum des nächsten Verhöres erfahren wollte, gerade diese Erklärung aber wollte er nicht geben, besonders da sie auch nicht wahrheitsgemäß war, denn er war nur aus Neugierde gekommen oder, was als Erklärung noch unmöglicher war, aus dem Verlangen festzustellen, dass das Innere dieses Gerichtswesens ebenso widerlich war wie sein Äußeres. Und es schien ja, dass er mit dieser Annahme recht hatte, er wollte nicht wei-

ter eindringen, er war beengt genug von dem, was er bisher
gesehen hatte, er war gerade jetzt nicht in der Verfassung
einem höhern Beamten gegenüberzutreten, wie er hinter jeder Tür auftauchen konnte, er wollte weggehn, undzwar mit
dem Gerichtsdiener oder allein wenn es sein musste.

Aber sein stummes Dastehn musste auffallend sein und
wirklich sahen ihn das Mädchen und der Gerichtsdiener derartig an, als ob in der nächsten Minute irgendeine große Verwandlung mit ihm geschehen müsse, die sie zu beobachten
nicht versäumen wollten. Und in der Türöffnung stand der
Mann, den K. früher in der Ferne bemerkt hatte, er hielt sich
am Deckbalken der niedrigen Tür fest und schaukelte ein
wenig auf den Fußspitzen, wie ein ungeduldiger Zuschauer.
Das Mädchen aber erkannte doch zuerst, dass das Benehmen
K.'s in einem leichten Unwohlsein seinen Grund hatte, sie
brachte einen Sessel und fragte: »Wollen Sie sich nicht setzen?« K. setzte sich sofort und stützte, um noch bessern
Halt zu bekommen, die Elbogen auf die Lehnen. »Sie haben
ein wenig Schwindel, nicht?« fragte sie ihn. Er hatte nun ihr
Gesicht nahe vor sich, es hatte den strengen Ausdruck, wie
ihn manche Frauen gerade in ihrer schönsten Jugend haben.
»Machen Sie sich darüber keine Gedanken«, sagte sie, »das
ist hier nichts Außergewöhnliches, fast jeder bekommt einen
solchen Anfall, wenn er zum ersten Mal herkommt. Sie sind
zum ersten Mal hier? Nun ja, das ist also nichts Außergewöhnliches. Die Sonne brennt hier auf das Dachgerüst und
das heiße Holz macht die Luft so dumpf und schwer. Der
Ort ist deshalb für Bureauräumlichkeiten nicht sehr geeignet, so große Vorteile er allerdings sonst bietet. Aber was die
Luft betrifft, so ist sie an Tagen großen Parteienverkehrs,
und das ist fast jeder Tag, kaum mehr atembar. Wenn Sie
dann noch bedenken, dass hier auch vielfach Wäsche zum
Trocknen ausgehängt wird – man kann es den Mietern nicht
gänzlich untersagen, – so werden Sie sich nicht mehr wundern, dass Ihnen ein wenig übel wurde. Aber man gewöhnt
sich schließlich an die Luft sehr gut. Wenn Sie zum zweiten
oder 3ttenmal herkommen, werden Sie das Drückende hier

kaum mehr spüren. Fühlen Sie sich schon besser?« K. antwortete nicht, es war ihm zu peinlich, durch diese plötzliche
Schwäche den Leuten hier ausgeliefert zu sein, überdies war
ihm, da er jetzt die Ursachen seiner Übelkeit erfahren hatte
5 nicht besser, sondern noch ein wenig schlechter. Das Mädchen merkte es gleich, nahm, um K. eine Erfrischung zu bereiten, eine Hakenstange die an der Wand lehnte und stieß
damit eine kleine Luke auf, die gerade über K. angebracht
war und ins Freie führte. Aber es fiel soviel Ruß herein, dass
10 das Mädchen die Luke gleich wieder zuziehn und mit ihrem
Taschentuch die Hände K.'s vom Ruß reinigen musste, denn
K. war zu müde, um das selbst zu besorgen. Er wäre gern
hier ruhig sitzen geblieben, bis er sich zum Weggehn genügend gekräftigt hatte, das musste aber umso früher geschehn
15 je weniger man sich um ihn kümmern würde. Nun sagte aber
überdies das Mädchen: »Hier können Sie nicht bleiben, hier
stören wir den Verkehr« – K. fragte mit den Blicken, welchen Verkehr er denn hier störe – »ich werde Sie, wenn Sie
wollen, ins Krankenzimmer führen.« »Helfen Sie mir bitte«,
20 sagte sie zu dem Mann in der Tür, der auch gleich näher kam.
Aber K. wollte nicht ins Krankenzimmer, gerade das wollte
er ja vermeiden, weiter geführt zu werden, je weiter er kam,
desto ärger musste es werden. »Ich kann schon gehn«, sagte
er deshalb und stand, durch das bequeme Sitzen verwöhnt,
25 zitternd auf. Dann aber konnte er sich nicht aufrechthalten.
»Es geht doch nicht«, sagte er kopfschüttelnd und setzte sich
seufzend wieder nieder. Er erinnerte sich an den Gerichtsdiener, der ihn trotz allem leicht herausführen könnte, aber der
schien schon längst weg zu sein, K. sah zwischen dem Mäd-
30 chen und dem Mann, die vor ihm standen, hindurch, konnte
aber den Gerichtsdiener nicht finden.

»Ich glaube«, sagte der Mann, der übrigens elegant gekleidet war und besonders durch eine graue Weste auffiel, die in
zwei langen scharf geschnittenen Spitzen endigte, »das Un-
35 wohlsein des Herrn geht auf die Atmosphäre hier zurück, es
wird daher am besten und auch ihm am liebsten sein wenn wir
ihn nicht erst ins Krankenzimmer sondern überhaupt aus den

Kanzleien hinausführen.« »Das ist es«, rief K. und fuhr vor lauter Freude fast noch in die Rede des Mannes hinein, »mir wird gewiss sofort besser werden, ich bin auch gar nicht so schwach, nur ein wenig Unterstützung unter den Achseln brauche ich, ich werde Ihnen nicht viel Mühe machen, es ist ja auch kein langer Weg, führen Sie mich nur zur Tür, ich setze mich dann noch ein wenig auf die Stufen und werde gleich erholt sein, ich leide nämlich gar nicht unter solchen Anfällen, es kommt mir selbst überraschend. Ich bin doch auch Beamter und an Bureauluft gewöhnt, aber hier scheint es doch zu arg, Sie sagen es selbst. Wollen Sie also die Freundlichkeit haben, mich ein wenig zu führen, ich habe nämlich Schwindel und es wird mir schlecht, wenn ich allein aufstehe.« Und er hob die Schultern, um es den beiden zu erleichtern ihm unter die Arme zu greifen.

Aber der Mann folgte der Aufforderung nicht, sondern hielt die Hände ruhig in den Hosentaschen und lachte laut. »Sehen Sie«, sagte er zu dem Mädchen, »ich habe also doch das Richtige getroffen. Dem Herrn ist nur hier nicht wohl, nicht im allgemeinen.« Das Mädchen lächelte auch, schlug aber dem Mann leicht mit den Fingerspitzen auf den Arm, als hätte er sich mit K. einen zu starken Spaß erlaubt. »Aber was denken Sie denn«, sagte der Mann noch immer lachend, »ich will ja den Herrn wirklich hinausführen.« »Dann ist es gut«, sagte das Mädchen indem sie ihren zierlichen Kopf für einen Augenblick neigte. »Messen Sie dem Lachen nicht zuviel Bedeutung zu«, sagte das Mädchen zu K., der wieder traurig geworden vor sich hinstarrte und keine Erklärung zu brauchen schien, »dieser Herr – ich darf Sie doch vorstellen?« (der Herr gab mit einer Handbewegung die Erlaubnis) »– dieser Herr also ist der Auskunftgeber. Er gibt den wartenden Parteien alle Auskünfte, die sie brauchen, und da unser Gerichtswesen in der Bevölkerung nicht sehr bekannt ist, werden viele Auskünfte verlangt. Er weiß auf alle Fragen eine Antwort, Sie können ihn, wenn Sie einmal Lust dazu haben, daraufhin erproben. Das ist aber nicht sein einziger Vorzug, sein zweiter Vorzug ist die elegante Kleidung. Wir d.h. die Beamtenschaft

meinte einmal, man müsse den Auskunftgeber, der immerfort
undzwar als erster mit Parteien verhandle, des würdigen ersten Eindrucks halber, auch elegant anziehn. Wir andern sind,
wie Sie gleich an mir sehn können, leider sehr schlecht und
5 altmodisch angezogen; es hat auch nicht viel Sinn für die Kleidung etwas zu verwenden, da wir fast unaufhörlich in den
Kanzleien sind, wir schlafen ja auch hier. Aber wie gesagt für
den Auskunftgeber hielten wir einmal schöne Kleidung für
nötig. Da sie aber von unserer Verwaltung, die in dieser Hin-
10 sicht etwas sonderbar ist, nicht erhältlich war, machten wir
eine Sammlung – auch Parteien steuerten bei – und wir kauf-
ten ihm dieses schöne Kleid und noch andere. Alles wäre jetzt
vorbereitet einen guten Eindruck zu machen, aber durch sein
Lachen verdirbt er es wieder und erschreckt die Leute.« »So
15 ist es«, sagte der Herr spöttisch, »aber ich verstehe nicht,
Fräulein, warum Sie dem Herrn alle unsere Intimitäten erzählen, oder besser aufdrängen, denn er will sie ja gar nicht erfahren. Sehen Sie nur, wie er, offenbar mit seinen eigenen Angelegenheiten beschäftigt, dasitzt.« K. hatte nicht einmal Lust
20 zu widersprechen, die Absicht des Mädchens mochte eine
gute sein, sie war vielleicht darauf gerichtet ihn zu zerstreuen
oder ihm die Möglichkeit zu geben sich zu sammeln, aber das
Mittel war verfehlt. »Ich musste ihm Ihr Lachen erklären«,
sagte das Mädchen. »Es war ja beleidigend.« »Ich glaube, er
25 würde noch ärgere Beleidigungen verzeihen, wenn ich ihn
schließlich hinausführe.« K. sagte nichts, sah nicht einmal auf,
er duldete es, dass die 2 über ihn wie über eine Sache ver-
handelten, es war ihm sogar am liebsten. Aber plötzlich fühlte
er die Hand des Auskunftgebers an einem Arm und die Hand
30 des Mädchens am andern. »Also auf, Sie schwacher Mann«,
sagte der Auskunftgeber. »Ich danke Ihnen beiden vielmals«,
sagte K. freudig überrascht, erhob sich langsam und führte
selbst die fremden Hände an die Stellen, an denen er die Stütze
am meisten brauchte. »Es sieht so aus«, sagte das Mädchen
35 leise in K.'s Ohr, während sie sich dem Gang näherten, »als ob
mir besonders viel daran gelegen wäre, den Auskunftgeber in
ein gutes Licht zu stellen, aber man mag es glauben, ich will

doch die Wahrheit sagen. Er hat kein hartes Herz. Er ist nicht
verpflichtet, kranke Parteien hinauszuführen und tut es doch,
wie Sie sehn. Vielleicht ist niemand von uns hartherzig, wir
wollten vielleicht alle gern helfen, aber als Gerichtsbeamte bekommen wir leicht den Anschein als ob wir hartherzig wären
und niemandem helfen wollten. Ich leide geradezu darunter.«
»Wollen Sie sich nicht hier ein wenig setzen«, fragte der Auskunftgeber, sie waren schon im Gang und gerade vor dem
Angeklagten, den K. früher angesprochen hatte. K. schämte
sich fast vor ihm, früher war er so aufrecht vor ihm gestanden,
jetzt mussten ihn zwei stützen, seinen Hut balancierte der
Auskunftgeber auf den gespreizten Fingern, die Frisur war
zerstört, die Haare hiengen ihm in die schweißbedeckte Stirn.
Aber der Angeklagte schien nichts davon zu bemerken, de-
mütig stand er vor dem Auskunftgeber, der über ihn hinweg-
sah, und suchte nur seine Anwesenheit zu entschuldigen. »Ich
weiß«, sagte er, »dass die Erledigung meiner Anträge heute
noch nicht gegeben werden kann. Ich bin aber doch gekommen, ich dachte ich könnte doch hier warten, es ist Sonntag,
ich habe ja Zeit und hier störe ich nicht.« »Sie müssen das
nicht so sehr entschuldigen«, sagte der Auskunftgeber, »Ihre
Sorgsamkeit ist ja ganz lobenswert, Sie nehmen hier zwar unnötiger Weise den Platz weg, aber ich will Sie trotzdem solange es mir nicht lästig wird, durchaus nicht hindern, den Gang
Ihrer Angelegenheit genau zu verfolgen. Wenn man Leute gesehn hat, die ihre Pflicht schändlich vernachlässigen, lernt
man es mit Leuten wie Sie sind Geduld zu haben. Setzen Sie
sich.« »Wie er mit den Parteien zu reden versteht«, flüsterte
das Mädchen. K. nickte, fuhr aber gleich auf, als ihn der Auskunftgeber wieder fragte: »Wollen Sie sich nicht hier niedersetzen.« »Nein«, sagte K., »ich will mich nicht ausruhn.« Er
hatte das mit möglichster Bestimmtheit gesagt, in Wirklichkeit hätte es ihm aber sehr wohlgetan sich niederzusetzen; er
war wie seekrank. Er glaubte auf einem Schiff zu sein, das sich
in schwerem Seegang befand. Es war ihm als stürze das Wasser gegen die Holzwände, als komme aus der Tiefe des Ganges
ein Brausen her, wie von überschlagendem Wasser, als schauk-

le der Gang in der Quere und als würden die wartenden Parteien zu beiden Seiten gesenkt und gehoben. Desto unbegreiflicher war die Ruhe des Mädchens und des Mannes, die ihn führten. Er war ihnen ausgeliefert, ließen sie ihn los, so musste er hinfallen wie ein Brett. Aus ihren kleinen Augen giengen scharfe Blicke hin und her; ihre gleichmäßigen Schritte fühlte K. ohne sie mitzumachen, denn er wurde fast von Schritt zu Schritt getragen. Endlich merkte er, dass sie zu ihm sprachen, aber er verstand sie nicht, er hörte nur den Lärm der alles erfüllte und durch den hindurch ein unveränderlicher hoher Ton wie von einer Sirene zu klingen schien. »Lauter«, flüsterte er mit gesenktem Kopf und schämte sich, denn er wusste, dass sie laut genug, wenn auch für ihn unverständlich gesprochen hatten. Da kam endlich, als wäre die Wand vor ihm durchrissen ein frischer Luftzug ihm entgegen und er hörte neben sich sagen: »Zuerst will er weg, dann aber kann man ihm 100mal sagen, dass hier der Ausgang ist und er rührt sich nicht.« K. merkte, dass er vor der Ausgangstür stand, die das Mädchen geöffnet hatte. Ihm war als wären alle seine Kräfte mit einem Mal zurückgekehrt, um einen Vorgeschmack der Freiheit zu gewinnen, trat er gleich auf eine Treppenstufe und verabschiedete sich von dort aus von seinen Begleitern, die sich zu ihm herabbeugten. »Vielen Dank«, wiederholte er, drückte beiden wiederholt die Hände und ließ erst ab, als er zu sehen glaubte, dass sie, an die Kanzleiluft gewöhnt, die verhältnismäßig frische Luft, die von der Treppe kam, schlecht ertrugen. Sie konnten kaum antworten und das Mädchen wäre vielleicht abgestürzt, wenn nicht K. äußerst schnell die Tür geschlossen hätte. K. stand dann noch einen Augenblick still, strich sich mit Hilfe eines Taschenspiegels das Haar zurecht, hob seinen Hut auf, der auf dem nächsten Treppenabsatz lag – der Auskunftgeber hatte ihn wohl hingeworfen – und lief dann die Treppe hinunter so frisch und in so langen Sprüngen, dass er vor diesem Umschwung fast Angst bekam. Solche Überraschungen hatte ihm sein sonst ganz gefestigter Gesundheitszustand noch nie bereitet. Wollte etwa sein Körper revolutionieren und ihm einen neuen Process be- ⟋

---

37 **revolutionieren:** Revolution machen, aufbegehren

reiten, da er den alten so mühelos ertrug? Er lehnte den Gedanken nicht ganz ab, bei nächster Gelegenheit zu einem Arzt
zu gehn, jedenfalls aber wollte er – darin konnte er sich selbst
beraten – alle zukünftigen Sonntagvormittage besser als diesen verwenden.

Der Prügler

Als K. an einem der nächsten Abende den Korridor passierte, der sein Bureau von der Haupttreppe trennte – er gieng dies- mal fast als der letzte nachhause, nur in der Expedition arbei- teten noch zwei Diener im kleinen Lichtfeld einer Glühlampe – hörte er hinter einer Tür, hinter der er immer nur eine Rum- pelkammer vermutet hatte, ohne sie jemals selbst gesehen zu haben, Seufzer ausstoßen. Er blieb erstaunt stehn und horchte noch einmal auf um festzustellen ob er sich nicht irrte, – es wurde ein Weilchen still, dann waren es aber doch wieder Seufzer. – Zuerst wollte er einen der Diener holen, man konn- te vielleicht einen Zeugen brauchen, dann aber fasste ihn eine derart unbezähmbare Neugierde, dass er die Tür förmlich auf- riss. Es war, wie er richtig vermutet hatte, eine Rumpelkam- mer. Unbrauchbare alte Drucksorten, umgeworfene leere irdene Tintenflaschen lagen hinter der Schwelle. In der Kam- mer selbst aber standen 3 Männer, gebückt in dem niedri- gen Raum. Eine auf einem Regal festgemachte Kerze gab ih- nen Licht. »Was treibt Ihr hier?« fragte K. sich vor Aufregung überstürzend, aber nicht laut. Der eine Mann, der die andern offenbar beherrschte und zuerst den Blick auf sich lenkte, stak in einer Art dunklern Lederkleidung, die den Hals bis tief zur Brust und die ganzen Arme nackt ließ. Er antwortete nicht. Aber die zwei andern riefen: »Herr! Wir sollen geprügelt wer- den, weil Du Dich beim Untersuchungsrichter über uns be- klagt hast.« Und nun erst erkannte K., dass es wirklich die Wächter Franz und Willem waren, und dass der Dritte eine Rute in der Hand hielt, um sie zu prügeln. »Nun«, sagte K. und starrte sie an, »ich habe mich nicht beklagt, ich habe nur gesagt, wie es sich in meiner Wohnung zugetragen hat. Und einwandfrei habt Ihr Euch ja nicht benommen.« »Herr«, sag- te Willem während Franz sich hinter ihm vor dem Dritten

---

4 **Expedition:** Versandabteilung | 15 **Drucksorten:** Formulare, Vor- drucke (österr.)

offenbar zu sichern suchte, »wenn Ihr wüsstet wie schlecht wir gezahlt sind, Ihr würdet besser über uns urteilen. Ich habe eine Familie zu ernähren und Franz hier wollte heiraten, man sucht sich zu bereichern, wie es geht, durch bloße Arbeit gelingt es nicht, selbst durch die angestrengteste, Euere feine Wäsche hat mich verlockt, es ist natürlich den Wächtern verboten, so zu handeln, es war unrecht, aber Tradition ist es, dass die Wäsche den Wächtern gehört, es ist immer so gewesen, glaubt es mir; es ist ja auch verständlich, was bedeuten denn noch solche Dinge für den, welcher so unglücklich ist verhaftet zu werden. Bringt er es dann allerdings öffentlich zur Sprache, dann muss die Strafe erfolgen.« »Was Ihr jetzt sagt, wusste ich nicht, ich habe auch keineswegs Euere Bestrafung verlangt, mir ging es um ein Princip.« »Franz«, wandte sich Willem zum andern Wächter, »sagte ich Dir nicht, dass der Herr unsere Bestrafung nicht verlangt hat. Jetzt hörst Du, dass er nicht einmal gewusst hat, dass wir bestraft werden müssen.« »Lass Dich nicht durch solche Reden rühren«, sagte der Dritte zu K., »die Strafe ist ebenso gerecht als unvermeidlich.« »Höre nicht auf ihn«, sagte Willem und unterbrach sich nur um die Hand, über die er einen Rutenhieb bekommen hatte schnell an den Mund zu führen, »wir werden nur gestraft, weil Du uns angezeigt hast. Sonst wäre uns nichts geschehn, selbst wenn man erfahren hätte, was wir getan haben. Kann man das Gerechtigkeit nennen? Wir zwei, insbesondere aber ich, hatten uns als Wächter durch lange Zeit sehr bewährt – Du selbst musst eingestehn, dass wir vom Gesichtspunkt der Behörde gesehn, gut gewacht haben – wir hatten Aussicht vorwärtszukommen und wären gewiss bald auch Prügler geworden, wie dieser, der eben das Glück hatte, von niemandem angezeigt worden zu sein, denn eine solche Anzeige kommt wirklich nur sehr selten vor. Und jetzt Herr ist alles verloren, unsere Laufbahn beendet, wir werden noch viel untergeordnetere Arbeiten leisten müssen, als der Wachdienst ist und überdies bekommen wir jetzt diese schrecklich schmerzhaften Prügel.« »Kann denn die Rute solche Schmerzen machen«, fragte K. und prüfte die Rute, die der Prügler vor ihm schwang. »Wir werden uns ja ganz nackt ausziehn müssen«, sagte Willem. »Ach so«, sagte K. und sah den Prügler genauer an, er war braun gebrannt wie ein Matrose und hatte ein wildes frisches Gesicht. »Gibt es keine Möglichkeit den zwein 5 die Prügel zu ersparen«, fragte er ihn. »Nein«, sagte der Prügler und schüttelte lächelnd den Kopf. »Zieht Euch aus«, befahl er den Wächtern. Und zu K. sagte er: »Du musst ihnen nicht alles glauben. Sie sind durch die Angst vor den Prügeln schon ein wenig schwachsinnig geworden. Was dieser hier 10 z.B.« – er zeigte auf Willem – »über seine mögliche Laufbahn erzählt hat, ist geradezu lächerlich. Sieh an, wie fett er ist, – die ersten Rutenstreiche werden überhaupt im Fett verloren gehn. – Weißt Du wodurch er so fett geworden ist? Er hat die Gewohnheit allen Verhafteten das Frühstück aufzuessen. Hat 15 er nicht auch Dein Frühstück aufgegessen? Nun ich sagte· es ja. Aber ein Mann mit einem solchen Bauch kann nie und nimmermehr Prügler werden, das ist ganz ausgeschlossen.« »Es gibt auch solche Prügler«, behauptete Willem der gerade seinen Hosengürtel löste. »Nein!« sagte der Prügler und 20 strich ihm mit der Rute derartig über den Hals, dass er zusammenzuckte, »Du sollst nicht zuhören, sondern Dich ausziehn.« »Ich würde Dich gut belohnen, wenn Du sie laufen lässt«, sagte K. und zog ohne den Prügler nochmals anzusehn – solche Geschäfte werden beiderseits mit niedergeschlagenen 25 Augen am besten abgewickelt – seine Brieftasche hervor. »Du willst wohl dann auch mich anzeigen«, sagte der Prügler, »und auch noch mir Prügel verschaffen. Nein, nein!« »Sei doch vernünftig«, sagte K., »wenn ich gewollt hätte, dass diese 2 bestraft werden, würde ich sie doch jetzt nicht loskaufen wol- 30 len. Ich könnte einfach die Tür hier zuschlagen, nichts weiter sehn und hören wollen und nachhausegehn. Nun tue ich das aber nicht, vielmehr liegt mir ernstlich daran sie zu befreien; hätte ich geahnt, dass sie bestraft werden sollen oder auch nur bestraft werden können hätte ich ihre Namen nie genannt. Ich 35 halte sie nämlich gar nicht für schuldig, schuldig ist die Organisation, schuldig sind die hohen Beamten.« »So ist es«, riefen die Wächter und bekamen sofort einen Hieb über ihren schon entkleideten Rücken. »Hättest Du hier unter Deiner Rute einen hohen Richter«, sagte K. und drückte während er sprach die Rute, die sich schon wieder erheben wollte, nieder, »ich würde Dich wahrhaftig nicht hindern loszuschlagen, im Gegenteil ich würde Dir noch Geld geben, damit Du Dich für die gute Sache kräftigst.« »Was Du sagst, klingt ja glaubwürdig«, sagte der Prügler, »aber ich lasse mich nicht bestechen. Ich bin zum Prügeln angestellt, also prügle ich.« Der Wächter Franz, der vielleicht in Erwartung eines guten Ausganges des Eingreifens von K. bisher ziemlich zurückhaltend gewesen war, trat jetzt nur noch mit den Hosen bekleidet zur Tür, hing sich niederkniend an K.'s Arm und flüsterte: »Wenn Du für uns beide Schonung nicht durchsetzen kannst, so versuche wenigstens mich zu befreien. Willem ist älter als ich, in jeder Hinsicht weniger empfindlich, auch hat er schon einmal vor paar Jahren eine leichte Prügelstrafe bekommen, ich aber bin noch nicht entehrt und bin doch zu meiner Handlungsweise nur durch Willem gebracht worden, der in Gutem und Schlechtem mein Lehrer ist. Unten vor der Bank wartet meine arme Braut auf den Ausgang, ich schäme mich ja so erbärmlich.« Er trocknete mit K.'s Rock sein von Tränen ganz überlaufenes Gesicht. »Ich warte nicht mehr«, sagte der Prügler, fasste die Rute mit beiden Händen und hieb auf Franz ein, während Willem in einem Winkel kauerte und heimlich zusah, ohne eine Kopfwendung zu wagen. Da erhob sich der Schrei, den Franz ausstieß, ungeteilt und unveränderlich, er schien nicht von einem Menschen, sondern von einem gemarterten Instrument zu stammen, der ganze Korridor tönte von ihm, das ganze Haus musste es hören, »schrei nicht«, rief K., er konnte sich nicht zurückhalten und während er gespannt in die Richtung sah, aus der die Diener kommen mussten, stieß er in Franz, nicht stark aber doch stark genug, dass der Besinnungslose niederfiel und im Krampf mit den Händen den Boden absuchte; den Schlägen entgieng er aber nicht, die Rute fand ihn auch auf der Erde, während er sich unter ihr wälzte, schwang sich ihre Spitze regelmäßig auf und ab. Und schon erschien in der Ferne ein Diener und ein paar Schritte hinter ihm ein zweiter. K. hatte schnell die Tür zugeworfen, war zu einem nahen Hoffenster getreten und öffnete es. Das Schreien hatte vollständig aufgehört. Um die Diener nicht herankommen zu lassen, rief er: »Ich bin es.« »Guten Abend, Herr Prokurist«, rief es zurück. »Ist etwas geschehn?« »Nein nein«, antwortete K., »es schreit nur ein Hund auf dem Hof.« Als die Diener sich doch nicht rührten, fügte er hinzu: »Sie können bei Ihrer Arbeit bleiben.« Um sich in kein Gespräch mit den Dienern einlassen zu müssen, beugte er sich aus dem Fenster. Als er nach einem Weilchen wieder in den Korridor sah, waren sie schon weg. K. aber blieb nun beim Fenster, in die Rumpelkammer wagte er nicht zu gehn und nachhause gehn wollte er auch nicht. Es war ein kleiner viereckiger Hof, in den er hinunter sah, ringsherum waren Bureauräume untergebracht, alle Fenster waren jetzt schon dunkel, nur die obersten fiengen einen Widerschein des Mondes auf. K. suchte angestrengt mit den Blicken in das Dunkel eines Hofwinkels einzudringen, in dem einige Handkarren ineinandergefahren waren. Es quälte ihn, dass es ihm nicht gelungen war, das Prügeln zu verhindern, aber es war nicht seine Schuld, dass es nicht gelungen war, hätte Franz nicht geschrien – gewiss es musste sehr wehgetan haben, aber in einem entscheidenden Augenblick muss man sich beherrschen – hätte er nicht geschrien, so hätte K., wenigstens sehr wahrscheinlich, noch ein Mittel gefunden, den Prügler zu überreden. Wenn die ganze unterste Beamtenschaft Gesindel war, warum hätte gerade der Prügler, der das unmenschlichste Amt hatte, eine Ausnahme machen sollen, K. hatte auch gut beobachtet, wie ihm beim Anblick der Banknote die Augen geleuchtet hatten, er hatte mit dem Prügeln offenbar nur deshalb Ernst gemacht, um die Bestechungssumme noch ein wenig zu erhöhn. Und K. hätte nicht gespart, es lag ihm wirklich daran die Wächter zu befreien; wenn er nun schon angefangen hatte die Verderbnis dieses Gerichtswesens zu bekämpfen, so war es selbstverständlich, dass er auch von dieser Seite eingriff. Aber in dem Augenblick, wo Franz zu schreien angefangen hatte, war natürlich alles zuende. K. konnte nicht zulassen, dass die Diener und viel-

leicht noch alle möglichen Leute kämen und ihn in Unter-
handlungen mit der Gesellschaft in der Rumpelkammer über-
raschten. Diese Aufopferung konnte wirklich niemand von
K. verlangen. Wenn er das zu tun beabsichtigt hätte, so wäre
es ja fast einfacher gewesen, K. hätte sich selbst ausgezogen
und dem Prügler als Ersatz für die Wächter angeboten. Übrigens hätte der Prügler diese Vertretung gewiss nicht angenommen, da er dadurch, ohne einen Vorteil zu gewinnen, dennoch
seine Pflicht schwer verletzt hätte und wahrscheinlich dop-
pelt verletzt hätte, denn K. musste wohl, solange er im Verfahren stand, für alle Angestellten des Gerichtes unverletzlich
sein. Allerdings konnten hier auch besondere Bestimmungen
gelten. Jedenfalls hatte K. nichts anderes tun können, als die
Tür zuschlagen, trotzdem dadurch auch jetzt noch für K.
durchaus nicht jede Gefahr beseitigt blieb. Dass er noch zuletzt Franz einen Stoß gegeben hatte, war bedauerlich und nur
durch seine Aufregung zu entschuldigen.

In der Ferne hörte er die Schritte der Diener; um ihnen
nicht auffällig zu werden, schloss er das Fenster und gieng in
der Richtung zur Haupttreppe. Bei der Tür zur Rumpelkammer blieb er ein wenig stehn und horchte. Es war ganz still.
Der Mann konnte die Wächter totgeprügelt haben, sie waren
ja ganz in seine Macht gegeben. K. hatte schon die Hand nach
der Klinke ausgestreckt, zog sie dann aber wieder zurück.
Helfen konnte er niemandem mehr und die Diener mussten
gleich kommen; er gelobte sich aber, die Sache noch zur Sprache zu bringen und die wirklich Schuldigen, die hohen Beamten, von denen sich ihm noch keiner zu zeigen gewagt hatte,
soweit es in seinen Kräften war, gebührend zu bestrafen. Als
er die Freitreppe der Bank hinuntergieng, beobachtete er
sorgfältig alle Passanten, aber selbst in der weitern Umgebung
war kein Mädchen zu sehn, das auf jemanden gewartet hätte.
Die Bemerkung Franzens, dass seine Braut auf ihn warte, er-
wies sich als eine allerdings verzeihliche Lüge, die nur den
Zweck gehabt hatte größeres Mitleid zu erwecken.

Auch noch am nächsten Tage kamen K. die Wächter nicht
aus dem Sinn; er war bei der Arbeit zerstreut und musste, um

sie zu bewältigen, noch ein wenig länger im Bureau bleiben als am Tag vorher. Als er auf dem Nachhauseweg wieder an der Rumpelkammer vorüberkam, öffnete er sie wie aus Gewohnheit. Vor dem, was er statt des erwarteten Dunkels erblickte, wusste er sich nicht zu fassen. Alles war unverändert, so wie er es am Abend vorher beim Öffnen der Tür gefunden hatte. Die Drucksorten und Tintenflaschen gleich hinter der Schwelle, der Prügler mit der Rute, die noch vollständig angezogenen Wächter, die Kerze auf dem Regal und die Wächter begannen zu klagen und riefen: »Herr!« Sofort warf K. die Tür zu und schlug noch mit den Fäusten gegen sie, als sei sie dann fester verschlossen. Fast weinend lief er zu den Dienern, die ruhig an der Kopiermaschine arbeiteten und erstaunt in ihrer Arbeit innehielten. »Räumt doch endlich die Rumpelkammer aus«, rief er. »Wir versinken ja im Schmutz.« Die Diener waren bereit es am nächsten Tag zu tun, K. nickte, jetzt spät am Abend konnte er sie nicht mehr zu der Arbeit zwingen, wie er es eigentlich beabsichtigt hatte. Er setzte sich ein wenig, um die Diener ein Weilchen lang in der Nähe zu behalten, warf einige Kopien durcheinander, wodurch er den Anschein zu erwecken glaubte, dass er sie überprüfe und gieng dann, da er einsah, dass die Diener nicht wagen würden, gleichzeitig mit ihm wegzugehn, müde und gedankenlos nachhause.

Der Onkel
Leni

Eines Nachmittags – K. war gerade vor dem Postabschluss
sehr beschäftigt – drängte sich zwischen zwei Dienern, die
Schriftstücke hereintrugen K.'s Onkel Karl, ein kleiner 5
Grundbesitzer vom Lande, ins Zimmer. K. erschrak bei dem
Anblick weniger, als er schon vor längerer Zeit bei der Vorstellung vom Kommen des Onkels erschrocken war. Der Onkel musste kommen, das stand bei K. schon etwa einen Monat
lang fest. Schon damals hatte er ihn zu sehen geglaubt, wie er 10
ein wenig gebückt, den eingedrückten Panamahut in der Linken die Rechte schon von weitem ihm entgegenstreckte und
sie mit rücksichtsloser Eile über den Schreibtisch hin reichte,
alles umstoßend, was ihm im Wege war. Der Onkel befand
sich immer in Eile, denn er war von dem unglücklichen Ge- 15
danken verfolgt, bei seinem immer nur eintägigen Aufenthalt
in der Hauptstadt müsse er alles erledigen können, was er sich
vorgenommen hatte und dürfe überdies auch kein gelegentlich sich darbietendes Gespräch oder Geschäft oder Vergnügen sich entgehen lassen. Dabei musste ihm K., der ihm als 20
seinem gewesenen Vormund besonders verpflichtet war, in
allem möglichen behilflich sein und ihn außerdem bei sich
↗ übernachten lassen. »Das Gespenst vom Lande« pflegte er ihn
zu nennen.

Gleich nach der Begrüßung – sich in das Fauteuil zu setzen, 25
wozu ihn K. einlud, hatte er keine Zeit – bat er K. um ein
kurzes Gespräch unter 4 Augen. »Es ist notwendig«, sagte
er, mühselig schluckend, »zu meiner Beruhigung ist es notwendig.« K. schickte sofort die Diener aus dem Zimmer mit
der Weisung niemand einzulassen. »Was habe ich gehört, Jo- 30
sef?« rief der Onkel, als sie allein waren, setzte sich auf den

---

25 **Fauteuil:** Sessel (österr.)

Tisch und stopfte unter sich ohne hinzusehn verschiedene Papiere, um besser zu sitzen. K. schwieg, er wusste was kommen würde, aber, plötzlich von der anstrengenden Arbeit entspannt, wie er war, gab er sich zunächst einer angenehmen Mattigkeit hin und sah durch das Fenster auf die gegenüberliegende Straßenseite, von der von seinem Sitz aus nur ein kleiner dreieckiger Ausschnitt zu sehen war, ein Stück leerer Häusermauer zwischen zwei Geschäftsauslagen. »Du schaust aus dem Fenster«, rief der Onkel mit erhobenen Armen, »um Himmelswillen Josef antworte mir doch. Ist es wahr, kann es denn wahr sein?« »Lieber Onkel«, sagte K. und riss sich von seiner Zerstreutheit los, »ich weiß ja gar nicht, was Du von mir willst.« »Josef«, sagte der Onkel warnend, »die Wahrheit hast Du immer gesagt soviel ich weiß. Soll ich Deine letzten Worte als schlimmes Zeichen auffassen.« »Ich ahne ja, was Du willst«, sagte K. folgsam, »Du hast wahrscheinlich von meinem Process gehört.« »So ist es«, antwortete der Onkel, langsam nickend, »ich habe von Deinem Process gehört.« »Von wem denn?« fragte K. »Erna hat es mir geschrieben«, sagte der Onkel, »sie hat ja keinen Verkehr mit Dir, Du kümmerst Dich leider nicht viel um sie, trotzdem hat sie es erfahren. Heute habe ich den Brief bekommen und bin natürlich sofort hergefahren. Aus keinem andern Grund, aber es scheint ein genügender Grund zu sein. Ich kann Dir die Briefstelle die Dich betrifft vorlesen.« Er zog den Brief aus der Brieftasche. »Hier ist es. Sie schreibt: ›Josef habe ich schon lange nicht gesehn, vorige Woche war ich einmal in der Bank, aber Josef war so beschäftigt, dass ich nicht vorgelassen wurde; ich habe fast eine Stunde gewartet, musste dann aber nachhause, weil ich Klavierstunde hatte. Ich hätte gern mit ihm gesprochen, vielleicht wird sich nächstens eine Gelegenheit finden. Zu meinem Namenstag hat er mir eine große Schachtel Chokolade geschickt, es war sehr lieb und aufmerksam. Ich hatte vergessen, es Euch damals zu schreiben, erst jetzt da Ihr mich fragt, erinnere ich mich daran. Chokolade müsst Ihr wissen verschwindet nämlich in der Pension sofort, kaum ist man zum Bewusstsein dessen gekommen, dass man mit Chokolade

---

32 f. **Chokolade:** Schokolade

beschenkt worden ist, ist sie auch schon weg. Aber was Josef betrifft, wollte ich Euch noch etwas sagen: Wie erwähnt, wurde ich in der Bank nicht zu ihm vorgelassen, weil er gerade mit einem Herrn verhandelte. Nachdem ich eine Zeitlang ruhig gewartet hatte, fragte ich einen Diener, ob die Verhandlung noch lange dauern werde. Er sagte das dürfte wohl sein, denn es handle sich wahrscheinlich um den Process, der gegen den Herrn Prokuristen geführt werde. Ich fragte, was denn das für ein Process sei, ob er sich nicht irre, er aber sagte, er irre sich nicht, es sei ein Process undzwar ein schwerer Process, mehr aber wisse er nicht. Er selbst möchte dem Herrn Prokuristen gerne helfen, denn dieser sei ein sehr guter und gerechter Herr, aber er wisse nicht wie er es anfangen sollte und er möchte nur wünschen, dass sich einflussreiche Herren seiner annehmen würden. Dies werde auch sicher geschehn und es werde schließlich ein gutes Ende nehmen, vorläufig aber stehe es, wie er aus der Laune des Herrn Prokuristen entnehmen könne, gar nicht gut. Ich legte diesen Reden natürlich nicht viel Bedeutung bei, suchte auch den einfältigen Diener zu beruhigen, verbot ihm andern gegenüber davon zu sprechen und halte das Ganze für ein Geschwätz. Trotzdem wäre es vielleicht gut, wenn Du, liebster Vater, bei Deinem nächsten Besuch der Sache nachgehn wolltest, es wird Dir leicht sein, Genaueres zu erfahren und wenn es wirklich nötig sein sollte, durch Deine großen einflussreichen Bekanntschaften einzugreifen. Sollte es aber nicht nötig sein, was ja das Wahrscheinlichste ist, so wird es wenigstens Deiner Tochter bald Gelegenheit geben Dich zu umarmen, was sie freuen würde.‹ Ein gutes Kind«, sagte der Onkel als er die Vorlesung beendet hatte und wischte einige Tränen aus den Augen fort. K. nickte, er hatte infolge der verschiedenen Störungen der letzten Zeit vollständig an Erna vergessen, sogar an ihren Geburtstag hatte er vergessen und die Geschichte von der Chokolade war offenbar nur zu dem Zweck erfunden, um ihn vor Onkel und Tante in Schutz zu nehmen. Es war sehr rührend und mit den Teaterkarten, die er ihr von jetzt ab regelmäßig schicken wollte, gewiss nicht genügend belohnt, aber zu Besuchen in der

Pension und zu Unterhaltungen mit einer kleinen 17-jährigen Gymnasiastin fühlte er sich jetzt nicht geeignet. »Und was sagst Du jetzt?« fragte der Onkel, der durch den Brief an alle Eile und Aufregung vergessen hatte und ihn noch einmal zu lesen schien. »Ja, Onkel«, sagte K., »es ist wahr.« »Wahr?« rief der Onkel. »Was ist wahr? Wie kann es denn wahr sein? Was für ein Process? Doch nicht ein Strafprocess?« »Ein Strafprocess«, antwortete K. »Und Du sitzt ruhig hier und hast einen Strafprocess auf dem Halse?« rief der Onkel, der immer lauter wurde. »Je ruhiger ich bin, desto besser ist es für den Ausgang«, sagte K. müde. »Fürchte nichts.« »Das kann mich nicht beruhigen«, rief der Onkel, »Josef, lieber Josef, denke an Dich, an Deine Verwandten, an unsern guten Namen. Du warst bisher unsere Ehre. Du darfst nicht unsere Schande werden. Deine Haltung«, er sah K. mit schief geneigtem Kopfe an, »gefällt mir nicht, so verhält sich kein unschuldig Angeklagter, der noch bei Kräften ist. Sag mir nur schnell, um was es sich handelt, damit ich Dir helfen kann. Es handelt sich natürlich um die Bank?« »Nein«, sagte K. und stand auf, »Du sprichst aber zu laut, lieber Onkel, der Diener steht wahrscheinlich an der Tür und horcht. Das ist mir unangenehm. Wir wollen lieber weggehn. Ich werde Dir dann alle Fragen so gut es geht beantworten. Ich weiß sehr gut, dass ich der Familie Rechenschaft schuldig bin.« »Richtig«, schrie der Onkel, »sehr richtig, beeile Dich nur, Josef, beeile Dich.« »Ich muss nur noch einige Aufträge geben«, sagte K. und berief telephonisch seinen Vertreter zu sich, der in wenigen Augenblicken eintrat. Der Onkel in seiner Aufregung zeigte ihm mit der Hand, dass K. ihn habe rufen lassen, woran auch sonst kein Zweifel gewesen wäre. K., der vor dem Schreibtisch stand, erklärte dem jungen Mann, der kühl aber aufmerksam zuhörte, mit leiser Stimme unter Zuhilfenahme verschiedener Schriftstücke, was in seiner Abwesenheit heute noch erledigt werden müsse. Der Onkel störte, indem er zuerst mit großen Augen und nervösem Lippenbeißen dabeistand, ohne allerdings zuzuhören, aber der Anschein dessen war schon störend genug. Dann aber gieng er im Zimmer auf und ab und blieb hie und da vor dem Fenster oder vor einem Bild stehn, wobei er immer in verschiedene Ausrufe ausbrach, wie: »Mir ist es vollständig unbegreiflich« oder »Jetzt sagt mir nur was soll denn daraus werden«. Der junge Mann tat, als bemerke er nichts davon, hörte ruhig K.'s Aufträge bis zu Ende an, notierte sich auch einiges und gieng, nachdem er sich vor K. wie auch vor dem Onkel verneigt hatte, der ihm aber gerade den Rücken zukehrte, aus dem Fenster sah und mit ausgestreckten Händen die Vorhänge zusammenknüllte. Die Tür hatte sich noch kaum geschlossen, als der Onkel ausrief: »Endlich ist der Hampelmann weggegangen, jetzt können doch auch wir gehn. Endlich!« Es gab leider kein Mittel, den Onkel zu bewegen, in der Vorhalle, wo einige Beamte und Diener herumstanden und die gerade auch der Direktor-Stellvertreter kreuzte, die Fragen wegen des Processes zu unterlassen. »Also, Josef«, begann der Onkel, während er die Verbeugungen der Umstehenden durch leichtes Salutieren beantwortete, »jetzt sag' mir offen, was es für ein Process ist.« K. machte einige nichtssagende Bemerkungen, lachte auch ein wenig und erst auf der Treppe erklärte er dem Onkel, dass er vor den Leuten nicht habe offen reden wollen. »Richtig«, sagte der Onkel, »aber jetzt rede.« Mit geneigtem Kopf, eine Zigarre in kurzen, eiligen Zügen rauchend hörte er zu. »Vor allem, Onkel«, sagte K., »handelt es sich gar nicht um einen Process vor dem gewöhnlichen Gericht.« »Das ist schlimm«, sagte der Onkel. »Wie?« sagte K. und sah den Onkel an. »Dass das schlimm ist, meine ich«, wiederholte der Onkel. Sie standen auf der Freitreppe, die zur Straße führte; da der Portier zu horchen schien, zog K. den Onkel hinunter; der lebhafte Straßenverkehr nahm sie auf. Der Onkel der sich in K. eingehängt hatte, fragte nicht mehr so dringend nach dem Process, sie giengen sogar eine Zeitlang schweigend weiter. »Wie ist es aber geschehn?« fragte endlich der Onkel so plötzlich stehen bleibend, dass die hinter ihm gehenden Leute erschreckt auswichen. »Solche Dinge kommen doch nicht plötzlich, sie bereiten sich seit langem vor, es müssen Anzeichen dessen gewesen sein, warum hast Du mir nicht geschrieben. Du weißt dass

ich für Dich alles tue, ich bin ja gewissermaßen noch Dein
Vormund und war bis heute stolz darauf. Ich werde Dir natürlich auch jetzt noch helfen, nur ist es jetzt, wenn der Process schon im Gange ist, sehr schwer. Am besten wäre es je-
5 denfalls, wenn Du Dir jetzt einen kleinen Urlaub nimmst und
zu uns aufs Land kommst. Du bist auch ein wenig abgema-
gert, jetzt merke ich es. Auf dem Land wirst Du Dich kräftigen, das wird gut sein, es stehen Dir ja gewiss Anstrengungen
bevor. Außerdem aber wirst Du dadurch dem Gericht gewis-
10 sermaßen entzogen sein. Hier haben sie alle möglichen
Machtmittel, die sie notwendiger Weise, automatischer Weise
auch Dir gegenüber anwenden; auf das Land müssten sie aber
erst Organe delegieren oder nur brieflich, telegraphisch, telephonisch auf Dich einzuwirken suchen. Das schwächt natür-
15 lich die Wirkung ab, befreit Dich zwar nicht, aber lässt Dich
aufatmen.« »Sie könnten mir ja verbieten, wegzufahren«, sagte K. den die Rede des Onkels ein wenig in ihren Gedankengang gezogen hatte. »Ich glaube nicht dass sie das tun werden«, sagte der Onkel nachdenklich, »so groß ist der Verlust
20 an Macht nicht, den sie durch Deine Abreise erleiden.« »Ich
dachte«, sagte K. und fasste den Onkel unterm Arm, um ihn
am Stehenbleiben hindern zu können, »dass Du dem Ganzen
noch weniger Bedeutung beimessen würdest als ich und jetzt
nimmst Du es selbst so schwer.« »Josef«, rief der Onkel und
25 wollte sich ihm entwinden um stehn bleiben zu können aber
K. ließ ihn nicht, »Du bist verwandelt, Du hattest doch immer
ein so richtiges Auffassungsvermögen und gerade jetzt verlässt
es Dich? Willst Du denn den Process verlieren? Weißt Du was
das bedeutet? Das bedeutet, dass Du einfach gestrichen wirst.
30 Und dass die ganze Verwandtschaft mitgerissen oder wenigstens bis auf den Boden gedemütigt wird. Josef, nimm Dich
doch zusammen. Deine Gleichgültigkeit bringt mich um den
Verstand. Wenn man Dich ansieht möchte man fast dem
Sprichwort glauben: ›Einen solchen Process haben, heißt ihn
35 schon verloren haben‹.« »Lieber Onkel«, sagte K., »die Aufregung ist so unnütz, sie ist es auf Deiner Seite und wäre es
auch auf meiner. Mit Aufregung gewinnt man die Processe

---

13 **Organe delegieren:** hier: Beamte senden

nicht, lass auch meine praktischen Erfahrungen ein wenig gelten, so wie ich Deine, selbst wenn sie mich überraschen, immer und auch jetzt sehr achte. Da Du sagst, dass auch die Familie durch den Process in Mitleidenschaft gezogen würde, – was ich für meinen Teil durchaus nicht begreifen kann, das ist aber Nebensache – so will ich Dir gerne in allem folgen. Nur den Landaufenthalt halte ich selbst in Deinem Sinn nicht für vorteilhaft, denn das würde Flucht und Schuldbewusstsein bedeuten. Überdies bin ich hier zwar mehr verfolgt, kann aber auch selbst die Sache mehr betreiben.« »Richtig«, sagte der Onkel in einem Ton als kämen sie jetzt endlich einander näher, »ich machte den Vorschlag nur, weil ich wenn Du hier bliebst die Sache von Deiner Gleichgültigkeit gefährdet sah und es für besser hielt, wenn ich statt Deiner für Dich arbeitete. Willst Du es aber mit aller Kraft selbst betreiben, so ist es natürlich weit besser.« »Darin wären wir also einig«, sagte K. »Und hast Du jetzt einen Vorschlag dafür, was ich zunächst machen soll?« »Ich muss mir natürlich die Sache noch überlegen«, sagte der Onkel, »Du musst bedenken, dass ich jetzt schon 20 Jahre fast ununterbrochen auf dem Land bin, dabei lässt der Spürsinn in diesen Richtungen nach. Verschiedene wichtige Verbindungen mit Persönlichkeiten, die sich hier vielleicht besser auskennen, haben sich von selbst gelockert. Ich bin auf dem Land ein wenig verlassen, das weißt Du ja. Selbst merkt man es eigentlich erst bei solchen Gelegenheiten. Zum Teil kam mir Deine Sache auch unerwartet, wenn ich auch merkwürdiger Weise nach Ernas Brief schon etwas derartiges ahnte und es heute bei Deinem Anblick fast mit Bestimmtheit wusste. Aber das ist gleichgültig, das Wichtigste ist jetzt, keine Zeit zu verlieren.« Schon während seiner Rede hatte er auf den Fußspitzen stehend einem Automobil gewinkt und zog jetzt während er gleichzeitig dem Wagenlenker eine Adresse zurief K. hinter sich in den Wagen. »Wir fahren jetzt zum Advokaten Huld«, sagte er, »er war mein Schulkollege. Du kennst den Namen gewiss auch? Nicht? Das ist aber merkwürdig. Er hat doch als Verteidiger und Armenadvokat einen bedeutenden Ruf. Ich aber habe be-

---

34 **Advokaten:** Advokat: Anwalt

sonders zu ihm als Menschen großes Vertrauen.« »Mir ist alles
recht, was Du unternimmst«, sagte K., trotzdem ihm die eilige
und dringliche Art mit der der Onkel die Angelegenheit behandelte, Unbehagen verursachte. Es war nicht sehr erfreulich, als Angeklagter zu einem Armenadvokaten zu fahren.
»Ich wusste nicht«, sagte er, »dass man in einer solchen Sache
auch einen Advokaten zuziehn könne.« »Aber natürlich«,
sagte der Onkel, »das ist ja selbstverständlich. Warum denn
nicht? Und nun erzähle mir, damit ich über die Sache genau
unterrichtet bin, alles was bisher geschehen ist.« K. begann
sofort zu erzählen, ohne irgendetwas zu verschweigen, seine
vollständige Offenheit war der einzige Protest, den er sich
gegen des Onkels Ansicht, der Process sei eine große Schande,
erlauben konnte. Fräulein Bürstners Namen erwähnte er nur
einmal und flüchtig, aber das beeinträchtigte nicht die Offenheit, denn Fräulein Bürstner stand mit dem Process in keiner
Verbindung. Während er erzählte, sah er aus dem Fenster und
beobachtete, wie sie sich gerade jener Vorstadt näherten, in
der die Gerichtskanzleien waren, er machte den Onkel darauf
aufmerksam, der aber das Zusammentreffen nicht besonders
auffallend fand. Der Wagen hielt vor einem dunklen Haus.
Der Onkel läutete gleich im Parterre bei der ersten Tür; während sie warteten, fletschte er lächelnd seine großen Zähne
und flüsterte: »8 Uhr, eine ungewöhnliche Zeit für Parteien-
besuche. Huld nimmt es mir aber nicht übel.« Im Guckfenster der Tür erschienen zwei große schwarze Augen, sahen ein
Weilchen die zwei Gäste an und verschwanden; die Tür öffnete sich aber nicht. Der Onkel und K. bestätigten einander
gegenseitig die Tatsache, die zwei Augen gesehen zu haben.
»Ein neues Stubenmädchen, das sich vor Fremden fürchtet«,
sagte der Onkel und klopfte nochmals. Wieder erschienen die
Augen, man konnte sie jetzt fast für traurig halten, vielleicht
war das aber auch nur eine Täuschung, hervorgerufen durch
die offene Gasflamme, die nahe über den Köpfen stark zi-
schend brannte, aber wenig Licht gab. »Öffnen Sie«, rief der
Onkel und hieb mit der Faust gegen die Tür, »es sind Freunde
des Herrn Advokaten.« »Der Herr Advokat ist krank«, flüs-

---

34 **Gasflamme:** früher übliche Beleuchtungsart

terte es hinter ihnen. In einer Tür am andern Ende des kleinen Ganges stand ein Herr im Schlafrock und machte mit
äußerst leiser Stimme diese Mitteilung. Der Onkel, der schon
wegen des langen Wartens wütend war, wandte sich mit einem
Ruck um, rief: »Krank? Sie sagen, er ist krank?« und gieng fast
drohend, als sei der Herr die Krankheit, auf ihn zu. »Man hat
schon geöffnet«, sagte der Herr, zeigte auf die Tür des Advokaten, raffte seinen Schlafrock zusammen und verschwand.
Die Tür war wirklich geöffnet worden, ein junges Mädchen –
K. erkannte die dunklen ein wenig hervorgewälzten Augen
wieder – stand in langer weißer Schürze im Vorzimmer und
hielt eine Kerze in der Hand. »Nächstens öffnen Sie früher«,
sagte der Onkel statt einer Begrüßung, während das Mädchen
einen kleinen Knix machte. »Komm, Josef«, sagte er dann zu
K., der sich langsam an dem Mädchen vorüberschob. »Der
Herr Advokat ist krank«, sagte das Mädchen, da der Onkel
ohne sich aufzuhalten auf eine Tür zueilte. K. staunte das
Mädchen noch an, während es sich schon umgedreht hatte,
um die Wohnungstüre wieder zu versperren, es hatte ein pup-
penförmig gerundetes Gesicht, nicht nur die bleichen Wangen
und das Kinn verliefen rund, auch die Schläfen und die Stirn-
ränder. »Josef«, rief der Onkel wieder und das Mädchen fragte
er: »Es ist das Herzleiden?« »Ich glaube wohl«, sagte das
Mädchen, es hatte Zeit gefunden mit der Kerze voranzugehn
und die Zimmertür zu öffnen. In einem Winkel des Zimmers,
wohin das Kerzenlicht noch nicht drang, erhob sich im Bett
ein Gesicht mit langem Bart. »Leni, wer kommt denn«, fragte
der Advokat, der durch die Kerze geblendet die Gäste noch
nicht erkannte. »Albert, Dein alter Freund ist es«, sagte der
Onkel. »Ach Albert«, sagte der Advokat und ließ sich auf die
Kissen zurückfallen, als bedürfe es diesem Besuch gegenüber
keiner Verstellung. »Steht es wirklich so schlecht?« fragte der
Onkel und setzte sich auf den Bettrand. »Ich glaube es nicht.
Es ist ein Anfall Deines Herzleidens und wird vorübergehn
wie die frühern.« »Möglich«, sagte der Advokat leise, »es ist
aber ärger als es jemals gewesen ist. Ich atme schwer, schlafe
gar nicht und verliere täglich an Kraft.« »So«, sagte der Onkel

und drückte den Panamahut mit seiner großen Hand fest aufs Knie. »Das sind schlechte Nachrichten. Hast Du übrigens die richtige Pflege? Es ist auch so traurig hier, so dunkel. Es ist schon lange her, seitdem ich zum letztenmal hier war, damals schien es mir freundlicher. Auch Dein kleines Fräulein hier scheint nicht sehr lustig oder sie verstellt sich.« Das Mädchen stand noch immer mit der Kerze nahe bei der Tür, soweit ihr unbestimmter Blick erkennen ließ sah sie eher K. an als den Onkel, selbst als dieser jetzt von ihr sprach. K. lehnte an einem Sessel, den er in die Nähe des Mädchens geschoben hatte. »Wenn man so krank ist, wie ich«, sagte der Advokat, »muss man Ruhe haben. Mir ist es nicht traurig.« Nach einer kleinen Pause fügte er hinzu: »Und Leni pflegt mich gut, sie ist brav.« Den Onkel konnte das aber nicht überzeugen, er war sichtlich gegen die Pflegerin voreingenommen und wenn er jetzt auch dem Kranken nichts entgegnete so verfolgte er doch die Pflegerin mit strengen Blicken, als sie jetzt zum Bett hingieng, die Kerze auf das Nachttischchen stellte, sich über den Kranken hinbeugte und beim Ordnen der Kissen mit ihm flüsterte. Er vergaß fast die Rücksicht auf den Kranken, stand auf, gieng hinter der Pflegerin hin und her und K. hätte es nicht gewundert, wenn er sie hinten an den Röcken erfasst und vom Bett fortgezogen hätte. K. selbst sah allem ruhig zu, die Krankheit des Advokaten war ihm sogar nicht ganz unwillkommen, dem Eifer, den der Onkel für seine Sache entwickelt hatte, hatte er sich nicht entgegenstellen können, die Ablenkung, die dieser Eifer jetzt ohne sein Zutun erfuhr, nahm er gerne hin. Da sagte der Onkel, vielleicht nur in der Absicht die Pflegerin zu beleidigen: »Fräulein bitte, lassen Sie uns ein Weilchen allein, ich habe mit meinem Freund eine persönliche Angelegenheit zu besprechen.« Die Pflegerin, die noch weit über den Kranken hingebeugt war und gerade das Leintuch an der Wand glättete, wendete nur den Kopf und sagte sehr ruhig, was einen auffallenden Unterschied zu dem von Wut stockenden und dann wieder überfließenden Reden des Onkels bildete: »Sie sehen, der Herr ist so krank, er kann keine Angelegenheiten besprechen.« Sie hatte die Worte des Onkels

---

32 **Leintuch:** Bettlaken, Betttuch (österr.)

wahrscheinlich nur aus Bequemlichkeit wiederholt, immerhin konnte es selbst von einem Unbeteiligten als spöttisch aufgefasst werden, der Onkel aber fuhr natürlich wie ein Gestochener auf. »Du Verdammte«, sagte er im ersten Gurgeln der Aufregung noch ziemlich unverständlich, K. erschrak trotzdem er etwas Ähnliches erwartet hatte, und lief auf den Onkel zu mit der bestimmten Absicht ihm mit beiden Händen den Mund zu schließen. Glücklicherweise erhob sich aber hinter dem Mädchen der Kranke, der Onkel machte ein finsteres Gesicht, als schlucke er etwas Abscheuliches hinunter, und sagte dann ruhiger: »Wir haben natürlich auch noch den Verstand nicht verloren; wäre das was ich verlange nicht möglich, würde ich es nicht verlangen. Bitte gehn Sie jetzt.« Die Pflegerin stand aufgerichtet am Bett, dem Onkel voll zugewendet, mit der einen Hand streichelte sie, wie K. zu bemerken glaubte die Hand des Advokaten. »Du kannst vor Leni alles sagen«, sagte der Kranke zweifellos im Ton einer dringenden Bitte. »Es betrifft nicht mich«, sagte der Onkel, »es ist nicht mein Geheimnis.« Und er drehte sich um, als gedenke er in keine Verhandlungen mehr einzugehn, gebe aber noch eine kleine Bedenkzeit. »Wen betrifft es denn?« fragte der Advokat mit erlöschender Stimme und legte sich wieder zurück. »Meinen Neffen«, sagte der Onkel, »ich habe ihn auch mitgebracht.« Und er stellte vor: »Prokurist Josef K.« »Oh«, sagte der Kranke viel lebhafter und streckte K. die Hand entgegen, »verzeihen Sie, ich habe Sie gar nicht bemerkt.« »Geh, Leni«, sagte er dann zu der Pflegerin, die sich auch gar nicht mehr wehrte, und reichte ihr die Hand, als gelte es einen Abschied für lange Zeit. »Du bist also«, sagte er endlich zum Onkel, der auch versöhnt nähergetreten war, »nicht gekommen, mir einen Krankenbesuch zu machen, sondern Du kommst in Geschäften.« Es war als hätte die Vorstellung eines Krankenbesuches den Advokaten bisher gelähmt, so gekräftigt sah er jetzt aus, blieb ständig auf einen Elbogen aufgestützt, was ziemlich anstrengend sein musste und zog immer wieder an einem Bartstrahn in der Mitte seines Bartes. »Du siehst schon viel gesünder aus«, sagte der Onkel, »seitdem diese Hexe

draußen ist.« Er unterbrach sich, flüsterte: »Ich wette dass sie horcht« und sprang zur Tür. Aber hinter der Tür war niemand, der Onkel kam zurück, nicht enttäuscht, denn ihr Nichthorchen erschien ihm als eine noch größere Bosheit,
5 wohl aber verbittert. »Du verkennst sie«, sagte der Advokat, ohne die Pflegerin weiter in Schutz zu nehmen; vielleicht wollte er damit ausdrücken, dass sie nicht schutzbedürftig sei. Aber in viel teilnehmenderem Tone fuhr er fort: »Was die Angelegenheit Deines Herrn Neffen betrifft, so würde ich mich
10 allerdings glücklich schätzen, wenn meine Kraft für diese äußerst schwierige Aufgabe ausreichen könnte; ich fürchte sehr, dass sie nicht ausreichen wird, jedenfalls will ich nichts unversucht lassen; wenn ich nicht ausreiche könnte man ja noch jemanden andern beiziehn. Um aufrichtig zu sein, inter-
15 essiert mich die Sache zu sehr, als dass ich es über mich bringen könnte, auf jede Beteiligung zu verzichten. Hält es mein Herz nicht aus, so wird es doch wenigstens hier eine würdige Gelegenheit finden, gänzlich zu versagen.« K. glaubte kein Wort dieser ganzen Rede zu verstehn, er sah den Onkel an, um dort
20 eine Erklärung zu finden, aber dieser saß mit der Kerze in der Hand auf dem Nachttischchen, von dem bereits eine Arzneiflasche auf den Teppich gerollt war, nickte zu allem, was der Advokat sagte, war mit allem einverstanden und sah hie und da auf K. mit der Aufforderung zu gleichem Einverständnis
25 hin. Hatte vielleicht der Onkel schon früher dem Advokaten von dem Process erzählt, aber das war unmöglich, alles was vorhergegangen war, sprach dagegen. »Ich verstehe nicht –« sagte er deshalb. »Ja, habe vielleicht ich Sie missverstanden?« fragte der Advokat ebenso erstaunt und verlegen wie K. »Ich
30 war vielleicht voreilig. Worüber wollten Sie denn mit mir sprechen? Ich dachte es handle sich um Ihren Process?« »Natürlich«, sagte der Onkel und fragte dann K.: »Was willst Du denn?« »Ja, aber woher wissen Sie denn etwas über mich und meinen Process?« fragte K. »Ach so«, sagte der Advokat
35 lächelnd, »ich bin doch Advokat, ich verkehre in Gerichtskreisen, man spricht über verschiedene Processe und auffallendere, besonders wenn es den Neffen eines Freundes be-

trifft, behält man im Gedächtnis. Das ist doch nichts merk-
würdiges.« »Was willst Du denn?« fragte der Onkel K. nochmals, »Du bist so unruhig.« »Sie verkehren in diesen Gerichtskreisen«, fragte K. »Ja«, sagte der Advokat. »Du fragst
wie ein Kind«, sagte der Onkel. »Mit wem sollte ich denn   5
verkehren, wenn nicht mit Leuten meines Faches?« fügte der
Advokat hinzu. Es klang so unwiderleglich, dass K. gar nicht
antwortete. »Sie arbeiten doch bei dem Gericht im Justizpa-
last, und nicht bei dem auf dem Dachboden«, hatte er sagen
wollen, konnte sich aber nicht überwinden, es wirklich zu   10
sagen. »Sie müssen doch bedenken«, fuhr der Advokat fort, in
einem Tone, als erkläre er etwas selbstverständliches, über-
flüssigerweise und nebenbei, »Sie müssen doch bedenken, dass
ich aus einem solchen Verkehr auch große Vorteile für meine
Klientel ziehe undzwar in vielfacher Hinsicht, man darf nicht 15
einmal immer davon reden. Natürlich bin ich jetzt infolge
meiner Krankheit ein wenig behindert, aber ich bekomme
trotzdem Besuch von guten Freunden vom Gericht und erfahre doch einiges. Erfahre vielleicht mehr, als manche die in
bester Gesundheit den ganzen Tag bei Gericht verbringen. So   20
habe ich z.B. gerade jetzt einen lieben Besuch.« Und er zeigte
in eine dunkle Zimmerecke. »Wo denn?« fragte K. in der ersten Überraschung fast grob. Er sah unsicher herum; das
Licht der kleinen Kerze drang bis zur gegenüberliegenden
Wand bei weitem nicht. Und wirklich begann sich dort in der 25
Ecke etwas zu rühren. Im Licht der Kerze die der Onkel jetzt
hochhielt, sah man dort bei einem kleinen Tischchen einen
ältern Herrn sitzen. Er hatte wohl gar nicht geatmet, dass er
solange unbemerkt geblieben war. Jetzt stand er umständlich
auf, offenbar unzufrieden damit dass man auf ihn aufmerksam 30
gemacht hatte. Es war als wolle er mit den Händen, die er wie
kurze Flügel bewegte, alle Vorstellungen und Begrüßungen
abwehren, als wolle er auf keinen Fall die andern durch seine
Anwesenheit stören und als bitte er dringend wieder um die
Versetzung ins Dunkel und um das Vergessen seiner Anwe-   35
senheit. Das konnte man ihm nun aber nicht mehr zugestehn.
»Ihr habt uns nämlich überrascht«, sagte der Advokat zur

Erklärung und winkte dabei dem Herrn aufmunternd zu, nä-
herzukommen, was dieser langsam, zögernd herumblickend
und doch mit einer gewissen Würde tat, »der Herr Kanzleidirektor – ach so, Verzeihung, ich habe nicht vorgestellt – hier
mein Freund Albert K., hier sein Neffe Prokurist Josef K. und
hier der Herr Kanzleidirektor – der Herr Kanzleidirektor
also war so freundlich mich zu besuchen. Den Wert eines solchen Besuches kann eigentlich nur der Eingeweihte würdigen, welcher weiß, wie der Herr Kanzleidirektor mit Arbeit
überhäuft ist. Nun er kam also trotzdem, wir unterhielten uns
friedlich, soweit meine Schwäche es erlaubte, wir hatten zwar
Leni nicht verboten Besuche einzulassen, denn es waren keine
zu erwarten, aber unsere Meinung war doch, dass wir allein
bleiben sollten, dann aber kamen Deine Fausthiebe, Albert,
der Herr Kanzleidirektor rückte mit Sessel und Tisch in den
Winkel, nun aber zeigt sich, dass wir möglicherweise, d.h.
wenn der Wunsch danach besteht, eine gemeinsame Angelegenheit zu besprechen haben und sehr gut wieder zusam-
menrücken können. Herr Kanzleidirektor«, sagte er mit
Kopfneigen und unterwürfigem Lächeln und zeigte auf einen
Lehnstuhl in der Nähe des Bettes. »Ich kann leider nur noch
paar Minuten bleiben«, sagte der Kanzleidirektor freundlich,
setzte sich breit in den Lehnstuhl und sah auf die Uhr, »die
Geschäfte rufen mich. Jedenfalls will ich nicht die Gelegenheit vorübergehn lassen, einen Freund meines Freundes kennen zu lernen.« Er neigte den Kopf leicht gegen den Onkel,
der von der neuen Bekanntschaft sehr befriedigt schien, aber
infolge seiner Natur Gefühle der Ergebenheit nicht ausdrücken konnte und die Worte des Kanzleidirektors mit verlege-
nem aber lautem Lachen begleitete. Ein hässlicher Anblick! K.
konnte ruhig alles beobachten, denn um ihn kümmerte sich
niemand, der Kanzleidirektor nahm, wie es seine Gewohnheit
schien, da er nun schon einmal hervorgezogen war die Herrschaft über das Gespräch an sich, der Advokat, dessen erste
Schwäche vielleicht nur dazu hatte dienen sollen, den neuen
Besuch zu vertreiben, hörte aufmerksam, die Hand am Ohre
zu, der Onkel als Kerzenträger – er balancierte die Kerze auf

seinem Schenkel, der Advokat sah öfters besorgt hin – war
bald frei von Verlegenheit und nur noch entzückt sowohl von
der Art der Rede des Kanzleidirektors als auch von den sanften wellenförmigen Handbewegungen, mit denen er sie begleitete. K., der am Bettpfosten lehnte, wurde vom Kanzleidirektor vielleicht sogar mit Absicht vollständig vernachlässigt
und diente den alten Herren nur als Zuhörer. Übrigens wusste
er kaum wovon die Rede war und dachte bald an die Pflegerin
und an die schlechte Behandlung, die sie vom Onkel erfahren
hatte, bald daran, ob er den Kanzleidirektor nicht schon einmal gesehn hatte, vielleicht sogar in der Versammlung bei seiner ersten Untersuchung. Wenn er sich auch vielleicht täusch-
te, so hätte sich doch der Kanzleidirektor den Versammlungs-
teilnehmern in der ersten Reihe, den alten Herren mit den
schüttern Bärten vorzüglich eingefügt.

Da ließ ein Lärm aus dem Vorzimmer wie von zerbre-
chendem Porzellan alle aufhorchen. »Ich will nachsehn, was
geschehen ist«, sagte K. und gieng langsam hinaus als gebe er
den andern noch Gelegenheit ihn zurückzuhalten. Kaum war
er ins Vorzimmer getreten und wollte sich im Dunkel zurechtfinden, als sich auf die Hand, mit der er die Tür noch
festhielt, eine kleine Hand legte, viel kleiner als K.'s Hand,
und die Tür leise schloss. Es war die Pflegerin, die hier gewartet hatte. »Es ist nichts geschehn«, flüsterte sie, »ich habe nur
einen Teller gegen die Mauer geworfen, um Sie herauszuho-
len.« In seiner Befangenheit sagte K.: »Ich habe auch an Sie
gedacht.« »Desto besser«, sagte die Pflegerin. »Kommen Sie.«
Nach ein paar Schritten kamen sie zu einer Tür aus mattem
Glas, welche die Pflegerin vor K. öffnete. »Treten Sie doch
ein«, sagte sie. Es war jedenfalls das Arbeitszimmer des Advokaten; soweit man im Mondlicht sehen konnte, das jetzt
nur einen kleinen viereckigen Teil des Fußbodens an jedem
der zwei großen Fenster stark erhellte, war es mit schweren
alten Möbeln ausgestattet. »Hierher«, sagte die Pflegerin und
zeigte auf eine dunkle Truhe mit holzgeschnitzter Lehne.
Als er sich gesetzt hatte, sah sich K. im Zimmer um, es
war ein hohes großes Zimmer, die Kundschaft des Armenad-

vokaten musste sich hier verloren vorkommen. K. glaubte die kleinen Schritte zu sehn, mit denen die Besucher zu dem gewaltigen Schreibtisch vorrückten. Dann aber vergaß er daran und hatte nur noch Augen für die Pflegerin, die ganz nahe neben ihm saß und ihn fast an die Seitenlehne drückte. »Ich dachte«, sagte sie, »Sie würden allein zu mir herauskommen ohne dass ich Sie erst rufen müsste. Es war doch merkwürdig. Zuerst sahen Sie mich gleich beim Eintritt ununterbrochen an und dann ließen Sie mich warten.« »Nennen Sie mich übrigens Leni«, fügte sie noch rasch und unvermittelt ein, als solle kein Augenblick dieser Aussprache versäumt werden. »Gern«, sagte K. »Was aber die Merkwürdigkeit betrifft, Leni, so ist sie leicht zu erklären. Erstens musste ich doch das Geschwätz der alten Herren anhören und konnte nicht grundlos weglaufen, zweitens aber bin ich nicht frech, sondern eher schüchtern und auch Sie Leni sahen wahrhaftig nicht so aus, als ob Sie in einem Sprung zu gewinnen wären.« »Das ist es nicht«, sagte Leni, legte den Arm über die Lehne und sah K. an, »aber ich gefiel Ihnen nicht und gefalle Ihnen wahrscheinlich auch jetzt nicht.« »Gefallen wäre ja nicht viel«, sagte K. ausweichend. »Oh!« sagte sie lächelnd und gewann durch K.'s Bemerkung und diesen kleinen Ausruf eine gewisse Überlegenheit. Deshalb schwieg K. ein Weilchen. Da er sich an das Dunkel im Zimmer schon gewöhnt hatte, konnte er verschiedene Einzelheiten der Einrichtung unterscheiden. Besonders fiel ihm ein großes Bild auf, das rechts von der Tür hieng, er beugte sich vor, um es besser zu sehn. Es stellte einen Mann im Richtertalar dar; er saß auf einem hohen Tronsessel, dessen Vergoldung vielfach aus dem Bilde hervorstach. Das Ungewöhnliche war, dass dieser Richter nicht in Ruhe und Würde dort saß, sondern den linken Arm fest an Rücken- und Seitenlehne drückte, den rechten Arm aber völlig frei hatte und nur mit der Hand die Seitenlehne umfasste, als wolle er im nächsten Augenblick mit einer heftigen und vielleicht empörten Wendung aufspringen um etwas Entscheidendes zu sagen oder gar das Urteil zu verkünden. Der Angeklagte war wohl zu Füßen der Treppe zu denken, deren oberste mit einem gelben Teppich bedeckte Stufen noch auf dem Bilde zu sehen waren. »Vielleicht ist das mein Richter«, sagte K. und zeigte mit einem Finger auf das Bild. »Ich kenne ihn«, sagte Leni und sah auch zum Bilde auf, »er kommt öfters hierher. Das Bild stammt aus seiner Jugend, er kann aber niemals dem Bilde auch nur ähnlich gewesen sein, denn er ist fast winzig klein. Trotzdem hat er sich auf dem Bild so in die Länge ziehen lassen, denn er ist unsinnig eitel, wie alle hier. Aber auch ich bin eitel und sehr unzufrieden damit, dass ich Ihnen gar nicht gefalle.« Zu der letzten Bemerkung antwortete K. nur damit, dass er Leni umfasste und an sich zog, sie lehnte still den Kopf an seine Schulter. Zu dem übrigen aber sagte er: »Was für einen Rang hat er?« »Er ist Untersuchungsrichter«, sagte sie, ergriff K.'s Hand mit der er sie umfasst hielt und spielte mit seinen Fingern. »Wieder nur Untersuchungsrichter«, sagte K. enttäuscht, »die hohen Beamten verstecken sich. Aber er sitzt doch auf einem Tronsessel.« »Das ist alles Erfindung«, sagte Leni, das Gesicht über K.'s Hand gebeugt, »in Wirklichkeit sitzt er auf einem Küchensessel, auf dem eine alte Pferdedecke zusammengelegt ist. Aber müssen Sie denn immerfort an Ihren Process denken?« fügte sie langsam hinzu. »Nein, durchaus nicht«, sagte K., »ich denke wahrscheinlich sogar zu wenig an ihn.« »Das ist nicht der Fehler, den Sie machen«, sagte Leni, »Sie sind zu unnachgiebig, so habe ich es gehört.« »Wer hat das gesagt?« fragte K., er fühlte ihren Körper an seiner Brust und sah auf ihr reiches dunkles fest gedrehtes Haar hinab. »Ich würde zuviel verraten, wenn ich das sagte«, antwortete Leni. »Fragen Sie bitte nicht nach Namen, stellen Sie aber Ihren Fehler ab, seien Sie nicht mehr so unnachgiebig, gegen dieses Gericht kann man sich ja nicht wehren, man muss das Geständnis machen. Machen Sie doch bei nächster Gelegenheit das Geständnis. Erst dann ist die Möglichkeit zu entschlüpfen gegeben, erst dann. Jedoch selbst das ist ohne fremde Hilfe nicht möglich, wegen dieser Hilfe aber müssen Sie sich nicht ängstigen, die will ich Ihnen selbst leisten.« »Sie verstehen viel von diesem Gericht und von den Betrügereien, die hier nötig sind«, sagte K. und hob sie, da sie sich allzu stark an ihn drängte, auf seinen Schooß. »So ist es gut«, sagte sie und richtete sich auf seinem Schooß ein, indem sie den Rock glättete und die Bluse zurechtzog. Dann hieng sie sich mit beiden Händen an seinen Hals, lehnte sich zurück und sah ihn lange an. »Und wenn ich das Geständnis nicht mache, dann können Sie mir nicht helfen?« fragte K. versuchsweise. Ich werbe Helferinnen, dachte er fast verwundert, zuerst Fräulein Bürstner, dann die Frau des Gerichtsdieners und endlich diese kleine Pflegerin, die ein unbegreifliches Bedürfnis nach mir zu haben scheint. Wie sie auf meinem Schooß sitzt, als sei es ihr einzig richtiger Platz! »Nein«, antwortete Leni und schüttelte langsam den Kopf, »dann kann ich Ihnen nicht helfen. Aber Sie wollen ja meine Hilfe gar nicht, es liegt Ihnen nichts daran, Sie sind eigensinnig und lassen sich nicht überzeugen.« »Haben Sie eine Geliebte?« fragte sie nach einem Weilchen. »Nein«, sagte K. »Oh doch«, sagte sie. »Ja, wirklich«, sagte K., »denken Sie nur, ich habe sie verleugnet und trage doch sogar ihre Photographie bei mir.« Auf ihre Bitten zeigte er ihr eine Photographie Elsas, zusammengekrümmt auf seinem Schooß studierte sie das Bild. Es war eine Momentphotographie, Elsa war nach einem Wirbeltanz aufgenommen, wie sie ihn in dem Weinlokal gern tanzte, ihr Rock flog noch im Faltenwurf der Drehung um sie her, die Hände hatte sie auf die Hüften gelegt und sah mit straffem Hals lachend zur Seite; wem ihr Lachen galt, konnte man aus dem Bild nicht erkennen. »Sie ist stark geschnürt«, sagte Leni und zeigte auf die Stelle, wo dies ihrer Meinung nach zu sehen war. »Sie gefällt mir nicht, sie ist unbeholfen und roh. Vielleicht ist sie aber Ihnen gegenüber sanft und freundlich, darauf könnte man nach dem Bilde schließen. So große starke Mädchen wissen oft nichts anderes als sanft und freundlich zu sein. Würde sie sich aber für Sie opfern können?« »Nein«, sagte K., »sie ist weder sanft und freundlich noch würde sie sich für mich opfern können. Auch habe ich bisher weder das eine noch das andere von ihr verlangt. Ja ich habe noch nicht einmal das Bild so genau angesehn, wie Sie.« »Es liegt Ihnen also gar nicht viel an ihr«, sagte Leni, »sie ist also gar nicht Ihre Geliebte.«

»Doch«, sagte K. »Ich nehme mein Wort nicht zurück.« »Mag sie also jetzt Ihre Geliebte sein«, sagte Leni, »Sie würden sie aber nicht sehr vermissen, wenn Sie sie verlieren oder für jemand andern z.B. für mich eintauschen würden.« »Gewiss«, sagte K. lächelnd, »das wäre denkbar, aber sie hat einen großen Vorteil Ihnen gegenüber, sie weiß nichts von meinem Process, und selbst wenn sie etwas davon wüsste, würde sie nicht daran denken. Sie würde mich nicht zur Nachgiebigkeit zu überreden suchen.« »Das ist kein Vorteil«, sagte Leni. »Wenn sie keine sonstigen Vorteile hat, verliere ich nicht den Mut. Hat sie irgendeinen körperlichen Fehler?« »Einen körperlichen Fehler?« fragte K. »Ja«, sagte Leni, »ich habe nämlich einen solchen kleinen Fehler, sehen Sie.« Sie spannte den Mittel- und Ringfinger ihrer rechten Hand auseinander, zwischen denen das Verbindungshäutchen fast bis zum obersten Gelenk der kurzen Finger reichte. K. merkte im Dunkel nicht gleich, was sie ihm zeigen wollte, sie führte deshalb seine Hand hin, damit er es abtaste. »Was für ein Naturspiel«, sagte K. und fügte, als er die ganze Hand überblickt hatte, hinzu: »Was für eine hübsche Kralle!« Mit einer Art Stolz sah Leni zu, wie K. staunend immer wieder ihre zwei Finger auseinanderzog und zusammenlegte, bis er sie schließlich flüchtig küsste und losließ. »Oh!« rief sie aber sofort, »Sie haben mich geküsst!« Eilig, mit offenem Mund erkletterte sie mit den Knien seinen Schooß, K. sah fast bestürzt zu ihr auf, jetzt da sie ihm so nahe war gieng ein bitterer aufreizender Geruch wie von Pfeffer von ihr aus, sie nahm seinen Kopf an sich, beugte sich über ihn hinweg und biss und küsste seinen Hals, biss selbst in seine Haare. »Sie haben mich eingetauscht«, rief sie von Zeit zu Zeit, »sehen Sie nun haben Sie mich doch eingetauscht!« Da glitt ihr Knie aus, mit einem kleinen Schrei fiel sie fast auf den Teppich, K. umfasste sie, um sie noch zu halten, und wurde zu ihr hinabgezogen. »Jetzt gehörst Du mir«, sagte sie.

»Hier hast Du den Hausschlüssel, komm wann Du willst«, waren ihre letzten Worte und ein zielloser Kuss traf ihn noch im Weggehn auf den Rücken. Als er aus dem Haustor trat, fiel ein leichter Regen, er wollte in die Mitte der Straße gehn, um

vielleicht Leni noch beim Fenster erblicken zu können, da
stürzte aus einem Automobil, das vor dem Hause wartete und
das K. in seiner Zerstreutheit gar nicht bemerkt hatte, der Onkel, fasste ihn bei den Armen und stieß ihn gegen das Haustor,
als wolle er ihn dort festnageln. »Junge«, rief er, »wie konntest
Du nur das tun! Du hast Deiner Sache, die auf gutem Wege
war, schrecklich geschadet. Verkriechst Dich mit einem kleinen schmutzigen Ding, das überdies offensichtlich die Geliebte des Advokaten ist, und bleibst stundenlang weg, Suchst
nicht einmal einen Vorwand, verheimlichst nichts, nein, bist
ganz offen, läufst zu ihr und bleibst bei ihr. Und unterdessen
sitzen wir beisammen, der Onkel, der sich für Dich abmüht,
der Advokat, der für Dich gewonnen werden soll, der Kanzleidirektor vor allem, dieser große Herr, der Deine Sache in
ihrem jetzigen Stadium geradezu beherrscht. Wir wollen beraten wie Dir zu helfen wäre, ich muss den Advokaten vorsichtig behandeln, dieser wieder den Kanzleidirektor und Du hättest doch allen Grund mich wenigstens zu unterstützen. Statt
dessen bleibst Du fort. Schließlich lässt es sich nicht verheimlichen, nun es sind höfliche gewandte Männer, sie sprechen
nicht davon, sie schonen mich, schließlich können aber auch
sie sich nicht mehr überwinden und da sie von der Sache nicht
reden können, verstummen sie. Wir sind minutenlang schweigend dagesessen und haben gehorcht ob Du nicht doch endlich kämest. Alles vergebens. Endlich steht der Kanzleidirektor, der viel länger geblieben ist, als er ursprünglich wollte, auf,
verabschiedet sich, bedauert mich sichtlich ohne mir helfen zu
können, wartet in unbegreiflicher Liebenswürdigkeit noch
eine Zeitlang in der Tür, dann geht er. Ich war natürlich glücklich, dass er weg war, mir war schon die Luft zum Atmen ausgegangen. Auf den kranken Advokaten hat alles noch stärker
eingewirkt, er konnte, der gute Mann, gar nicht sprechen als
ich mich von ihm verabschiedete. Du hast wahrscheinlich zu
seinem vollständigen Zusammenbrechen beigetragen und be-
schleunigst so den Tod eines Mannes auf den Du angewiesen
bist. Und mich Deinen Onkel lässt Du hier im Regen, fühle
nur, ich bin ganz durchnässt, stundenlang warten.«

Advokat
Fabrikant
Maler

An einem Wintervormittag – draußen fiel Schnee im trüben
Licht – saß K. trotz der frühen Stunde schon äußerst müde in 5
seinem Bureau. Um sich wenigstens vor den untern Beamten
zu schützen, hatte er dem Diener den Auftrag gegeben, niemanden von ihnen einzulassen, da er mit einer größern Arbeit
beschäftigt sei. Aber statt zu arbeiten drehte er sich in seinem
Sessel, verschob langsam einige Gegenstände auf dem Tisch, 10
ließ dann aber, ohne es zu wissen den ganzen Arm ausgestreckt auf der Tischplatte liegen und blieb mit gesenktem
Kopf unbeweglich sitzen.

Der Gedanke an den Process verließ ihn nicht mehr. Öfters
schon hatte er überlegt, ob es nicht gut wäre, eine Verteidi- 15
gungsschrift auszuarbeiten und bei Gericht einzureichen. Er
wollte darin eine kurze Lebensbeschreibung vorlegen und bei
jedem irgendwie wichtigern Ereignis erklären, aus welchen
Gründen er so gehandelt hatte, ob diese Handlungsweise
nach seinem gegenwärtigen Urteil zu verwerfen oder zu billi- 20
gen war und welche Gründe er für dieses oder jenes anführen
konnte. Die Vorteile einer solchen Verteidigungsschrift gegenüber der bloßen Verteidigung durch den übrigens auch
sonst nicht einwandfreien Advokaten waren zweifellos. K.
wusste ja gar nicht was der Advokat unternahm; viel war es 25
jedenfalls nicht, schon einen Monat lang hatte er ihn nicht
mehr zu sich berufen und auch bei keiner der frühern Besprechungen hatte K. den Eindruck gehabt, dass dieser Mann viel
für ihn erreichen könne. Vor allem hatte er ihn fast gar nicht
ausgefragt. Und hier war doch soviel zu fragen. Fragen war 30
die Hauptsache. K. hatte das Gefühl, als ob er selbst alle hier

nötigen Fragen stellen könnte. Der Advokat dagegen statt zu
fragen erzählte selbst oder saß ihm stumm gegenüber, beugte
sich, wahrscheinlich wegen seines schwachen Gehörs ein wenig über den Schreibtisch vor, zog an einem Bartstrahn innerhalb seines Bartes und blickte auf den Teppich nieder, vielleicht gerade auf die Stelle, wo K. mit Leni gelegen war. Hie
und da gab er K. einige leere Ermahnungen, wie man sie Kindern gibt. Ebenso nutzlose wie langweilige Reden, die K. in
der Schlussabrechnung mit keinem Heller zu bezahlen gedachte. Nachdem der Advokat ihn genügend gedemütigt zu
haben glaubte, fieng er gewöhnlich an, ihn wieder ein wenig
aufzumuntern. Er habe schon, erzählte er dann, viele ähnliche
Processe ganz oder teilweise gewonnen, Processe, die wenn
auch in Wirklichkeit vielleicht nicht so schwierig wie dieser,
äußerlich noch hoffnungsloser waren. Ein Verzeichnis dieser
Processe habe er hier in der Schublade – hiebei klopfte er an
irgendeine Lade des Tisches –, die Schriften könne er leider
nicht zeigen, da es sich um Amtsgeheimnisse handle. Trotzdem komme jetzt natürlich die große Erfahrung die er durch
alle diese Processe erworben habe, K. zugute. Er habe natürlich sofort zu arbeiten begonnen und die erste Eingabe sei
schon fast fertiggestellt. Sie sei sehr wichtig, weil der erste
Eindruck den die Verteidigung mache, oft die ganze Richtung
des Verfahrens bestimme. Leider, darauf müsse er K. allerdings aufmerksam machen, geschehe es manchmal, dass die
ersten Eingaben bei Gericht gar nicht gelesen werden. Man
lege sie einfach zu den Akten und weise darauf hin, dass vorläufig die Einvernahme und Beobachtung des Angeklagten
wichtiger sei als alles Geschriebene. Man fügt wenn der Petent
dringlich wird, hinzu, dass man vor der Entscheidung bis alles
Material gesammelt ist, im Zusammenhang natürlich alle Akten, also auch diese erste Eingabe überprüfen wird. Leider sei
aber auch dies meistens nicht richtig, die erste Eingabe werde
gewöhnlich verlegt oder gehe gänzlich verloren und selbst
wenn sie bis zum Ende erhalten bleibt, werde sie, wie der
Advokat allerdings nur gerüchtweise erfahren hat, kaum gelesen. Das alles sei bedauerlich, aber nicht ganz ohne Berech-

---

29 **Petent:** veraltet für »Bittsteller«; vgl. »Petition«: wörtl. ›Bittschrift‹

tigung, K. möge doch nicht außer acht lassen, dass das Verfahren nicht öffentlich sei, es kann, wenn das Gericht es für nötig hält, öffentlich werden, das Gesetz aber schreibt Öffentlichkeit nicht vor. Infolgedessen sind auch die Schriften des Gerichtes, vor allem die Anklageschrift dem Angeklagten und seiner Verteidigung unzugänglich, man weiß daher im allgemeinen nicht oder wenigstens nicht genau, wogegen sich die erste Eingabe zu richten hat, sie kann daher eigentlich nur zufälliger Weise etwas enthalten, was für die Sache von Bedeutung ist. Wirklich zutreffende und beweisführende Eingaben kann man erst später ausarbeiten, wenn im Laufe der Einvernahmen des Angeklagten die einzelnen Anklagepunkte und ihre Begründung deutlicher hervortreten oder erraten werden können. Unter diesen Verhältnissen ist natürlich die Verteidigung in einer sehr ungünstigen und schwierigen Lage. Aber auch das ist beabsichtigt. Die Verteidigung ist nämlich durch das Gesetz nicht eigentlich gestattet, sondern nur geduldet und selbst darüber, ob aus der betreffenden Gesetzesstelle wenigstens Duldung herausgelesen werden soll, besteht Streit. Es gibt daher strenggenommen gar keine vom Gericht anerkannten Advokaten, alle die vor diesem Gericht als Advokaten auftreten, sind im Grunde nur Winkeladvokaten. Das wirkt natürlich auf den ganzen Stand sehr entwürdigend ein und wenn K. nächstens einmal in die Gerichtskanzleien gehen werde, könne er sich ja, um auch das einmal gesehn zu haben, das Advokatenzimmer ansehn. Er werde vor der Gesellschaft, die dort beisammen sei, vermutlich erschrecken. Schon die ihnen zugewiesene enge niedrige Kammer zeige die Verachtung, die das Gericht für diese Leute hat. Licht bekommt die Kammer nur durch eine kleine Luke, die so hoch gelegen ist, dass, wenn jemand hinausschauen will, wo ihm übrigens der Rauch eines knapp davor gelegenen Kamins in die Nase fährt und das Gesicht schwärzt, er erst einen Kollegen suchen muss der ihn auf den Rücken nimmt. Im Fußboden dieser Kammer – um nur noch ein Beispiel für diese Zustände anzuführen – ist nun schon seit mehr als einem Jahr ein Loch, nicht so groß dass ein Mensch durchfallen könnte, aber

22 **Winkeladvokaten:** abschätzig für: unseriöse Anwälte

groß genug, dass man mit einem Bein ganz einsinkt. Das Advokatenzimmer liegt auf dem zweiten Dachboden, sinkt also einer ein, so hängt sein Bein in den ersten Dachboden hinunter undzwar gerade in den Gang, wo die Parteien warten. Es ist nicht zu viel gesagt, wenn man in Advokatenkreisen solche Verhältnisse schändlich nennt. Beschwerden an die Verwaltung haben nicht den geringsten Erfolg, wohl aber ist es den Advokaten auf das strengste verboten irgendetwas in dem Zimmer auf eigene Kosten ändern zu lassen. Aber auch diese Behandlung der Advokaten hat ihre Begründung. Man will die Verteidigung möglichst ausschalten, alles soll auf den Angeklagten selbst gestellt sein. Kein schlechter Standpunkt im Grunde, nichts wäre aber verfehlter als daraus zu folgern, dass bei diesem Gericht die Advokaten für den Angeklagten unnötig sind. Im Gegenteil, bei keinem andern Gericht sind sie so notwendig wie bei diesem. Das Verfahren ist nämlich im allgemeinen nicht nur vor der Öffentlichkeit geheim, sondern auch vor dem Angeklagten. Natürlich nur soweit dies möglich ist, es ist aber in sehr weitem Ausmaß möglich. Auch der Angeklagte hat nämlich keinen Einblick in die Gerichtsschriften und aus den Verhören auf die ihnen zugrunde liegenden Schriften zu schließen ist sehr schwierig, insbesondere aber für den Angeklagten der doch befangen ist und alle möglichen Sorgen hat, die ihn zerstreuen. Hier greift nun die Verteidigung ein. Bei den Verhören dürfen im allgemeinen Verteidiger nicht anwesend sein, sie müssen daher nach den Verhören undzwar möglichst noch an der Tür des Untersuchungszimmers den Angeklagten über das Verhör ausforschen und diesen oft schon sehr verwischten Berichten das für die Verteidigung taugliche entnehmen. Aber das Wichtigste ist dies nicht, denn viel kann man auf diese Weise nicht erfahren, wenn natürlich auch hier wie überall ein tüchtiger Mann mehr erfährt als andere. Das Wichtigste bleiben trotzdem die persönlichen Beziehungen des Advokaten, in ihnen liegt der Hauptwert der Verteidigung. Nun habe ja wohl K. schon aus seinen eigenen Erlebnissen entnommen, dass die allerunterste Organisation des Gerichtes nicht ganz vollkommen ist, pflichtvergessene und bestechliche Angestellte aufweist, wodurch gewissermaßen die strenge Abschließung des Gerichtes Lücken bekommt. Hier nun drängt sich die Mehrzahl der Advokaten ein, hier wird bestochen und ausgehorcht, ja es kamen wenigstens in früherer Zeit sogar Fälle von Aktendiebstählen vor. Es ist nicht zu leugnen, dass auf diese Weise für den Augenblick einige sogar überraschende günstige Resultate für den Angeklagten sich erzielen lassen, damit stolzieren auch diese kleinen Advokaten herum und locken neue Kundschaft an, aber für den weitern Fortgang des Processes bedeutet es entweder nichts oder nichts Gutes. Wirklichen Wert aber haben nur ehrliche persönliche Beziehungen undzwar mit höhern Beamten, womit natürlich nur höhere Beamte der untern Grade gemeint sind. Nur dadurch kann der Fortgang des Processes wenn auch zunächst nur unmerklich später aber immer deutlicher beeinflusst werden. Das können natürlich nur wenige Advokaten und hier sei die Wahl K.'s sehr günstig gewesen. Nur noch vielleicht ein oder zwei Advokaten konnten sich mit ähnlichen Beziehungen ausweisen wie Dr. Huld. Diese kümmern sich allerdings um die Gesellschaft im Advokatenzimmer nicht und haben auch nichts mit ihr zu tun. Umso enger sei aber die Verbindung mit den Gerichtsbeamten. Es sei nicht einmal immer nötig, dass Dr. Huld zu Gericht gehe, in den Vorzimmern der Untersuchungsrichter auf ihr zufälliges Erscheinen warte und je nach ihrer Laune einen meist nur scheinbaren Erfolg erziele oder auch nicht einmal diesen. Nein, K. habe es ja selbst gesehen, die Beamten und darunter recht hohe kommen selbst, geben bereitwillig Auskunft, offene oder wenigstens leicht deutbare, besprechen den nächsten Fortgang der Processe, ja sie lassen sich sogar in einzelnen Fällen überzeugen und nehmen die fremde Ansicht gern an. Allerdings dürfe man ihnen gerade in dieser letztern Hinsicht nicht allzusehr vertrauen; so bestimmt sie ihre neue für die Verteidigung günstige Absicht auch aussprechen, gehen sie doch vielleicht geradewegs in ihre Kanzlei und geben für den nächsten Tag einen Gerichtsbeschluss, der gerade das entgegengesetzte enthält und vielleicht für den Angeklagten noch

viel strenger ist, als ihre erste Absicht, von der sie gänzlich
abgekommen zu sein behaupteten. Dagegen könne man sich
natürlich nicht wehren, denn das was sie zwischen 4 Augen
gesagt haben, ist eben auch nur zwischen 4 Augen gesagt
und lasse keine öffentliche Folgerung zu, selbst wenn die Verteidigung nicht auch sonst bestrebt sein müsste sich die Gunst
der Herren zu erhalten. Andererseits sei es allerdings auch
richtig, dass die Herren nicht etwa nur aus Menschenliebe
oder aus freundschaftlichen Gefühlen sich mit der Verteidigung, natürlich nur mit einer sachverständigen Verteidigung
in Verbindung setzen, sie sind vielmehr in gewisser Hinsicht
auch auf sie angewiesen. Hier mache sich eben der Nachteil
einer Gerichtsorganisation geltend, die selbst in ihren Anfängen das geheime Gericht festsetzt. Den Beamten fehlt der Zusammenhang mit der Bevölkerung, für die gewöhnlichen
mittleren Processe sind sie gut ausgerüstet, ein solcher Process
rollt fast von selbst auf seiner Bahn ab und braucht nur hie
und da einen Anstoß, gegenüber den ganz einfachen Fällen
aber wie auch gegenüber den besonders schwierigen sind sie
oft ratlos, sie haben, weil sie fortwährend Tag und Nacht in
ihr Gesetz eingezwängt sind, nicht den richtigen Sinn für
menschliche Beziehungen und das entbehren sie in solchen
Fällen schwer. Dann kommen sie zum Advokaten um Rat
und hinter ihnen trägt ein Diener die Akten, die sonst so geheim sind. An diesem Fenster hätte man manche Herren, von
denen man es am wenigsten erwarten würde, antreffen können wie sie geradezu trostlos auf die Gasse hinaussahen, während der Advokat an seinem Tisch die Akten studierte, um
ihnen einen guten Rat geben zu können. Übrigens könne man
gerade bei solchen Gelegenheiten sehn, wie ungemein ernst
die Herren ihren Beruf nehmen und wie sie über Hindernisse,
die sie ihrer Natur nach nicht bewältigen können, in große
Verzweiflung geraten. Ihre Stellung sei auch sonst nicht leicht,
man dürfe ihnen nicht Unrecht tun und ihre Stellung für
leicht ansehn. Die Rangordnung und Steigerung des Gerichtes sei unendlich und selbst für den Eingeweihten nicht abseh-
bar. Das Verfahren vor den Gerichtshöfen sei aber im allge-

meinen auch für die untern Beamten geheim, sie können daher die Angelegenheiten, die sie bearbeiten in ihrem fernern Weitergang kaum jemals vollständig verfolgen, die Gerichtssache erscheint also in ihrem Gesichtskreis, ohne dass sie oft wissen, woher sie kommt, und sie geht weiter, ohne dass sie erfahren, wohin. Die Belehrung also, die man aus dem Studium der einzelnen Processstadien, der schließlichen Entscheidung und ihrer Gründe schöpfen kann, entgeht diesen Beamten. Sie dürfen sich nur mit jenem Teil des Processes befassen, der vom Gesetz für sie abgegrenzt ist und wissen von dem Weitern, also von den Ergebnissen ihrer eigenen Arbeit meist weniger als die Verteidigung, die doch in der Regel fast bis zum Schluss des Processes mit dem Angeklagten in Verbindung bleibt. Auch in dieser Richtung also können sie von der Verteidigung manches Wertvolle erfahren. Wundere sich K. noch, wenn er alles dieses im Auge behalte über die Gereiztheit der Beamten, die sich manchmal den Parteien gegenüber in – jeder mache diese Erfahrung – beleidigender Weise äußert. Alle Beamten seien gereizt, selbst wenn sie ruhig scheinen. Natürlich haben die kleinen Advokaten besonders viel darunter zu leiden. Man erzählt z.B. folgende Geschichte die sehr den Anschein der Wahrheit hat. Ein alter Beamter, ein guter stiller Herr, hatte eine schwierige Gerichtssache, welche besonders durch die Eingaben des Advokaten verwickelt worden war, einen Tag und eine Nacht ununterbrochen studiert – diese Beamten sind tatsächlich fleißig wie niemand sonst. Gegen Morgen nun, nach 24stündiger wahrscheinlich nicht sehr ergiebiger Arbeit gieng er zur Eingangstür, stellte sich dort in Hinterhalt und warf jeden Advokaten, der eintreten wollte, die Treppe hinunter. Die Advokaten sammelten sich unten auf dem Treppenabsatz und berieten was sie tun sollten; einerseits haben sie keinen eigentlichen Anspruch darauf eingelassen zu werden, können daher rechtlich gegen den Beamten kaum etwas unternehmen und müssen sich, wie schon erwähnt auch hüten, die Beamtenschaft gegen sich aufzubringen. Andererseits aber ist jeder nicht bei Gericht verbrachte Tag für sie verloren und es lag ihnen also

viel daran einzudringen. Schließlich einigten sie sich darauf
dass sie den alten Herrn ermüden wollten. Immer wieder wurde ein Advokat ausgeschickt, der die Treppe hinauf lief und
sich dann unter möglichstem allerdings passivem Widerstand
hinunterwerfen ließ, wo er dann von den Kollegen aufgefan-
gen wurde. Das dauerte etwa eine Stunde, dann wurde der alte
Herr, er war ja auch von der Nachtarbeit schon erschöpft,
wirklich müde und gieng in seine Kanzlei zurück. Die unten
wollten es zuerst gar nicht glauben und schickten zuerst einen
aus, der hinter der Tür nachsehn sollte, ob dort wirklich leer
war. Dann erst zogen sie ein und wagten wahrscheinlich nicht
einmal zu murren. Denn den Advokaten – und selbst der
kleinste kann doch die Verhältnisse wenigstens zum Teil übersehn – liegt es vollständig ferne bei Gericht irgendwelche Verbesserungen einführen oder durchsetzen zu wollen, während
– und dies ist sehr bezeichnend – fast jeder Angeklagte, selbst
ganz einfältige Leute, gleich beim allerersten Eintritt in den
Process an Verbesserungsvorschläge zu denken anfangen und
damit oft Zeit und Kraft verschwenden, die anders viel besser
verwendet werden könnten. Das einzig Richtige sei es, sich
mit den vorhandenen Verhältnissen abzufinden. Selbst wenn
es möglich wäre, Einzelheiten zu verbessern – es ist aber ein
unsinniger Aberglaube – hätte man bestenfalls für künftige
Fälle etwas erreicht, sich selbst aber unermesslich dadurch geschadet, dass man die besondere Aufmerksamkeit der immer
rachsüchtigen Beamtenschaft erregt hat. Nur keine Aufmerksamkeit erregen! Sich ruhig verhalten, selbst wenn es einem
noch so sehr gegen den Sinn geht! Einzusehen versuchen,
dass dieser große Gerichtsorganismus gewissermaßen ewig in
Schwebe bleibt und dass man zwar, wenn man auf seinem
Platz selbständig etwas ändert, den Boden unter den Füßen
sich wegnimmt und selbst abstürzen kann, während der große
Organismus sich selbst für die kleine Störung leicht an einer
andern Stelle – alles ist doch in Verbindung – Ersatz schafft
und unverändert bleibt, wenn er nicht etwa, was sogar wahrscheinlich ist, noch geschlossener, noch aufmerksamer, noch
strenger, noch böser wird. Man überlasse doch die Arbeit dem

Advokaten, statt sie zu stören. Vorwürfe nützen ja nicht viel, besonders wenn man ihre Ursache in ihrer ganzen Bedeutung nicht begreiflich machen kann, aber gesagt müsse es doch werden wieviel K. seiner Sache durch das Verhalten gegenüber dem Kanzleidirektor geschadet habe. Dieser einflussreiche Mann sei aus der Liste jener, bei denen man für K. etwas unternehmen könne, schon fast zu streichen. Selbst flüchtige Erwähnungen des Processes überhöre er mit deutlicher Absicht. In manchem seien ja die Beamten wie Kinder. Oft können sie durch Harmlosigkeiten, unter die allerdings K.'s Verhalten leider nicht gehörte, derartig verletzt werden, dass sie selbst mit guten Freunden zu reden aufhören, sich von ihnen abwenden, wenn sie ihnen begegnen und ihnen in allem möglichen entgegenarbeiten. Dann aber einmal, überraschender Weise ohne besondern Grund lassen sie sich durch einen kleinen Scherz, den man nur deshalb wagt, weil alles aussichtslos scheint, zum Lachen bringen und sind versöhnt. Es sei eben gleichzeitig schwer und leicht sich mit ihnen zu verhalten, Grundsätze dafür gibt es kaum. Manchmal sei es zum Verwundern, dass ein einziges Durchschnittsleben dafür hinreiche, um soviel zu erfassen, dass man hier mit einigem Erfolg arbeiten könne. Es kommen allerdings trübe Stunden, wie sie ja jeder hat, wo man glaubt, nicht das geringste erzielt zu haben, wo es einem scheint, als hätten nur die von Anfang an für einen guten Ausgang bestimmten Processe ein gutes Ende genommen, wie es auch ohne Mithilfe geschehen wäre, während alle andern verloren gegangen sind, trotz alles Nebenherlaufens, aller Mühe, aller kleinen scheinbaren Erfolge, über die man solche Freude hatte. Dann scheint einem allerdings nichts mehr sicher und man würde auf bestimmte Fragen hin nicht einmal zu leugnen wagen, dass man ihrem Wesen nach gut verlaufende Processe gerade durch die Mithilfe auf Abwege gebracht hat. Auch das ist ja eine Art Selbstvertrauen, aber es ist das einzige das dann übrig bleibt. Solchen Anfällen – es sind natürlich nur Anfälle nichts weiter – sind Advokaten besonders dann ausgesetzt, wenn ihnen ein Process, den sie weit genug und zufriedenstellend geführt haben, plötzlich aus der

Hand genommen wird. Das ist wohl das Ärgste, das einem
Advokaten geschehen kann. Nicht etwa durch den Angeklagten wird ihnen der Process entzogen, das geschieht wohl niemals, ein Angeklagter, der einmal einen bestimmten Advokaten genommen hat, muss bei ihm bleiben geschehe was immer.
Wie könnte er sich überhaupt, wenn er einmal Hilfe in Anspruch genommen hat, allein noch erhalten. Das geschieht
also nicht, wohl aber geschieht es manchmal, dass der Process
eine Richtung nimmt, wo der Advokat nicht mehr mitkommen darf. Der Process und der Angeklagte und alles wird dem
Advokaten einfach entzogen; dann können auch die besten
Beziehungen zu den Beamten nicht mehr helfen, denn sie
selbst wissen nichts. Der Process ist eben in ein Stadium getreten, wo keine Hilfe mehr geleistet werden darf, wo ihn unzu-
gängliche Gerichtshöfe bearbeiten, wo auch der Angeklagte
für den Advokaten nicht mehr erreichbar ist. Man kommt
dann eines Tages nachhause und findet auf seinem Tisch alle
die vielen Eingaben, die man mit allem Fleiß und mit den
schönsten Hoffnungen in dieser Sache gemacht hat, sie sind
zurückgestellt worden, da sie in das neue Processstadium
nicht übertragen werden dürfen, es sind wertlose Fetzen. Dabei muss der Process noch nicht verloren sein, durchaus nicht,
wenigstens liegt kein entscheidender Grund für diese Annahme vor, man weiß bloß nichts mehr von dem Process und wird
auch nichts mehr von ihm erfahren. Nun sind ja solche Fälle
glücklicher Weise Ausnahmen und selbst wenn K.'s Process
ein solcher Fall sein sollte, sei er doch vorläufig noch weit von
einem solchen Stadium entfernt. Hier sei also noch reichliche
Gelegenheit für Advokatenarbeit gegeben und dass sie ausgenützt werde, dessen dürfe K. sicher sein. Die Eingabe sei wie
erwähnt noch nicht überreicht, das eile aber auch nicht, viel
wichtiger seien die einleitenden Besprechungen mit maßge-
benden Beamten und die hätten schon stattgefunden. Mit ver-
schiedenem Erfolg, wie offen zugestanden werden soll. Es sei
viel besser vorläufig Einzelheiten nicht zu verraten, durch die
K. nur ungünstig beeinflusst und allzu hoffnungsfreudig oder
allzu ängstlich gemacht werden könnte, nur soviel sei gesagt,

dass sich einzelne sehr günstig ausgesprochen und sich auch sehr bereitwillig gezeigt haben, während andere sich weniger günstig geäußert aber doch ihre Mithilfe keineswegs verweigert haben. Das Ergebnis sei also im Ganzen sehr erfreulich, nur dürfe man daraus keine besondern Schlüsse ziehn, da alle Vorverhandlungen ähnlich beginnen und durchaus erst die weitere Entwicklung den Wert dieser Vorverhandlungen zeigt. Jedenfalls sei noch nichts verloren und wenn es noch gelingen sollte, den Kanzleidirektor trotz allem zu gewinnen – es sei schon verschiedenes zu diesem Zwecke eingeleitet – dann sei das Ganze, wie die Chirurgen sagen, eine reine Wunde und man könne getrost das Folgende erwarten.

In solchen und ähnlichen Reden war der Advokat unerschöpflich. Sie wiederholten sich bei jedem Besuch. Immer gab es Fortschritte, niemals aber konnte die Art dieser Fortschritte mitgeteilt werden. Immerfort wurde an der ersten Eingabe gearbeitet, aber sie wurde nicht fertig, was sich meistens beim nächsten Besuch als großer Vorteil herausstellte, da die letzte Zeit, was man nicht hatte voraussehen können, für ihre Übergabe sehr ungünstig gewesen wäre. Bemerkte K. manchmal, ganz ermattet von den Reden, dass es doch selbst unter Berücksichtigung aller Schwierigkeiten, sehr langsam vorwärtsgehe, wurde ihm entgegnet, es gehe gar nicht langsam vorwärts, wohl aber wäre man schon viel weiter, wenn K. sich rechtzeitig an den Advokaten gewendet hätte. Das hatte er aber leider versäumt und dieses Versäumnis werde auch noch weitere Nachteile bringen, nicht nur zeitliche.

Die einzige wohltätige Unterbrechung dieser Besuche war Leni, die es immer so einzurichten wusste, dass sie dem Advokaten in Anwesenheit K.'s den Tee brachte. Dann stand sie hinter K., sah scheinbar zu, wie der Advokat mit einer Art Gier tief zur Tasse herabgebeugt den Tee eingoss und trank, und ließ im Geheimen ihre Hand von K. erfassen. Es herrschte völliges Schweigen. Der Advokat trank, K. drückte Lenis Hand und Leni wagte es manchmal K.'s Haare sanft zu streicheln. »Du bist noch hier?« fragte der Advokat,

nachdem er fertig war. »Ich wollte das Geschirr wegneh-
men«, sagte Leni, es gab noch einen letzten Händedruck, der
Advokat wischte sich den Mund und begann mit neuer
Kraft auf K. einzureden.

5 Ⅼ War es Trost oder Verzweiflung, was der Advokat erreichen wollte? K. wusste es nicht, wohl aber hielt er es bald für
feststehend, dass seine Verteidigung nicht in guten Händen
war. Es mochte ja alles richtig sein, was der Advokat erzählte,
wenn es auch durchsichtig war, dass er sich möglichst in den
10 Vordergrund stellen wollte und wahrscheinlich noch niemals
einen so großen Process geführt hatte, wie es K.'s Process seiner Meinung nach war. Verdächtig aber blieben die unaufhörlich hervorgehobenen persönlichen Beziehungen zu den
Beamten. Mussten sie denn ausschließlich zu K.'s Nutzen aus-
15 gebeutet werden? Der Advokat vergaß nie zu bemerken, dass
es sich nur um niedrige Beamte handelte, also um Beamte in
sehr abhängiger Stellung, für deren Fortkommen gewisse
Wendungen der Processe wahrscheinlich von Bedeutung sein
konnten. Benützten sie vielleicht den Advokaten dazu, um
20 solche für den Angeklagten natürlich immer ungünstige Wendungen zu erzielen? Vielleicht taten sie das nicht in jedem
Process, gewiss, das war nicht wahrscheinlich, es gab dann
wohl wieder Processe, in deren Verlauf sie dem Advokaten
für seine Dienste Vorteile einräumten, denn es musste ihnen ja
25 auch daran gelegen sein, seinen Ruf ungeschädigt zu erhalten.
Verhielt es sich aber wirklich so, in welcher Weise würden sie
bei K.'s Process eingreifen, der wie der Advokat erklärte ein
sehr schwieriger also wichtiger Process war und gleich anfangs
bei Gericht große Aufmerksamkeit erregt hatte? Es konnte
30 nicht sehr zweifelhaft sein, was sie tun würden. Anzeichen
dessen konnte man ja schon darin sehn, dass die erste Eingabe
noch immer nicht überreicht war, trotzdem der Process schon
Monate dauerte und dass sich alles den Angaben des Advokaten nach in den Anfängen befand, was natürlich sehr geeignet
35 war, den Angeklagten einzuschläfern und hilflos zu erhalten,
um ihn dann plötzlich mit der Entscheidung zu überfallen
oder wenigstens mit der Bekanntmachung dass die zu seinen

Ungunsten abgeschlossene Untersuchung an die höhern Behörden weitergegeben werde.

Es war unbedingt nötig, dass K. selbst eingriff. Gerade in Zuständen großer Müdigkeit, wie an diesem Wintervormittag, wo ihm alles willenlos durch den Kopf zog, war diese Überzeugung unabweisbar. Die Verachtung die er früher für den Process gehabt hatte galt nicht mehr. Wäre er allein in der Welt gewesen, hätte er den Process leicht missachten können, wenn es allerdings auch sicher war, dass dann der Process überhaupt nicht entstanden wäre. Jetzt aber hatte ihn der Onkel schon zum Advokaten gezogen, Familienrücksichten sprachen mit; seine Stellung war nicht mehr vollständig unabhängig von dem Verlauf des Processes, er selbst hatte unvorsichtiger Weise mit einer gewissen unerklärlichen Genugtuung vor Bekannten den Process erwähnt, andere hatten auf unbekannte Weise davon erfahren, das Verhältnis zu Fräulein Bürstner schien entsprechend dem Process zu schwanken – kurz, er hatte kaum mehr die Wahl den Process anzunehmen oder abzulehnen, er stand mitten darin und musste sich wehren. War er müde dann war es schlimm.

Zu übertriebener Sorge war allerdings vorläufig kein Grund. Er hatte es verstanden, sich in der Bank in verhältnismäßig kurzer Zeit zu seiner hohen Stellung emporzuarbeiten und sich von allen anerkannt in dieser Stellung zu erhalten, er musste jetzt nur diese Fähigkeiten, die ihm das ermöglicht hatten, ein wenig dem Process zuwenden und es war kein Zweifel, dass es gut ausgehn musste. Vor allem war es, wenn etwas erreicht werden sollte, notwendig jeden Gedanken an eine mögliche Schuld von vornherein abzulehnen. Es gab keine Schuld. Der Process war nichts anderes, als ein großes Geschäft, wie er es schon oft mit Vorteil für die Bank abgeschlossen hatte, ein Geschäft, innerhalb dessen, wie dies die Regel war, verschiedene Gefahren lauerten, die eben abgewehrt werden mussten. Zu diesem Zwecke durfte man allerdings nicht mit Gedanken an irgendeine Schuld spielen, sondern den Gedanken an den eigenen Vorteil möglichst festhalten. Von diesem Gesichtspunkt aus war es auch unvermeidlich,

dem Advokaten die Vertretung sehr bald, am besten noch an
diesem Abend zu entziehn. Es war zwar nach seinen Erzählungen etwas unerhörtes und wahrscheinlich sehr beleidigen-
des, aber K. konnte nicht dulden, dass seinen Anstrengungen
in dem Process Hindernisse begegneten, die vielleicht von seinem eigenen Advokaten veranlasst waren. War aber einmal der
Advokat abgeschüttelt, dann musste die Eingabe sofort überreicht und womöglich jeden Tag darauf gedrängt werden, dass
man sie berücksichtige. Zu diesem Zwecke würde es natürlich
nicht genügen, dass K. wie die andern im Gang saß und den
Hut unter die Bank stellte. Er selbst oder die Frauen oder
andere Boten mussten Tag für Tag die Beamten überlaufen und
sie zwingen, statt durch das Gitter auf den Gang zu schauen,
sich zu ihrem Tisch zu setzen und K.'s Eingabe zu studieren.
Von diesen Anstrengungen dürfte man nicht ablassen, alles
müsste organisiert und überwacht werden, das Gericht sollte
einmal auf einen Angeklagten stoßen, der sein Recht zu wahren verstand.

Wenn sich aber auch K. dies alles durchzuführen getraute,
die Schwierigkeit der Abfassung der Eingabe war überwälti-
gend. Früher, etwa noch vor einer Woche hatte er nur mit
einem Gefühl der Scham daran denken können, dass er einmal
genötigt sein könnte, eine solche Eingabe selbst zu machen,
dass dies auch schwierig sein konnte, daran hatte er gar nicht
gedacht. Er erinnerte sich, wie er einmal an einem Vormittag,
als er gerade mit Arbeit überhäuft war, plötzlich alles zur Seite
geschoben und den Schreibblock vorgenommen hatte, um
versuchsweise den Gedankengang einer derartigen Eingabe
zu entwerfen und ihn vielleicht dem schwerfälligen Advokaten zur Verfügung zu stellen, und wie gerade in diesem Augenblick, die Tür des Direktionszimmers sich öffnete und der
Direktor-Stellvertreter mit großem Gelächter eintrat. Es war
für K. damals sehr peinlich gewesen, trotzdem der Direktor-
Stellvertreter natürlich nicht über die Eingabe gelacht hatte,
von der er nichts wusste, sondern über einen Börsenwitz, den
er eben gehört hatte, einen Witz, der zum Verständnis eine
Zeichnung erforderte, die nun der Direktor-Stellvertreter,

über K.'s Tisch gebeugt mit K.'s Bleistift, den er ihm aus der Hand nahm, auf dem Schreibblock ausführte, der für die Eingabe bestimmt gewesen war.

Heute wusste K. nichts mehr von Scham, die Eingabe musste gemacht werden. Wenn er im Bureau keine Zeit für sie fand, was sehr wahrscheinlich war, dann musste er sie zuhause in den Nächten machen. Würden auch die Nächte nicht genügen, dann musste er einen Urlaub nehmen. Nur nicht auf halbem Wege stehn bleiben, das war nicht nur in Geschäften sondern immer und überall das Unsinnigste. Die Eingabe bedeutete freilich eine fast endlose Arbeit. Man musste keinen sehr ängstlichen Charakter haben und konnte doch leicht zu dem Glauben kommen, dass es unmöglich war die Eingabe jemals fertigzustellen. Nicht aus Faulheit oder Hinterlist, die den Advokaten allein an der Fertigstellung hindern konnten, sondern weil in Unkenntnis der vorhandenen Anklage und gar ihrer möglichen Erweiterungen das ganze Leben in den kleinsten Handlungen und Ereignissen in die Erinnerung zurückgebracht, dargestellt und von allen Seiten überprüft werden musste. Und wie traurig war eine solche Arbeit überdies. Sie war vielleicht geeignet einmal nach der Pensionierung den kindisch gewordenen Geist zu beschäftigen und ihm zu helfen, die langen Tage hinzubringen. Aber jetzt, wo K. alle Gedanken zu seiner Arbeit brauchte, wo jede Stunde, da er noch im Aufstieg war und schon für den Direktor-Stellvertreter eine Drohung bedeutete, mit größter Schnelligkeit vergieng und wo er die kurzen Abende und Nächte als junger Mensch genießen wollte, jetzt sollte er mit der Verfassung dieser Eingabe beginnen. Wieder gieng sein Denken in Klagen aus. Fast unwillkürlich, nur um dem ein Ende zu machen, tastete er mit dem Finger nach dem Knopf der elektrischen Glocke, die ins Vorzimmer führte. Während er ihn niederdrückte blickte er zur Uhr auf. Es war 11 Uhr, zwei Stunden, eine lange kostbare Zeit hatte er verträumt und war natürlich noch matter als vorher. Immerhin war die Zeit nicht verloren, er hatte Entschlüsse gefasst, die wertvoll sein konnten. Der Diener brachte außer verschiedener Post 2 Visitkarten von Herren, die schon

längere Zeit auf K. warteten. Es waren gerade sehr wichtige Kundschaften der Bank, die man eigentlich auf keinen Fall hätte warten lassen sollen. Warum kamen sie zu so ungelege-ner Zeit und warum, so schienen wieder die Herren hinter der
5 geschlossenen Tür zu fragen, verwendete der fleißige K. für Privatangelegenheiten die beste Geschäftszeit. Müde von dem Vorhergegangenen und müde das Folgende erwartend stand K. auf, um den Ersten zu empfangen.

Es war ein kleiner munterer Herr, ein Fabrikant, den K. gut
10 kannte. Er bedauerte, K. in wichtiger Arbeit gestört zu haben und K. bedauerte seinerseits, dass er den Fabrikanten so lange hatte warten lassen. Schon dieses Bedauern aber sprach er in derartig mechanischer Weise und mit fast falscher Betonung aus, dass der Fabrikant, wenn er nicht ganz von der Geschäfts-
15 sache eingenommen gewesen wäre, es hätte bemerken müs-sen. Statt dessen zog er eilig Rechnungen und Tabellen aus allen Taschen, breitete sie vor K. aus, erklärte verschiedene Posten, verbesserte einen kleinen Rechenfehler, der ihm sogar bei diesem flüchtigen Überblick aufgefallen war, erinnerte K.
20 an ein ähnliches Geschäft, das er mit ihm vor etwa 1 Jahr abgeschlossen hatte, erwähnte nebenbei, dass sich diesmal eine andere Bank unter größten Opfern um das Geschäft bewerbe und verstummte schließlich, um nun K.'s Meinung zu erfah-ren. K. hatte auch tatsächlich im Anfang die Rede des Fabri-
25 kanten gut verfolgt, der Gedanke an das wichtige Geschäft hatte dann auch ihn ergriffen, nur leider nicht für die Dauer, er war bald vom Zuhören abgekommen, hatte dann noch ein Weilchen zu den lauteren Ausrufen des Fabrikanten mit dem Kopf genickt, hatte aber schließlich auch das unterlassen und
30 sich darauf eingeschränkt, den kahlen auf die Papiere hinab-gebeugten Kopf anzusehn und sich zu fragen, wann der Fa-brikant endlich erkennen werde, dass seine ganze Rede nütz-los sei. Als er nun verstummte, glaubte K. zuerst wirklich, es geschehe dies deshalb, um ihm Gelegenheit zu dem Einge-
35 ständnis zu geben, dass er nicht fähig sei zuzuhören. Nur mit Bedauern bemerkte er aber an dem gespannten Blick des of-fenbar auf alle Entgegnungen gefassten Fabrikanten dass die

geschäftliche Besprechung fortgesetzt werden müsse. Er
neigte also den Kopf wie vor einem Befehl und begann mit
dem Bleistift langsam über den Papieren hin- und herzufah-
ren, hie und da hielt er inne und starrte eine Ziffer an. Der
Fabrikant vermutete Einwände, vielleicht waren die Ziffern 5
wirklich nicht feststehend, vielleicht waren sie nicht das Entscheidende, jedenfalls bedeckte der Fabrikant die Papiere mit
der Hand und begann von neuem, ganz nahe an K. heranrü-
ckend, eine allgemeine Darstellung des Geschäftes. »Es ist
schwierig«, sagte K., rümpfte die Lippen und sank, da die 10
Papiere, das einzig Fassbare, verdeckt waren, haltlos gegen die
Seitenlehne. Er blickte sogar nur schwach auf, als sich die Tür
des Direktionszimmers öffnete und dort nicht ganz deutlich,
etwa wie hinter einem Gazeschleier der Direktor-Stellvertreter erschien. K. dachte nicht weiter darüber nach, sondern 15
verfolgte nur die unmittelbare Wirkung, die für ihn sehr erfreulich war. Denn sofort hüpfte der Fabrikant vom Sessel auf
und eilte dem Direktor-Stellvertreter entgegen, K. aber hätte
ihn noch zehnmal flinker machen sollen, denn er fürchtete,
der Direktor-Stellvertreter könnte wieder verschwinden. Es 20
war unnütze Furcht, die Herren trafen sich, reichten einander
die Hände und giengen gemeinsam auf K.'s Schreibtisch zu.
Der Fabrikant beklagte sich dass er beim Prokuristen so wenig
Neigung für das Geschäft gefunden habe und zeigte auf K.,
der sich unter dem Blick des Direktor-Stellvertreters wieder 25
über die Papiere beugte. Als dann die zwei sich an den
Schreibtisch lehnten und der Fabrikant sich daran machte,
nun den Direktor-Stellvertreter für sich zu erobern, war es K.
als werde über seinem Kopf von zwei Männern, deren Größe
er sich übertrieben vorstellte, über ihn selbst verhandelt. 30
Langsam suchte er mit vorsichtig aufwärts gedrehten Augen
zu erfahren, was sich oben ereignete, nahm vom Schreibtisch
ohne hinzusehn eines der Papiere, legte es auf die flache Hand
und hob es allmählich, während er selbst aufstand zu den
Herren hinauf. Er dachte hiebei an nichts bestimmtes, son- 35
dern handelte nur in dem Gefühl, dass er sich so verhalten
musste, wenn er einmal die große Eingabe fertiggestellt hätte,

---

14 **einem Gazeschleier:** einem Schleier aus Gaze, einem locker ge-
webten, halb durchsichtigen Stoff

die ihn gänzlich entlasten sollte. Der Direktor-Stellvertreter, der sich an dem Gespräch mit aller Aufmerksamkeit beteiligte, sah nur flüchtig auf das Papier, überlas gar nicht, was dort stand, denn was dem Prokuristen wichtig war, war ihm unwichtig, nahm es aus K.'s Hand, sagte: »Danke, ich weiß schon alles« und legte es ruhig wieder auf den Tisch zurück. K. sah ihn verbittert von der Seite an. Der Direktor-Stellvertreter aber merkte es gar nicht oder wurde, wenn er es merkte dadurch nur aufgemuntert, lachte öfters laut auf, brachte einmal durch eine schlagfertige Entgegnung den Fabrikanten in deutliche Verlegenheit, aus der er ihn aber sofort riss, indem er sich selbst einen Einwand machte und lud ihn schließlich ein, in sein Bureau hinüber zu kommen, wo sie die Angelegenheit zu Ende führen könnten. »Es ist eine sehr wichtige Sache«, sagte er zum Fabrikanten, »ich sehe das vollständig ein. Und dem Herrn Prokuristen« – selbst bei dieser Bemerkung redete er eigentlich nur zum Fabrikanten – »wird es gewiss lieb sein, wenn wir es ihm abnehmen. Die Sache verlangt ruhige Überlegung. Er aber scheint heute sehr überlastet zu sein, auch warten ja einige Leute im Vorzimmer schon stundenlang auf ihn.« K. hatte gerade noch genügend Fassung sich vom Direktor-Stellvertreter wegzudrehn und sein freundliches aber starres Lächeln nur dem Fabrikanten zuzuwenden, sonst griff er gar nicht ein, stützte sich ein wenig vorgebeugt mit beiden Händen auf den Schreibtisch wie ein Kommis hinter dem Pult und sah zu, wie die zwei Herren unter weiteren Reden die Papiere vom Tisch nahmen und im Direktionszimmer verschwanden. In der Tür drehte sich noch der Fabrikant um, sagte, er verabschiede sich noch nicht, sondern werde natürlich dem Herrn Prokuristen über den Erfolg der Besprechung berichten, auch habe er ihm noch eine andere kleine Mitteilung zu machen.

Endlich war K. allein. Er dachte gar nicht daran irgendeine andere Partei vorzulassen und nur undeutlich kam ihm zu Bewusstsein, wie angenehm es sei, dass die Leute draußen in dem Glauben waren, er verhandle noch mit dem Fabrikanten und es könne aus diesem Grunde niemand, nicht einmal der

---

25 **Kommis:** (frz.) Handlungsgehilfe

Diener, bei ihm eintreten. Er gieng zum Fenster, setzte sich auf die Brüstung, hielt sich mit einer Hand an der Klinke fest und sah auf den Platz hinaus. Der Schnee fiel noch immer, es hatte sich noch gar nicht aufgehellt.

Lange saß er so, ohne zu wissen, was ihm eigentlich Sorgen machte, nur von Zeit zu Zeit blickte er ein wenig erschreckt über die Schulter hinweg zur Vorzimmertür, wo er irrtümlicher Weise ein Geräusch zu hören geglaubt hatte. Da aber niemand kam, wurde er ruhiger, gieng zum Waschtisch, wusch sich mit kaltem Wasser und kehrte mit freierem Kopf zu seinem Fensterplatz zurück. Der Entschluss, seine Verteidigung selbst in die Hand zu nehmen, stellte sich ihm nun als schwerwiegender dar, als er ursprünglich angenommen hatte. Solange er die Verteidigung auf den Advokaten überwälzt hatte, war er doch noch vom Process im Grunde wenig betroffen gewesen, er hatte ihn von der Ferne beobachtet und hatte unmittelbar von ihm kaum erreicht werden können, er hatte nachsehn können wann er wollte, wie seine Sache stand, aber er hatte auch den Kopf wieder zurückziehn können, wann er wollte. Jetzt hingegen wenn er seine Verteidigung selbst führen würde, musste er sich wenigstens für den Augenblick ganz und gar dem Gericht aussetzen, der Erfolg dessen sollte ja für später seine vollständige und endgiltige Befreiung sein, aber um diese zu erreichen, musste er sich vorläufig jedenfalls in viel größere Gefahr begeben als bisher. Hätte er daran zweifeln wollen, so hätte ihn das heutige Beisammensein mit dem Direktor-Stellvertreter und dem Fabrikanten hinreichend vom Gegenteil überzeugen können. Wie war er doch dagesessen, schon vom bloßen Entschluss sich selbst zu verteidigen gänzlich benommen? Wie sollte es aber später werden? Was für Tage standen ihm bevor! Würde er den Weg finden, der durch alles hindurch zum guten Ende führte? Bedeutete nicht eine sorgfältige Verteidigung – und alles andere war sinnlos – bedeutete nicht eine sorgfältige Verteidigung gleichzeitig die Notwendigkeit sich von allem andern möglichst abzuschließen? Würde er das glücklich überstehn? Und wie sollte ihm die Durchführung dessen in der Bank gelingen? Es handelte

---

23 **endgiltige:** endgültige

sich ja nicht nur um die Eingabe, für die ein Urlaub vielleicht genügt hätte, trotzdem die Bitte um einen Urlaub gerade jetzt ein großes Wagnis gewesen wäre, es handelte sich doch um einen ganzen Process, dessen Dauer unabsehbar war. Was für ein Hindernis war plötzlich in K.'s Laufbahn geworfen worden!

Und jetzt sollte er für die Bank arbeiten? – Er sah auf den Schreibtisch hin. – Jetzt sollte er Parteien vorlassen und mit ihnen verhandeln? Während sein Process weiterrollte, während oben auf dem Dachboden die Gerichtsbeamten über den Schriften dieses Processes saßen, sollte er die Geschäfte der Bank besorgen? Sah es nicht aus, wie eine Folter, die vom Gericht anerkannt, mit dem Process zusammenhieng und ihn begleitete? Und würde man etwa in der Bank bei der Beurteilung seiner Arbeit seine besondere Lage berücksichtigen? Niemand und niemals. Ganz unbekannt war ja sein Process nicht, wenn es auch noch nicht ganz klar war, wer davon wusste und wieviel. Bis zum Direktor-Stellvertreter aber war das Gerücht hoffentlich noch nicht gedrungen, sonst hätte man schon deutlich sehen müssen, wie er es ohne jede Kollegialität und Menschlichkeit gegen K. ausnützen würde. Und der Direktor? Gewiss er war K. gut gesinnt und er hätte wahrscheinlich, sobald er vom Process erfahren hätte, soweit es an ihm lag, manche Erleichterungen für K. schaffen wollen, aber er wäre damit gewiss nicht durchgedrungen, denn er unterlag jetzt, da das Gegengewicht das K. bisher gebildet hatte, schwächer zu werden anfieng, immer mehr dem Einfluss des Direktor-Stellvertreters, der außerdem auch den leidenden Zustand des Direktors zur Stärkung der eigenen Macht ausnützte. Was hatte also K. zu erhoffen? Vielleicht schwächte er durch solche Überlegungen seine Widerstandskraft, aber es war doch auch notwendig, sich selbst nicht zu täuschen und alles so klar zu sehn, als es augenblicklich möglich war.

Ohne besondern Grund, nur um vorläufig noch nicht zum Schreibtisch zurückkehren zu müssen, öffnete er das Fenster. Es ließ sich nur schwer öffnen, er musste mit beiden Händen die Klinke drehn. Dann zog durch das Fenster in dessen ganzer Breite und Höhe der mit Rauch vermischte Nebel in das Zimmer und füllte es mit einem leichten Brandgeruch. Auch einige Schneeflocken wurden hereingeweht. »Ein hässlicher Herbst«, sagte hinter K. der Fabrikant, der vom Direktor-Stellvertreter kommend unbemerkt ins Zimmer getreten war. K. nickte und sah unruhig auf die Aktentasche des Fabrikanten, aus der dieser nun wohl die Papiere herausziehn würde um K. das Ergebnis der Verhandlungen mit dem Direktor-Stellvertreter mitzuteilen. Der Fabrikant aber folgte K.'s Blick, klopfte auf seine Tasche und sagte ohne sie zu öffnen: »Sie wollen hören, wie es ausgefallen ist. Mittelgut. Ich trage schon fast den Geschäftsabschluss in der Tasche. Ein reizender Mensch, Ihr Direktor-Stellvertreter, aber durchaus nicht ungefährlich.« Er lachte, schüttelte K.'s Hand und wollte auch ihn zum Lachen bringen. Aber K. schien es nun wieder verdächtig, dass ihm der Fabrikant die Papiere nicht zeigen wollte und er fand an der Bemerkung des Fabrikanten nichts zum Lachen. »Herr Prokurist«, sagte der Fabrikant, »Sie leiden wohl unter dem Wetter. Sie sehn heute so bedrückt aus.« »Ja«, sagte K. und griff mit der Hand an die Schläfe, »Kopfschmerzen, Familiensorgen.« »Sehr richtig«, sagte der Fabrikant, der ein eiliger Mensch war und niemanden ruhig anhören konnte, »jeder hat sein Kreuz zu tragen.« Unwillkürlich hatte K. einen Schritt gegen die Tür gemacht, als wolle er den Fabrikanten hinausbegleiten, dieser aber sagte: »Ich hätte Herr Prokurist noch eine kleine Mitteilung für Sie. Ich fürchte sehr, dass ich Sie gerade heute damit vielleicht belästige, aber ich war schon zweimal in der letzten Zeit bei Ihnen und habe jedesmal daran vergessen. Schiebe ich es aber noch weiterhin auf, verliert es wahrscheinlich vollständig seinen Zweck. Das wäre aber schade, denn im Grunde ist meine Mitteilung vielleicht doch nicht wertlos.« Ehe K. Zeit hatte zu antworten, trat der Fabrikant nahe an ihn heran, klopfte mit dem Fingerknöchel leicht an seine Brust und sagte leise: »Sie haben einen Process nicht wahr?« K. trat zurück und rief sofort: »Das hat Ihnen der Direktor-Stellvertreter gesagt.« »Ach nein«, sagte der Fabrikant, »woher sollte denn der Stellvertreter es wissen?«

---

11 **ausgefallen:** ausgegangen

»Und Sie?« fragte K. schon viel gefasster. »Ich erfahre hie und da etwas von dem Gericht«, sagte der Fabrikant. »Das betrifft eben die Mitteilung, die ich Ihnen machen wollte.« »So viele Leute sind mit dem Gericht in Verbindung!« sagte K. mit ge-

5 senktem Kopf und führte den Fabrikanten zum Schreibtisch. Sie setzten sich wieder wie früher und der Fabrikant sagte: »Es ist leider nicht sehr viel, was ich Ihnen mitteilen kann. Aber in solchen Dingen soll man nicht das geringste vernachlässigen. Außerdem drängt es mich aber Ihnen irgendwie zu

10 helfen und sei meine Hilfe noch so bescheiden. Wir waren doch bisher gute Geschäftsfreunde, nicht? Nun also.« K. wollte sich wegen seines Verhaltens bei der heutigen Besprechung entschuldigen, aber der Fabrikant duldete keine Unterbrechung, schob die Aktentasche hoch unter die Achsel, um

15 zu zeigen, dass er Eile habe und fuhr fort: »Von Ihrem Process weiß ich durch einen gewissen Titorelli. Es ist ein Maler, Titorelli ist nur sein Künstlername, seinen wirklichen Namen kenne ich gar nicht. Er kommt schon seit Jahren von Zeit zu Zeit in mein Bureau und bringt kleine Bilder mit, für die ich

20 ihm – er ist fast ein Bettler – immer eine Art Almosen gebe. Es sind übrigens hübsche Bilder, Heidelandschaften und dergleichen. Diese Verkäufe – wir hatten uns schon beide daran gewöhnt – giengen ganz glatt vor sich. Einmal aber wiederholten sich diese Besuche doch zu oft, ich machte ihm Vor-

25 würfe, wir kamen ins Gespräch, es interessierte mich, wie er sich allein durch Malen erhalten könne und ich erfuhr nun zu meinem Staunen, dass seine Haupteinnahmsquelle das Porträtmalen sei. Er arbeite für das Gericht, sagte er. Für welches Gericht fragte ich. Und nun erzählte er mir von dem Gericht.

30 Sie werden sich wohl am besten vorstellen können wie erstaunt ich über diese Erzählungen war. Seitdem höre ich bei jedem seiner Besuche irgendwelche Neuigkeiten vom Gericht und bekomme so allmählich einen gewissen Einblick in die Sache. Allerdings ist Titorelli geschwätzig und ich muss ihn

35 oft abwehren, nicht nur weil er gewiss auch lügt, sondern vor allem weil ein Geschäftsmann wie ich, der unter den eigenen Geschäftssorgen fast zusammenbricht, sich nicht noch viel

um fremde Dinge kümmern kann. Aber das nur nebenbei. Vielleicht – so dachte ich jetzt – kann Ihnen Titorelli ein wenig behilflich sein, er kennt viele Richter und wenn er selbst auch keinen großen Einfluss haben sollte, so kann er Ihnen doch Ratschläge geben, wie man verschiedenen einflussreichen Leuten beikommen kann. Und wenn auch diese Ratschläge an und für sich nicht entscheidend sein sollten, so werden sie doch meiner Meinung nach in Ihrem Besitz von großer Bedeutung sein. Sie sind ja fast ein Advokat. Ich pflege immer zu sagen: Prokurist K. ist fast ein Advokat. Oh, ich habe keine Sorgen wegen Ihres Processes. Wollen Sie nun aber zu Titorelli gehen? Auf meine Empfehlung hin wird er gewiss alles tun, was ihm möglich ist. Ich denke wirklich Sie sollten hingehn. Es muss natürlich nicht heute sein, einmal, gelegentlich. Allerdings sind Sie – das will ich noch sagen – dadurch, dass gerade ich Ihnen diesen Rat gebe, nicht im geringsten verpflichtet, auch wirklich zu Titorelli hinzugehn. Nein, wenn Sie Titorelli entbehren zu können glauben, ist es gewiss besser, ihn ganz beiseite zu lassen. Vielleicht haben Sie schon einen ganz genauen Plan und Titorelli könnte ihn stören. Nein, dann gehn Sie natürlich auf keinen Fall hin. Es kostet gewiss auch Überwindung sich von einem solchen Burschen Ratschläge geben zu lassen. Nun wie Sie wollen. Hier ist das Empfehlungsschreiben und hier die Adresse.«

Enttäuscht nahm K. den Brief und steckte ihn in die Tasche. Selbst im günstigsten Falle war der Vorteil, den ihm die Empfehlung bringen konnte, unverhältnismäßig kleiner als der Schaden, der darin lag, dass der Fabrikant von seinem Process wusste und dass der Maler die Nachricht weiter verbreitete. Er konnte sich kaum dazu zwingen dem Fabrikanten, der schon auf dem Weg zur Türe war, mit ein paar Worten zu danken. »Ich werde hingehn«, sagte er, als er sich bei der Tür vom Fabrikanten verabschiedete, »oder ihm, da ich jetzt sehr beschäftigt bin, schreiben, er möge einmal zu mir ins Bureau kommen.« »Ich wusste ja«, sagte der Fabrikant, »dass Sie den besten Ausweg finden würden. Allerdings dachte ich, dass Sie es lieber vermeiden wollen, Leute wie diesen Titorelli in die

Bank einzuladen, um mit ihm hier über den Process zu sprechen. Es ist auch nicht immer vorteilhaft Briefe an solche Leute aus der Hand zu geben. Aber Sie haben gewiss alles durchgedacht und wissen was Sie tun dürfen.« K. nickte und begleitete den Fabrikanten noch durch das Vorzimmer. Aber trotz
äußerlicher Ruhe war er über sich sehr erschrocken. Dass er
Titorelli schreiben würde, hatte er eigentlich nur gesagt, um
dem Fabrikanten irgendwie zu zeigen, dass er die Empfehlung
zu schätzen wisse und die Möglichkeiten mit Titorelli zusam-
menzukommen sofort überlege, aber wenn er Titorellis Beistand für wertvoll angesehen hätte, hätte er auch nicht gezö-
gert, ihm wirklich zu schreiben. Die Gefahren aber, die das
zur Folge haben könnte, hatte er erst durch die Bemerkung
des Fabrikanten erkannt. Konnte er sich auf seinen eigenen
Verstand tatsächlich schon so wenig verlassen? Wenn es möglich war, dass er einen fragwürdigen Menschen durch einen
deutlichen Brief in die Bank einlud, um von ihm nur durch
eine Tür vom Direktor-Stellvertreter getrennt Ratschläge wegen seines Processes zu erbitten, war es dann nicht möglich
und sogar sehr wahrscheinlich, dass er auch andere Gefahren
übersah oder in sie hineinrannte? Nicht immer stand jemand
neben ihm, um ihn zu warnen. Und gerade jetzt, wo er mit
gesammelten Kräften auftreten sollte, mussten derartige ihm
bisher fremde Zweifel an seiner eigenen Wachsamkeit auftreten. Sollten die Schwierigkeiten, die er bei Ausführung seiner
Bureauarbeit fühlte, nun auch im Process beginnen? Jetzt allerdings begriff er es gar nicht mehr wie es möglich gewesen
war, dass er an Titorelli hatte schreiben und ihn in die Bank
einladen wollen.

Er schüttelte noch den Kopf darüber, als der Diener an seine Seite trat und ihn auf drei Herren aufmerksam machte, die
hier im Vorzimmer auf einer Bank saßen. Sie warteten schon
lange darauf, zu K. vorgelassen zu werden. Jetzt da der Diener
mit K. sprach, waren sie aufgestanden und jeder wollte eine
günstige Gelegenheit ausnützen, um sich vor den andern an
K. heranzumachen. Da man von seiten der Bank so rücksichtslos war, sie hier im Wartezimmer ihre Zeit verlieren zu

lassen, wollten auch sie keine Rücksicht mehr üben. »Herr Prokurist«, sagte schon der eine. Aber K. hatte sich vom Diener den Winterrock bringen lassen und sagte, während er ihn mit Hilfe des Dieners anzog zu allen dreien: »Verzeihen Sie meine Herren, ich habe augenblicklich leider keine Zeit, Sie zu empfangen. Ich bitte Sie sehr um Verzeihung, aber ich habe einen dringenden Geschäftsgang zu erledigen und muss sofort weggehn. Sie haben ja selbst gesehn, wie lange ich jetzt aufgehalten wurde. Wären Sie so freundlich, morgen oder wann immer wiederzukommen? Oder wollen wir die Sachen vielleicht telephonisch besprechen? Oder wollen Sie mir vielleicht jetzt kurz sagen, um was es sich handelt und ich gebe Ihnen dann eine ausführliche schriftliche Antwort. Am besten wäre es allerdings Sie kämen nächstens.« Diese Vorschläge K.'s brachten die Herren, die nun vollständig nutzlos gewartet haben sollten, in solches Staunen, dass sie einander stumm ansahen. »Wir sind also einig?« fragte K. der sich nach dem Diener umgewendet hatte, der ihm nun auch den Hut brachte. Durch die offene Tür von K.'s Zimmer sah man, wie sich draußen der Schneefall sehr verstärkt hatte. K. schlug daher den Mantelkragen in die Höhe und knöpfte ihn hoch unter dem Halse zu.

Da trat gerade aus dem Nebenzimmer der Direktor-Stellvertreter, sah lächelnd K. im Winterrock mit den Herren verhandeln und fragte: »Sie gehn jetzt weg Herr Prokurist?« »Ja«, sagte K. und richtete sich auf, »ich habe einen Geschäftsgang zu machen.« Aber der Direktor-Stellvertreter hatte sich schon den Herren zugewendet. »Und die Herren?« fragte er. »Ich glaube Sie warten schon lange.« »Wir haben uns schon geeinigt«, sagte K. Aber nun ließen sich die Herren nicht mehr halten, umringten K. und erklärten dass sie nicht stundenlang gewartet hätten, wenn ihre Angelegenheiten nicht wichtig wären und nicht jetzt undzwar ausführlich unter 4 Augen besprochen werden müssten. Der Direktor-Stellvertreter hörte ihnen ein Weilchen zu, betrachtete auch K., der den Hut in der Hand hielt und ihn stellenweise von Staub reinigte, und sagte dann: »Meine Herren es gibt ja einen sehr

einfachen Ausweg. Wenn Sie mit mir vorlieb nehmen wollen,
übernehme ich sehr gerne die Verhandlungen statt des Herrn
Prokuristen. Ihre Angelegenheiten müssen natürlich sofort
besprochen werden. Wir sind Geschäftsleute wie Sie und wissen die Zeit von Geschäftsleuten richtig zu bewerten. Wollen
Sie hier eintreten?« Und er öffnete die Tür, die zu dem Vorzimmer seines Bureaus führte.

Wie sich doch der Direktor-Stellvertreter alles anzueignen
verstand, was K. jetzt notgedrungen aufgeben musste! Gab
aber K. nicht mehr auf, als unbedingt nötig war? Während er
mit unbestimmten und wie er sich eingestehen musste sehr
geringen Hoffnungen zu einem unbekannten Maler lief, erlitt
hier sein Ansehen eine unheilbare Schädigung. Es wäre wahrscheinlich viel besser gewesen, den Winterrock wieder auszu-
ziehn und wenigstens die 2 Herren, die ja nebenan doch
noch warten mussten, für sich zurückzugewinnen. K. hätte es
vielleicht auch versucht, wenn er nicht jetzt in seinem Zimmer
den Direktor-Stellvertreter erblickt hätte, wie er im Bücher-
ständer, als wäre es sein eigener, etwas suchte. Als K. sich erregt der Türe näherte, rief er: »Ah, Sie sind noch nicht weggegangen.« Er wandte ihm sein Gesicht zu, dessen viele straffe
Falten nicht Alter sondern Kraft zu beweisen schienen, und
fieng sofort wieder zu suchen an. »Ich suche eine Vertragsab-
schrift«, sagte er, »die sich wie der Vertreter der Firma behauptet, bei Ihnen befinden soll. Wollen Sie mir nicht suchen
helfen?« K. machte einen Schritt, aber der Direktor-Stellvertreter sagte: »Danke ich habe es schon gefunden« und kehrte
mit einem großen Paket Schriften, das nicht nur die Vertrags-
abschrift, sondern gewiss noch vieles andere enthielt, wieder
in sein Zimmer zurück.

»Jetzt bin ich ihm nicht gewachsen«, sagte sich K., »wenn
aber meine persönlichen Schwierigkeiten einmal beseitigt sein
werden, dann soll er wahrhaftig der erste sein, der es zu fühlen
bekommt undzwar möglichst bitter.« Durch diesen Gedanken ein wenig beruhigt, gab K. dem Diener, der schon lange
die Tür zum Korridor für ihn offenhielt, den Auftrag, dem
Direktor gelegentlich die Meldung zu machen dass er sich auf

einem Geschäftsgang befinde, und verließ fast glücklich darüber sich eine Zeitlang vollständiger seiner Sache widmen zu können die Bank.

Er fuhr sofort zum Maler, der in einer Vorstadt wohnte, die jener in welcher sich die Gerichtskanzleien befanden vollständig entgegengesetzt war. Es war eine noch ärmere Gegend; die Häuser noch dunkler, die Gassen voll Schmutz, der auf dem zerflossenen Schnee langsam umhertrieb. Im Hause in dem der Maler wohnte war nur ein Flügel des großen Tores geöffnet, in den andern aber war unten an der Mauer eine Lücke gebrochen, aus der gerade als sich K. näherte eine widerliche gelbe rauchende Flüssigkeit herausschoss, vor der sich eine Ratte in den nahen Kanal flüchtete. Unten an der Treppe lag ein kleines Kind bäuchlings auf der Erde und weinte, aber man hörte es kaum infolge des alles übertönenden Lärms, der aus einer Klempfnerwerkstätte auf der andern Seite des Torganges kam. Die Tür der Werkstätte war offen, drei Gehilfen standen im Halbkreis um irgendein Werkstück auf das sie mit den Hämmern schlugen. Eine große Platte Weißblech, die an der Wand hieng, warf ein bleiches Licht das zwischen 2 Gehilfen eindrang und die Gesichter und Arbeitsschürzen erhellte. K. hatte für alles nur einen flüchtigen Blick, er wollte möglichst rasch hier fertig werden, nur den Maler mit paar Worten ausforschen und sofort wieder in die Bank zurückgehn. Wenn er hier nur den kleinsten Erfolg hatte, sollte das auf seine heutige Arbeit in der Bank noch eine gute Wirkung ausüben. Im dritten Stockwerk musste er seinen Schritt mäßigen, er war ganz außer Atem, die Treppen ebenso wie die Stockwerke waren übermäßig hoch und der Maler sollte ganz oben in einer Dachkammer wohnen. Auch war die Luft sehr drückend, es gab keinen Treppenhof, die enge Treppe war auf beiden Seiten von Mauern eingeschlossen, in denen nur hie und da fast ganz oben kleine Fenster angebracht waren. Gerade als K. ein wenig stehen blieb, liefen paar kleine Mädchen aus einer Wohnung heraus und eilten lachend die Treppe weiter hinauf. K. folgte ihnen langsam, holte eines der Mädchen ein, das gestolpert und hinter den andern zurückgeblieben

---

34 **paar kleine:** ein paar kleine (österr.)

war, und fragte es, während sie nebeneinander weiterstiegen: »Wohnt hier ein Maler Titorelli?« Das Mädchen, ein kaum 13jähriges etwas buckliges Mädchen, stieß ihn darauf mit dem Elbogen an und sah von der Seite zu ihm auf. Weder ihre Jugend noch ihr Körperfehler hatte verhindern können, dass sie schon ganz verdorben war. Sie lächelte nicht einmal sondern sah K. ernst mit scharfem auffordernden Blicke an. K. tat als hätte er ihr Benehmen nicht bemerkt und fragte: »Kennst Du den Maler Titorelli?« Sie nickte und fragte ihrerseits: »Was wollen Sie von ihm?« K. schien es vorteilhaft sich noch schnell ein wenig über Titorelli zu unterrichten: »Ich will mich von ihm malen lassen«, sagte er. »Malen lassen?« fragte sie, öffnete übermäßig den Mund, schlug leicht mit der Hand gegen K., als hätte er etwas außerordentlich überraschendes oder ungeschicktes gesagt, hob mit beiden Händen ihr ohnedies sehr kurzes Röckchen und lief so schnell sie konnte hinter den andern Mädchen, deren Geschrei schon undeutlich in der Höhe sich verlor. Bei der nächsten Wendung der Treppe aber traf K. schon wieder alle Mädchen. Sie waren offenbar von der Buckligen von K.'s Absicht verständigt worden und erwarteten ihn. Sie standen zu beiden Seiten der Treppe, drückten sich an die Mauer, damit K. bequem zwischen ihnen durchkomme und glätteten mit der Hand ihre Schürzen. Alle Gesichter wie auch diese Spalierbildung stellten eine Mischung von Kindlichkeit und Verworfenheit dar. Oben an der Spitze der Mädchen, die sich jetzt hinter K. lachend zusammenschlossen, war die Bucklige, welche die Führung übernahm. K. hatte es ihr zu verdanken, dass er gleich den richtigen Weg fand. Er wollte nämlich geradeaus weitersteigen, sie aber zeigte ihm dass er eine Abzweigung der Treppe wählen müsse um zu Titorelli zu kommen. Die Treppe die zu ihm führte, war besonders schmal, sehr lang, ohne Biegung, in ihrer ganzen Länge zu übersehn und oben unmittelbar von Titorellis Tür abgeschlossen. Diese Tür, die durch ein kleines, schief über ihr eingesetztes Oberlichtfenster im Gegensatz zur übrigen Treppe verhältnismäßig hell beleuchtet wurde, war aus nicht übertünchten Balken zusammengesetzt,

auf die der Name Titorelli mit roter Farbe in breiten Pinsel-
strichen gemalt war. K. war mit seinem Gefolge noch kaum in
der Mitte der Treppe, als oben, offenbar veranlasst durch das
Geräusch der vielen Schritte, die Tür ein wenig geöffnet wurde und ein wahrscheinlich nur mit einem Nachthemd beklei-
deter Mann in der Türspalte erschien. »Oh!« rief er, als er die
Menge kommen sah und verschwand. Die Bucklige klatschte
vor Freude in die Hände und die übrigen Mädchen drängten
hinter K., um ihn schneller vorwärtszutreiben.

Sie waren aber noch nicht einmal hinaufgekommen, als
oben der Maler die Tür gänzlich aufriss und mit einer tiefen
Verbeugung K. einlud einzutreten. Die Mädchen dagegen
wehrte er ab, er wollte keine von ihnen einlassen, so sehr sie
baten und so sehr sie versuchten, wenn schon nicht mit seiner
Erlaubnis so gegen seinen Willen einzudringen. Nur der
Bucklige gelang es unter seinem ausgestreckten Arm durch-
zuschlüpfen, aber der Maler jagte hinter ihr her, packte sie bei
den Röcken, wirbelte sie einmal um sich herum und setzte sie
dann vor der Tür bei den andern Mädchen ab, die es während
der Maler seinen Posten verlassen hatte doch nicht gewagt
hatten die Schwelle zu überschreiten. K. wusste nicht, wie er
das Ganze beurteilen sollte, es hatte nämlich den Anschein,
als ob alles in freundschaftlichem Einvernehmen geschehe.
Die Mädchen bei der Tür streckten eines hinter dem andern
die Hälse in die Höhe, riefen dem Maler verschiedene scherz-
haft gemeinte Worte zu, die K. nicht verstand und auch der
Maler lachte, während die Bucklige in seiner Hand fast flog.
Dann schloss er die Tür, verbeugte sich nochmals vor K.,
reichte ihm die Hand und sagte sich vorstellend: »Kunstmaler
Titorelli.« K. zeigte auf die Tür, hinter der die Mädchen flüs-
terten, und sagte: »Sie scheinen im Hause sehr beliebt zu
sein.« »Ach, die Fratzen!« sagte der Maler und suchte vergebens sein Nachthemd am Halse zuzuknöpfen. Er war im
übrigen bloßfüßig und nur noch mit einer breiten gelblichen
Leinenhose bekleidet, die mit einem Riemen festgemacht war,
dessen langes Ende frei hin- und herschlug. »Diese Fratzen
sind mir eine wahre Last«, fuhr er fort, während er vom

Nachthemd dessen letzter Knopf gerade abgerissen war ab-
ließ, einen Sessel holte und K. zum Niedersetzen nötigte. »Ich
habe eine von ihnen – sie ist heute nicht einmal dabei – einmal
gemalt und seitdem verfolgen mich alle. Wenn ich selbst hier
bin kommen sie nur herein, wenn ich es erlaube, bin ich aber
einmal weg, dann ist immer zumindest eine da. Sie haben sich
einen Schlüssel zu meiner Tür machen lassen, den sie untereinander verleihen. Man kann sich kaum vorstellen wie lästig
das ist. Ich komme z.B. mit einer Dame die ich malen soll
nachhause, öffne die Tür mit meinem Schlüssel und finde
etwa die Bucklige dort beim Tischchen wie sie sich mit dem
Pinsel die Lippen rot färbt, während ihre kleinen Geschwis-
ter, die sie zu beaufsichtigen hat, sich herumtreiben und das
Zimmer in allen Ecken verunreinigen. Oder ich komme, wie
es mir erst gestern geschehen ist, spät abends nachhause – entschuldigen Sie bitte mit Rücksicht darauf meinen Zustand
und die Unordnung im Zimmer – also ich komme spät abends
nachhause und will ins Bett steigen, da zwickt mich etwas ins
Bein, ich schaue unter das Bett und ziehe wieder so ein Ding
heraus. Warum sie sich so zu mir drängen weiß ich nicht, dass
ich sie nicht zu mir zu locken suche, dürften Sie eben bemerkt
haben. Natürlich bin ich dadurch auch in meiner Arbeit gestört. Wäre mir dieses Atelier nicht umsonst zur Verfügung
gestellt, ich wäre schon längst ausgezogen.« Gerade rief hinter
der Tür ein Stimmchen, zart und ängstlich: »Titorelli, dürfen
wir schon kommen?« »Nein«, antwortete der Maler. »Ich allein auch nicht?« fragte es wieder. »Auch nicht«, sagte der
Maler, gieng zur Tür und sperrte sie ab.

K. hatte sich inzwischen im Zimmer umgesehen, er wäre
niemals selbst auf den Gedanken gekommen, dass man dieses
elende kleine Zimmer ein Atelier nennen könnte. Mehr als
zwei lange Schritte konnte man der Länge und Quere nach
kaum hier machen. Alles, Fußboden, Wände und Zimmer-
decke war aus Holz, zwischen den Balken sah man schmale
Ritzen. K. gegenüber stand an der Wand das Bett, das mit
verschiedenfarbigem Bettzeug überladen war. In der Mitte
des Zimmers war auf einer Staffelei ein Bild, das mit einem

Hemd verhüllt war, dessen Ärmel bis zum Boden baumelten. Hinter K. war das Fenster, durch das man im Nebel nicht weiter sehen konnte, als über das mit Schnee bedeckte Dach des Nachbarhauses.

Das Umdrehn des Schlüssels im Schloss erinnerte K. daran, dass er bald hatte weggehn wollen. Er zog daher den Brief des Fabrikanten aus der Tasche, reichte ihn dem Maler und sagte: »Ich habe durch diesen Herrn Ihren Bekannten von Ihnen erfahren und bin auf seinen Rat hin gekommen.« Der Maler las den Brief flüchtig durch und warf ihn aufs Bett. Hätte der Fabrikant nicht auf das bestimmteste von Titorelli als von seinem Bekannten gesprochen, als von einem armen Menschen, der auf seine Almosen angewiesen war, so hätte man jetzt wirklich glauben können, Titorelli kenne den Fabrikanten nicht oder wisse sich an ihn wenigstens nicht zu erinnern. Überdies fragte nun der Maler: »Wollen Sie Bilder kaufen oder sich selbst malen lassen?« K. sah den Maler erstaunt an. Was stand denn eigentlich in dem Brief? K. hatte es als selbstverständlich angenommen, dass der Fabrikant in dem Brief den Maler davon unterrichtet hatte, dass K. nichts anderes wollte, als sich hier wegen seines Processes zu erkundigen. Er war doch gar zu eilig und unüberlegt hierhergelaufen! Aber er musste jetzt dem Maler irgendwie antworten und sagte mit einem Blick auf die Staffelei: »Sie arbeiten gerade an einem Bild?« »Ja«, sagte der Maler und warf das Hemd, das über der Staffelei hieng, dem Brief nach auf das Bett. »Es ist ein Porträt. Eine gute Arbeit, aber noch nicht ganz fertig.« Der Zufall war K. günstig, die Möglichkeit vom Gericht zu reden, wurde ihm förmlich dargeboten, denn es war offenbar das Porträt eines Richters. Es war übrigens dem Bild im Arbeitszimmer des Advokaten auffallend ähnlich. Es handelte sich hier zwar um einen ganz andern Richter, einen dicken Mann mit schwarzem buschigen Vollbart, der seitlich weit die Wangen hinaufreichte, auch war jenes Bild ein Ölbild, dieses aber mit Pastellfarben schwach und undeutlich angesetzt. Aber alles übrige war ähnlich, denn auch hier wollte sich gerade der Richter von seinem Tronsessel, dessen Seitenlehnen er festhielt, drohend erheben. »Das ist ja ein Richter«, hatte K. gleich sagen wollen, hielt sich dann aber vorläufig noch zurück und näherte sich dem Bild als wolle er es in den Einzelheiten studieren. Eine große Figur die in der Mitte über der Rückenlehne des Tronsessels stand konnte er sich nicht erklären und fragte den Maler nach ihr. »Sie muss noch ein wenig ausgearbeitet werden«, antwortete der Maler, holte von einem Tischchen einen Pastellstift und strichelte mit ihm ein wenig an den Rändern der Figur, ohne sie aber dadurch für K. deutlicher zu machen. »Es ist die Gerechtigkeit«, sagte der Maler schließlich. »Jetzt erkenne ich sie schon«, sagte K., »hier ist die Binde um die Augen und hier die Wage. Aber sind nicht an den Fersen Flügel und befindet sie sich nicht im Lauf?« »Ja«, sagte der Maler, »ich musste es über Auftrag so malen, es ist eigentlich die Gerechtigkeit und die Siegesgöttin in einem.« »Das ist keine gute Verbindung«, sagte K. lächelnd, »die Gerechtigkeit muss ruhen, sonst schwankt die Wage und es ist kein gerechtes Urteil möglich.« »Ich füge mich darin meinem Auftraggeber«, sagte der Maler. »Ja gewiss«, sagte K., der mit seiner Bemerkung niemanden hatte kränken wollen. »Sie haben die Figur so gemalt, wie sie auf dem Tronsessel wirklich steht.« »Nein«, sagte der Maler, »ich habe weder die Figur noch den Tronsessel gesehn, das alles ist Erfindung, aber es wurde mir angegeben, was ich zu malen habe.« »Wie?« fragte K., er tat absichtlich, als verstehe er den Maler nicht völlig, »es ist doch ein Richter, der auf dem Richterstuhl sitzt.« »Ja«, sagte der Maler, »aber es ist kein hoher Richter und er ist niemals auf einem solchen Tronsessel gesessen.« »Und lässt sich doch in so feierlicher Haltung malen? Er sitzt ja da wie ein Gerichtspräsident.« »Ja, eitel sind die Herren«, sagte der Maler. »Aber sie haben die höhere Erlaubnis sich so malen zu lassen. Jedem ist genau vorgeschrieben, wie er sich malen lassen darf. Nur kann man leider gerade nach diesem Bild die Einzelheiten der Tracht und des Sitzes nicht beurteilen, die Pastellfarben sind für solche Darstellungen nicht geeignet.« »Ja«, sagte K., »es ist sonderbar, dass es in Pastellfarben gemalt ist.« »Der Richter wünschte es so«, sagte der Maler, »es ist für eine Dame be-

---

14 **über Auftrag:** entsprechend dem Auftrag

stimmt.« Der Anblick des Bildes schien ihm Lust zur Arbeit gemacht zu haben, er krempelte die Hemdärmel aufwärts, nahm einige Stifte in die Hand und K. sah zu, wie unter den zitternden Spitzen der Stifte anschließend an den Kopf des Richters ein rötlicher Schatten sich bildete, der strahlenförmig gegen den Rand des Bildes vergieng. Allmählich umgab dieses Spiel des Schattens den Kopf wie ein Schmuck oder eine hohe Auszeichnung. Um die Figur der Gerechtigkeit aber blieb es bis auf eine unmerkliche Tönung hell, in dieser Helligkeit schien die Figur besonders vorzudringen, sie erinnerte kaum mehr an die Göttin der Gerechtigkeit, aber auch nicht an die des Sieges, sie sah jetzt vielmehr vollkommen wie die Göttin der Jagd aus. Die Arbeit des Malers zog K. mehr an als er wollte; schließlich aber machte er sich doch Vorwürfe, dass er solange schon hier war und im Grunde noch nichts für seine eigene Sache unternommen hatte. »Wie heißt dieser Richter?« fragte er plötzlich. »Das darf ich nicht sagen«, antwortete der Maler, er war tief zum Bild hinabgebeugt und vernachlässigte deutlich seinen Gast, den er doch zuerst so rücksichtsvoll empfangen hatte. K. hielt das für eine Laune und ärgerte sich darüber weil er dadurch Zeit verlor. »Sie sind wohl ein Vertrauensmann des Gerichtes?« fragte er. Sofort legte der Maler die Stifte beiseite, richtete sich auf, rieb die Hände an einander und sah K. lächelnd an. »Nur immer gleich mit der Wahrheit heraus«, sagte er, »Sie wollen etwas über das Gericht erfahren, wie es ja auch in Ihrem Empfehlungsschreiben steht, und haben zunächst über meine Bilder gesprochen um mich zu gewinnen. Aber ich nehme das nicht übel, Sie konnten ja nicht wissen, dass das bei mir unangebracht ist. Oh bitte!« sagte er scharf abwehrend, als K. etwas einwenden wollte. Und fuhr dann fort: »Im übrigen haben Sie mit Ihrer Bemerkung vollständig recht, ich bin ein Vertrauensmann des Gerichtes.« Er machte eine Pause, als wolle er K. Zeit lassen, sich mit dieser Tatsache abzufinden. Man hörte jetzt wieder hinter der Tür die Mädchen. Sie drängten sich wahrscheinlich um das Schlüsselloch, vielleicht konnte man auch durch die Ritzen ins Zimmer hereinsehn. K. unterließ es sich irgendwie zu entschuldigen denn er wollte den Maler nicht ablenken, wohl aber wollte er nicht, dass der Maler sich allzu überhebe und sich auf diese Weise gewissermaßen unerreichbar mache, er fragte deshalb: »Ist das eine öffentlich anerkannte Stellung?« »Nein«, sagte der Maler kurz, als sei ihm dadurch die weitere Rede verschlagen. K. wollte ihn aber nicht verstummen lassen und sagte: »Nun, oft sind derartige nicht anerkannte Stellungen einflussreicher als die anerkannten.« »Das ist eben bei mir der Fall«, sagte der Maler und nickte mit zusammengezogener Stirn. »Ich sprach gestern mit dem Fabrikanten über Ihren Fall, er fragte mich ob ich Ihnen nicht helfen wollte, ich antwortete: ›Der Mann kann ja einmal zu mir kommen‹ und nun freue ich mich, Sie so bald hier zu sehn. Die Sache scheint Ihnen ja sehr nahe zu gehn, worüber ich mich natürlich gar nicht wundere. Wollen Sie vielleicht zunächst Ihren Rock ablegen?« Trotzdem K. beabsichtigte nur ganz kurze Zeit hier zu bleiben, war ihm diese Aufforderung des Malers doch sehr willkommen. Die Luft im Zimmer war ihm allmählich drückend geworden, öfters hatte er schon verwundert auf einen kleinen zweifellos nicht geheizten Eisenofen in der Ecke hingesehn, die Schwüle im Zimmer war unerklärlich. Während er den Winterrock ablegte und auch noch den Rock aufknöpfte, sagte der Maler sich entschuldigend: »Ich muss Wärme haben. Es ist hier doch sehr behaglich, nicht? Das Zimmer ist in dieser Hinsicht sehr gut gelegen.« K. sagte dazu nichts, aber es war nicht eigentlich die Wärme, die ihm Unbehagen machte, es war vielmehr die dumpfe das Atmen fast behindernde Luft, das Zimmer war wohl schon lange nicht gelüftet. Diese Unannehmlichkeit wurde für K. dadurch noch verstärkt, dass ihn der Maler bat sich auf das Bett zu setzen, während er selbst sich auf den einzigen Stuhl des Zimmers vor der Staffelei niedersetzte. Außerdem schien es der Maler misszuverstehn, warum K. nur am Bettrand blieb, er bat vielmehr, K. möchte es sich bequem machen und gieng, da K. zögerte, selbst hin und drängte ihn tief in die Betten und Pölster hinein. Dann kehrte er wieder zu seinem Sessel zurück und stellte endlich die erste sachliche

---

16 **Trotzdem:** Obwohl | 36 **Betten und Pölster:** Bettdecken und Kissen (österr.)

Frage, die K. alles andere vergessen ließ. »Sind Sie unschuldig?« fragte er. »Ja«, sagte K. Die Beantwortung dieser Frage machte ihm geradezu Freude, besonders da sie gegenüber einem Privatmann, also ohne jede Verantwortung erfolgte. Noch niemand hatte ihn so offen gefragt. Um diese Freude auszukosten, fügte er noch hinzu: »Ich bin vollständig unschuldig.« »So«, sagte der Maler, senkte den Kopf und schien nachzudenken. Plötzlich hob er wieder den Kopf und sagte: »Wenn Sie unschuldig sind, dann ist ja die Sache sehr einfach.« K.'s Blick trübte sich, dieser angebliche Vertrauensmann des Gerichtes redete wie ein unwissendes Kind. »Meine Unschuld vereinfacht die Sache nicht«, sagte K. Er musste trotz allem lächeln und schüttelte langsam den Kopf. »Es kommt auf viele Feinheiten an, in denen sich das Gericht verliert. Zum Schluss aber zieht es von irgendwoher wo ursprünglich gar nichts gewesen ist, eine große Schuld hervor.« »Ja, ja gewiss«, sagte der Maler, als störe K. unnötiger Weise seinen Gedankengang. »Sie sind aber doch unschuldig?« »Nun ja«, sagte K. »Das ist die Hauptsache«, sagte der Maler. Er war durch Gegengründe nicht zu beeinflussen, nur war es trotz seiner Entschiedenheit nicht klar, ob er aus Überzeugung oder nur aus Gleichgültigkeit so redete. K. wollte das zunächst feststellen und sagte deshalb: »Sie kennen ja gewiss das Gericht viel besser als ich, ich weiß nicht viel mehr als was ich darüber, allerdings von ganz verschiedenen Leuten gehört habe. Darin stimmten aber alle überein, dass leichtsinnige Anklagen nicht erhoben werden und dass das Gericht, wenn es einmal anklagt, fest von der Schuld des Angeklagten überzeugt ist und von dieser Überzeugung nur schwer abgebracht werden kann.« »Schwer?« fragte der Maler und warf eine Hand in die Höhe. »Niemals ist das Gericht davon abzubringen. Wenn ich hier alle Richter neben einander auf eine Leinwand male und Sie werden sich vor dieser Leinwand verteidigen, so werden Sie mehr Erfolg haben als vor dem wirklichen Gericht.« »Ja«, sagte K. für sich und vergaß, dass er den Maler nur hatte ausforschen wollen.

Wieder begann ein Mädchen hinter der Tür zu fragen: »Ti-

torelli, wird er denn nicht schon bald weggehn.« »Schweigt«,
rief der Maler zur Tür hin, »seht Ihr denn nicht, dass ich mit
dem Herrn eine Besprechung habe.« Aber das Mädchen gab
sich damit nicht zufrieden sondern fragte: »Du wirst ihn malen?« Und als der Maler nicht antwortete sagte sie noch: »Bitte mal' ihn nicht, einen so hässlichen Menschen.« Ein Durcheinander unverständlicher zustimmender Zurufe folgte. Der
Maler machte einen Sprung zur Tür, öffnete sie bis zu einem
Spalt – man sah die bittend vorgestreckten gefalteten Hände
der Mädchen – und sagte: »Wenn Ihr nicht still seid, werfe ich
Euch alle die Treppe hinunter. Setzt Euch hier auf die Stufen
und verhaltet Euch ruhig.« Wahrscheinlich folgten sie nicht
gleich, so dass er kommandieren musste. »Nieder auf die Stufen!« Erst dann wurde es still.

»Verzeihen Sie«, sagte der Maler als er zu K. wieder zurückkehrte. K. hatte sich kaum zur Tür hingewendet, er hatte
es vollständig dem Maler überlassen, ob und wie er ihn in
Schutz nehmen wollte. Er machte auch jetzt kaum eine Bewegung, als sich der Maler zu ihm niederbeugte und ihm, um
draußen nicht gehört zu werden ins Ohr flüsterte: »Auch diese Mädchen gehören zum Gericht.« »Wie?« fragte K., wich
mit dem Kopf zur Seite und sah den Maler an. Dieser aber
setzte sich wieder auf seinen Sessel und sagte halb im Scherz
halb zur Erklärung: »Es gehört ja alles zum Gericht.« »Das
habe ich noch nicht bemerkt«, sagte K. kurz, die allgemeine
Bemerkung des Malers nahm dem Hinweis auf die Mädchen
alles Beunruhigende. Trotzdem sah K. ein Weilchen lang zur
Tür hin, hinter der die Mädchen jetzt still auf den Stufen saßen. Nur eines hatte einen Strohhalm durch eine Ritze zwischen den Balken gesteckt und führte ihn langsam auf und ab.

»Sie scheinen noch keinen Überblick über das Gericht zu
haben«, sagte der Maler, er hatte die Beine weit auseinander
gestreckt und klatschte mit den Fußspitzen auf den Boden.
»Da Sie aber unschuldig sind, werden Sie ihn auch nicht benötigen. Ich allein hole Sie heraus.« »Wie wollen Sie das tun?«
fragte K. »Da Sie doch vor kurzem selbst gesagt haben, dass
das Gericht für Beweisgründe vollständig unzugänglich ist.«

»Unzugänglich nur für Beweisgründe, die man vor dem Gericht vorbringt«, sagte der Maler und hob den Zeigefinger, als habe K. eine feine Unterscheidung nicht bemerkt. »Anders verhält es sich aber damit, was man in dieser Hinsicht hinter dem öffentlichen Gericht versucht, also in den Beratungszimmern, in den Korridoren oder z.B. auch hier im Atelier.« Was der Maler jetzt sagte schien K. nicht mehr so unglaubwürdig, es zeigte vielmehr eine große Übereinstimmung mit dem, was K. auch von andern Leuten gehört hatte. Ja, es war sogar sehr hoffnungsvoll. Waren die Richter durch persönliche Beziehungen wirklich so leicht zu lenken, wie es der Advokat dargestellt hatte, dann waren die Beziehungen des Malers zu den eitlen Richtern besonders wichtig und jedenfalls keineswegs zu unterschätzen. Dann fügte sich der Maler sehr gut in den Kreis von Helfern, die K. allmählich um sich versammelte. Man hatte einmal in der Bank sein Organisationstalent gerühmt, hier, wo er ganz allein auf sich gestellt war, zeigte sich eine gute Gelegenheit es auf das Äußerste zu erproben. Der Maler beobachtete die Wirkung, die seine Erklärung auf K. gemacht hatte und sagte dann mit einer gewissen Ängstlichkeit: »Fällt es Ihnen nicht auf dass ich fast wie ein Jurist spreche? Es ist der ununterbrochene Verkehr mit den Herren vom Gericht, der mich so beeinflusst. Ich habe natürlich viel Gewinn davon, aber der künstlerische Schwung geht zum großen Teil verloren.« »Wie sind Sie denn zum erstenmal mit den Richtern in Verbindung gekommen?« fragte K., er wollte zuerst das Vertrauen des Malers gewinnen, bevor er ihn geradezu in seine Dienste nahm. »Das war sehr einfach«, sagte der Maler, »ich habe diese Verbindung geerbt. Schon mein Vater war Gerichtsmaler. Es ist das eine Stellung die sich immer vererbt. Man kann dafür neue Leute nicht brauchen. Es sind nämlich für das Malen der verschiedenen Beamtengrade so verschiedene vielfache und vor allem geheime Regeln aufgestellt, dass sie überhaupt nicht außerhalb bestimmter Familien bekannt werden. Dort in der Schublade z.B. habe ich die Aufzeichnungen meines Vaters, die ich niemandem zeige. Aber nur wer sie kennt ist zum Malen von Richtern befähigt. Je-

doch selbst wenn ich sie verlieren würde, blieben mir noch so
viele Regeln, die ich allein in meinem Kopfe trage, dass mir
niemand meine Stellung streitig machen könnte. Es will doch
jeder Richter so gemalt werden wie die alten großen Richter
gemalt worden sind und das kann nur ich.« »Das ist benei-
denswert«, sagte K., der an seine Stellung in der Bank dachte,
»Ihre Stellung ist also unerschütterlich?« »Ja unerschütterlich«, sagte der Maler und hob stolz die Achseln. »Deshalb
kann ich es auch wagen hie und da einem armen Mann, der
einen Process hat, zu helfen.« »Und wie tun Sie das?« fragte
K., als sei es nicht er, den der Maler soeben einen armen Mann
genannt hatte. Der Maler aber ließ sich nicht ablenken, sondern sagte: »In Ihrem Fall z.B. werde ich, da Sie vollständig
unschuldig sind, Folgendes unternehmen.« Die wiederholte
Erwähnung seiner Unschuld wurde K. schon lästig. Ihm
schien es manchmal als mache der Maler durch solche Bemerkungen einen günstigen Ausgang des Processes zur Voraussetzung seiner Hilfe, die dadurch natürlich in sich selbst zu-
sammenfiel. Trotz dieser Zweifel bezwang sich aber K. und
unterbrach den Maler nicht. Verzichten wollte er auf die Hilfe
des Malers nicht, dazu war er entschlossen, auch schien ihm
diese Hilfe durchaus nicht fragwürdiger als die des Advokaten zu sein. K. zog sie jener sogar beiweitem vor, weil sie
harmloser und offener dargeboten wurde.

Der Maler hatte seinen Sessel näher zum Bett gezogen und
fuhr mit gedämpfter Stimme fort: »Ich habe vergessen Sie zunächst zu fragen, welche Art der Befreiung Sie wünschen. Es
gibt drei Möglichkeiten, nämlich die wirkliche Freisprechung, die scheinbare Freisprechung und die Verschleppung.
Die wirkliche Freisprechung ist natürlich das Beste, nur habe
ich nicht den geringsten Einfluss auf diese Art der Lösung. Es
gibt meiner Meinung nach überhaupt keine einzelne Person,
die auf die wirkliche Freisprechung Einfluss hätte. Hier entscheidet wahrscheinlich nur die Unschuld des Angeklagten.
Da Sie unschuldig sind, wäre es wirklich möglich, dass Sie sich
allein auf Ihre Unschuld verlassen. Dann brauchen Sie aber
weder mich noch irgendeine andere Hilfe.«

Diese geordnete Darstellung verblüffte K. anfangs, dann aber sagte er ebenso leise wie der Maler: »Ich glaube Sie widersprechen sich.« »Wie denn?« fragte der Maler geduldig und lehnte sich lächelnd zurück. Dieses Lächeln erweckte in K. das Gefühl, als ob er jetzt daran gehe, nicht in den Worten des Malers sondern in dem Gerichtsverfahren selbst Widersprüche zu entdecken. Trotzdem wich er aber nicht zurück und sagte: »Sie haben früher die Bemerkung gemacht, dass das Gericht für Beweisgründe unzugänglich ist, später haben Sie dies auf das öffentliche Gericht eingeschränkt und jetzt sagen Sie sogar, dass der Unschuldige vor dem Gericht keine Hilfe braucht. Darin liegt schon ein Widerspruch. Außerdem aber haben Sie früher gesagt, dass man die Richter persönlich beeinflussen kann, stellen aber jetzt in Abrede, dass die wirkliche Freisprechung, wie Sie sie nennen, jemals durch persönliche Beeinflussung zu erreichen ist. Darin liegt der zweite Widerspruch.« »Diese Widersprüche sind leicht aufzuklären«, sagte der Maler. »Es ist hier von zwei verschiedenen Dingen die Rede, von dem was im Gesetz steht und von dem was ich persönlich erfahren habe, das dürfen Sie nicht verwechseln. Im Gesetz, ich habe es allerdings nicht gelesen, steht natürlich einerseits dass der Unschuldige freigesprochen wird, andererseits steht dort aber nicht, dass die Richter beeinflusst werden können. Nun habe aber ich gerade das Gegenteil dessen erfahren. Ich weiß von keiner wirklichen Freisprechung, wohl aber von vielen Beeinflussungen. Es ist natürlich möglich dass in allen mir bekannten Fällen keine Unschuld vorhanden war. Aber ist das nicht unwahrscheinlich? In so vielen Fällen keine einzige Unschuld? Schon als Kind hörte ich dem Vater genau zu, wenn er zuhause von Processen erzählte, auch die Richter, die in sein Atelier kamen, erzählten vom Gericht, man spricht in unsern Kreisen überhaupt von nichts anderem, kaum bekam ich die Möglichkeit selbst zu Gericht zu gehn, nützte ich sie immer aus, unzählbare Processe habe ich in wichtigen Stadien angehört und soweit sie sichtbar sind verfolgt, und – ich muss es zugeben – nicht einen einzigen wirklichen Freispruch erlebt.« »Keinen einzigen Freispruch also«, sagte K. als rede er zu sich selbst und zu seinen Hoffnungen. »Das bestätigt aber die Meinung die ich von dem Gericht schon habe. Es ist also auch von dieser Seite zwecklos. Ein einziger Henker könnte das ganze Gericht ersetzen.« »Sie dürfen nicht verallgemeinern«, sagte der Maler unzufrieden, »ich habe ja nur von meinen Erfahrungen gesprochen.« »Das genügt doch«, sagte K., »oder haben Sie von Freisprüchen aus früherer Zeit gehört?« »Solche Freisprüche«, antwortete der Maler, »soll es allerdings gegeben haben. Nur ist es sehr schwer das festzustellen. Die abschließenden Entscheidungen des Gerichtes werden nicht veröffentlicht, sie sind nicht einmal den Richtern zugänglich, infolgedessen haben sich über alte Gerichtsfälle nur Legenden erhalten. Diese enthalten allerdings sogar in der Mehrzahl wirkliche Freisprechungen, man kann sie glauben, nachweisbar sind sie aber nicht. Trotzdem muss man sie nicht ganz vernachlässigen, eine gewisse Wahrheit enthalten sie wohl gewiss, auch sind sie sehr schön, ich selbst habe einige Bilder gemalt, die solche Legenden zum Inhalt haben.« »Bloße Legenden ändern meine Meinung nicht«, sagte K., »man kann sich wohl auch vor Gericht auf diese Legenden nicht berufen?« Der Maler lachte. »Nein, das kann man nicht«, sagte er. »Dann ist es nutzlos darüber zu reden«, sagte K., er wollte vorläufig alle Meinungen des Malers hinnehmen, selbst wenn er sie für unwahrscheinlich hielt und sie andern Berichten widersprachen. Er hatte jetzt nicht die Zeit alles was der Maler sagte auf die Wahrheit hin zu überprüfen oder gar zu widerlegen, es war schon das Äußerste erreicht, wenn er den Maler dazu bewog, ihm in irgendeiner, sei es auch in einer nicht entscheidenden Weise zu helfen. Darum sagte er: »Sehn wir also von der wirklichen Freisprechung ab, Sie erwähnten aber noch zwei andere Möglichkeiten.« »Die scheinbare Freisprechung und die Verschleppung. Um die allein kann es sich handeln«, sagte der Maler. »Wollen Sie aber nicht, ehe wir davon reden, den Rock ausziehn. Es ist Ihnen wohl heiß.« »Ja«, sagte K., der bisher auf nichts als auf die Erklärungen des Malers geachtet hatte, dem aber jetzt, da er an die Hitze erinnert worden war, starker Schweiß auf der Stirn aus-

---

13 **Legenden:** hier: erfundene Geschichten | 34 **Rock:** Jackett

brach. »Es ist fast unerträglich.« Der Maler nickte, als verstehe er K.'s Unbehagen sehr gut. »Könnte man nicht das Fenster öffnen?« fragte K. »Nein«, sagte der Maler. »Es ist bloß eine fest eingesetzte Glasscheibe, man kann es nicht öffnen.« Jetzt erkannte K., dass er die ganze Zeit über darauf gehofft hatte, plötzlich werde der Maler oder er zum Fenster gehn und es aufreißen. Er war darauf vorbereitet, selbst den Nebel mit offenem Mund einzuatmen. Das Gefühl hier von der Luft vollständig abgesperrt zu sein verursachte ihm Schwindel. Er schlug leicht mit der Hand auf das Federbett neben sich und sagte mit schwacher Stimme: »Das ist ja unbequem und ungesund.« »Oh nein«, sagte der Maler zur Verteidigung seines Fensters. »Dadurch dass es nicht aufgemacht werden kann, wird, trotzdem es nur eine einfache Scheibe ist, die Wärme hier besser festgehalten als durch ein Doppelfenster. Will ich aber lüften, was nicht sehr notwendig ist, da durch die Balkenritzen überall Luft eindringt, kann ich eine meiner Türen oder sogar beide öffnen.« K. durch diese Erklärung ein wenig getröstet blickte herum, um die zweite Tür zu finden. Der Maler bemerkte das und sagte: »Sie ist hinter Ihnen, ich musste sie durch das Bett verstellen.« Jetzt erst sah K. die kleine Türe in der Wand. »Es ist eben hier alles viel zu klein für ein Atelier«, sagte der Maler, als wolle er einem Tadel K.'s zuvorkommen. »Ich musste mich einrichten so gut es gieng. Das Bett vor der Tür steht natürlich an einem sehr schlechten Platz. Der Richter z.B. den ich jetzt male, kommt immer durch die Tür beim Bett und ich habe ihm auch einen Schlüssel von dieser Tür gegeben, damit er auch wenn ich nicht zuhause bin, hier im Atelier auf mich warten kann. Nun kommt er aber gewöhnlich früh am Morgen während ich noch schlafe. Es reißt mich natürlich immer aus dem tiefsten Schlaf wenn sich neben dem Bett die Türe öffnet. Sie würden jede Ehrfurcht vor den Richtern verlieren, wenn Sie die Flüche hören würden, mit denen ich ihn empfange, wenn früh er über mein Bett steigt. Ich könnte ihm allerdings den Schlüssel wegnehmen, aber es würde dadurch nur ärger werden. Man kann hier alle Türen mit der geringsten Anstrengung aus den Angeln brechen.«

Während dieser ganzen Rede überlegte K. ob er den Rock
ausziehn sollte, er sah aber schließlich ein, dass er wenn er es
nicht tat unfähig war, hier noch länger zu bleiben, er zog daher
den Rock aus, legte ihn aber über die Knie, um ihn falls die
Besprechung zuende wäre, sofort wieder anziehn zu können.
Kaum hatte er den Rock ausgezogen, rief eines der Mädchen:
»Er hat schon den Rock ausgezogen« und man hörte wie sich
alle zu den Ritzen drängten, um das Schauspiel selbst zu sehn.
»Die Mädchen glauben nämlich«, sagte der Maler, »dass ich Sie
malen werde und dass Sie sich deshalb ausziehn.« »So«, sagte
K. nur wenig belustigt, denn er fühlte sich nicht viel besser als
früher trotzdem er jetzt in Hemdärmeln dasaß. Fast mürrisch
fragte er: »Wie nannten Sie die zwei andern Möglichkeiten?«
Er hatte die Ausdrücke schon wieder vergessen. »Die scheinbare Freisprechung und die Verschleppung«, sagte der Maler.
»Es liegt an Ihnen, was Sie davon wählen. Beides ist durch
meine Hilfe erreichbar, natürlich nicht ohne Mühe, der Unterschied in dieser Hinsicht ist der, dass die scheinbare Freisprechung eine gesammelte zeitweilige, die Verschleppung
eine viel geringere aber dauernde Anstrengung verlangt. Zunächst also die scheinbare Freisprechung. Wenn Sie diese
wünschen sollten, schreibe ich auf einem Bogen Papier eine
Bestätigung Ihrer Unschuld auf. Der Text für eine solche Bestätigung ist mir von meinem Vater überliefert und ganz
unangreifbar. Mit dieser Bestätigung mache ich nun einen
Rundgang bei den mir bekannten Richtern. Ich fange also
etwa damit an, dass ich dem Richter, den ich jetzt male, heute
abend wenn er zur Sitzung kommt, die Bestätigung vorlege.
Ich lege ihm die Bestätigung vor, erkläre ihm dass Sie unschuldig sind und verbürge mich für Ihre Unschuld. Das ist aber
keine bloß äußerliche, sondern eine wirkliche bindende Bürgschaft.« In den Blicken des Malers lag es wie ein Vorwurf, dass
K. ihm die Last einer solchen Bürgschaft auferlegen wolle.
»Das wäre ja sehr freundlich«, sagte K. »Und der Richter
würde Ihnen glauben und mich trotzdem nicht wirklich freisprechen?« »Wie ich schon sagte«, antwortete der Maler.
»Übrigens ist es durchaus nicht sicher, dass jeder mir glauben

würde, mancher Richter wird z.B. verlangen, dass ich Sie selbst zu ihm hinführe. Dann müssten Sie also einmal mitkommen. Allerdings ist in einem solchen Fall die Sache schon halb gewonnen, besonders da ich Sie natürlich vorher genau darüber unterrichten würde, wie Sie sich bei dem betreffenden Richter zu verhalten haben. Schlimmer ist es bei den Richtern, die mich – auch das wird vorkommen – von vornherein abweisen. Auf diese müssen wir, wenn ich es auch an mehrfachen Versuchen gewiss nicht fehlen lassen werde, verzichten, wir dürfen das aber auch, denn einzelne Richter können hier nicht den Ausschlag geben. Wenn ich nun auf dieser Bestätigung eine genügende Anzahl von Unterschriften der Richter habe, gehe ich mit dieser Bestätigung zu dem Richter, der Ihren Process gerade führt. Möglicherweise habe ich auch seine Unterschrift, dann entwickelt sich alles noch ein wenig rascher, als sonst. Im allgemeinen gibt es dann aber überhaupt nicht mehr viel Hindernisse, es ist dann für den Angeklagten die Zeit der höchsten Zuversicht. Es ist merkwürdig aber wahr, die Leute sind in dieser Zeit zuversichtlicher als nach dem Freispruch. Es bedarf jetzt keiner besondern Mühe mehr. Der Richter besitzt in der Bestätigung die Bürgschaft einer Anzahl von Richtern, kann Sie unbesorgt freisprechen und wird es allerdings nach Durchführung verschiedener Formalitäten mir und andern Bekannten zu Gefallen zweifellos tun. Sie aber treten aus dem Gericht und sind frei.« »Dann bin ich also frei«, sagte K. zögernd. »Ja«, sagte der Maler, »aber nur scheinbar frei oder besser ausgedrückt zeitweilig frei. Die untersten Richter nämlich, zu denen meine Bekannten gehören, haben nicht das Recht endgiltig freizusprechen, dieses Recht hat nur das oberste, für Sie, für mich und für uns alle ganz unerreichbare Gericht. Wie es dort aussieht wissen wir nicht und wollen wir nebenbei gesagt auch nicht wissen. Das große Recht, von der Anklage zu befreien haben also unsere Richter nicht, wohl aber haben sie das Recht von der Anklage loszulösen. Das heißt, wenn Sie auf diese Weise freigesprochen werden, sind Sie für den Augenblick der Anklage entzogen, aber sie schwebt auch weiterhin über Ihnen und kann, sobald

---

29 **endgiltig:** endgültig

nur der höhere Befehl kommt, sofort in Wirkung treten. Da
ich mit dem Gericht in so guter Verbindung stehe kann ich
Ihnen auch sagen wie sich in den Vorschriften für die Gerichtskanzleien der Unterschied zwischen der wirklichen und
5 der scheinbaren Freisprechung rein äußerlich zeigt. Bei einer
wirklichen Freisprechung sollen die Processakten vollständig
abgelegt werden, sie verschwinden gänzlich aus dem Verfahren, nicht nur die Anklage, auch der Process und sogar der
Freispruch sind vernichtet, alles ist vernichtet. Anders beim
10 scheinbaren Freispruch. Mit dem Akten ist keine weitere Veränderung vor sich gegangen, als dass er um die Bestätigung der
Unschuld, um den Freispruch und um die Begründung des
Freispruchs bereichert worden ist. Im übrigen aber bleibt er
im Verfahren, er wird wie es der ununterbrochene Verkehr
15 der Gerichtskanzleien erfordert, zu den höhern Gerichten
weitergeleitet, kommt zu den niedrigern zurück und pendelt
so mit größern und kleinern Schwingungen, mit größern und
kleinern Stockungen auf und ab. Diese Wege sind unbere-
chenbar. Von außen gesehn kann es manchmal den Anschein
20 bekommen, dass alles längst vergessen, der Akt verloren und
der Freispruch ein vollkommener ist. Ein Eingeweihter wird
das nicht glauben. Es geht kein Akt verloren, es gibt bei Gericht kein Vergessen. Eines Tages – niemand erwartet es –
nimmt irgendein Richter den Akt aufmerksamer in die Hand,
25 erkennt dass in diesem Fall die Anklage noch lebendig ist und
ordnet die sofortige Verhaftung an. Ich habe hier angenommen, dass zwischen dem scheinbaren Freispruch und der neu-
en Verhaftung eine lange Zeit vergeht, das ist möglich und ich
weiß von solchen Fällen, es ist aber ebensogut möglich, dass
30 der Freigesprochene vom Gericht nachhause kommt und
dort schon Beauftragte warten, um ihn wieder zu verhaften.
Dann ist natürlich das freie Leben zuende.« »Und der Process
beginnt von neuem?« fragte K. fast ungläubig. »Allerdings«,
sagte der Maler, »der Process beginnt von neuem, es besteht
35 aber wieder die Möglichkeit ebenso wie früher, einen scheinbaren Freispruch zu erwirken. Man muss wieder alle Kräfte
zusammennehmen und darf sich nicht ergeben.« Das Letztere

---

10 **mit dem Akten:** mit dem Akt (der Akte, dem Vorgang; österr.)

sagte der Maler vielleicht unter dem Eindruck, den K., der ein
wenig zusammengesunken war, auf ihn machte. »Ist aber«,
fragte K. als wolle er jetzt irgendwelchen Enthüllungen des
Malers zuvorkommen, »die Erwirkung eines zweiten Frei-
spruches nicht schwieriger als die des ersten?« »Man kann«,
antwortete der Maler, »in dieser Hinsicht nichts Bestimmtes
sagen. Sie meinen wohl dass die Richter durch die zweite Verhaftung in ihrem Urteil zu Ungunsten des Angeklagten beeinflusst werden? Das ist nicht der Fall. Die Richter haben ja
schon beim Freispruch diese Verhaftung vorhergesehn. Dieser Umstand wirkt also kaum ein. Wohl aber kann aus zahllosen sonstigen Gründen die Stimmung der Richter sowie
ihre rechtliche Beurteilung des Falles eine andere geworden
sein und die Bemühungen um den zweiten Freispruch müssen
daher den veränderten Umständen angepasst werden und im
allgemeinen ebenso kräftig sein wie die vor dem ersten Freispruch.« »Aber dieser zweite Freispruch ist doch wieder nicht
endgiltig«, sagte K. und drehte abweisend den Kopf. »Natürlich nicht«, sagte der Maler, »dem zweiten Freispruch folgt die
dritte Verhaftung, dem dritten Freispruch die vierte Verhaftung und so fort. Das liegt schon im Begriff des scheinbaren
Freispruchs.« K. schwieg. »Der scheinbare Freispruch scheint
Ihnen offenbar nicht vorteilhaft zu sein«, sagte der Maler,
»vielleicht entspricht Ihnen die Verschleppung besser. Soll ich
Ihnen das Wesen der Verschleppung erklären?« K. nickte. Der
Maler hatte sich breit in seinem Sessel zurückgelehnt, das
Nachthemd war weit offen, er hatte eine Hand darunter geschoben, mit der er über die Brust und die Seiten strich. »Die
Verschleppung«, sagte der Maler und sah einen Augenblick
vor sich hin, als suche er eine vollständig zutreffende Erklärung, »die Verschleppung besteht darin, dass der Process dauernd im niedrigsten Processstadium erhalten wird. Um dies zu
erreichen ist es nötig, dass der Angeklagte und der Helfer, insbesondere aber der Helfer in ununterbrochener persönlicher
Fühlung mit dem Gerichte bleibt. Ich wiederhole, es ist hiefür
kein solcher Kraftaufwand nötig wie bei der Erreichung eines
scheinbaren Freispruchs, wohl aber ist eine viel größere Auf-

merksamkeit nötig. Man darf den Process nicht aus dem Auge
verlieren, man muss zu dem betreffenden Richter in regelmäßigen Zwischenräumen und außerdem bei besondern Gelegenheiten gehn und ihn auf jede Weise sich freundlich zu
5 erhalten suchen; ist man mit dem Richter nicht persönlich
bekannt, so muss man durch bekannte Richter ihn beeinflussen lassen, ohne dass man etwa deshalb die unmittelbaren
Besprechungen aufgeben dürfte. Versäumt man in dieser Hinsicht nichts, so kann man mit genügender Bestimmtheit an-
10 nehmen, dass der Process über sein erstes Stadium nicht
hinauskommt. Der Process hört zwar nicht auf, aber der Angeklagte ist vor einer Verurteilung fast ebenso gesichert, wie
wenn er frei wäre. Gegenüber dem scheinbaren Freispruch
hat die Verschleppung den Vorteil, dass die Zukunft des An-
15 geklagten weniger unbestimmt ist, er bleibt vor dem Schrecken der plötzlichen Verhaftungen bewahrt und muss nicht
fürchten, etwa gerade zu Zeiten, wo seine sonstigen Umstände dafür am wenigsten günstig sind, die Anstrengungen und
Aufregungen auf sich nehmen zu müssen, welche mit der
20 Erreichung des scheinbaren Freispruchs verbunden sind.
Allerdings hat auch die Verschleppung für den Angeklagten
gewisse Nachteile die man nicht unterschätzen darf. Ich denke hiebei nicht daran, dass hier der Angeklagte niemals frei ist,
das ist er ja auch bei der scheinbaren Freisprechung im eigent-
25 lichen Sinne nicht. Es ist ein anderer Nachteil. Der Process
kann nicht stillstehn, ohne dass wenigstens scheinbare Gründe
dafür vorliegen. Es muss deshalb im Process nach außen hin
etwas geschehn. Es müssen also von Zeit zu Zeit verschiedene
Anordnungen getroffen werden, der Angeklagte muss verhört
30 werden, Untersuchungen müssen stattfinden u.s.w. Der Process muss eben immerfort in dem kleinen Kreis, auf den er
künstlich eingeschränkt worden ist, gedreht werden. Das
bringt natürlich gewisse Unannehmlichkeiten für den Angeklagten mit sich, die Sie sich aber wiederum nicht zu schlimm
35 vorstellen dürfen. Es ist ja alles nur äußerlich, die Verhöre
beispielsweise sind also nur ganz kurz, wenn man einmal keine Zeit oder keine Lust hat hinzugehn, darf man sich ent-

schuldigen, man kann sogar bei gewissen Richtern die Anordnungen für eine lange Zeit im voraus gemeinsam festsetzen, es handelt sich im Wesen nur darum, dass man, da man Angeklagter ist, von Zeit zu Zeit bei seinem Richter sich meldet.« Schon während der letzten Worte hatte K. den Rock über den Arm gelegt und war aufgestanden. »Er steht schon auf«, rief es sofort draußen vor der Tür. »Sie wollen schon fortgehn?« fragte der Maler, der auch aufgestanden war. »Es ist gewiss die Luft, die Sie von hier vertreibt. Es ist mir sehr peinlich. Ich hätte Ihnen auch noch manches zu sagen. Ich musste mich ganz kurz fassen. Ich hoffe aber verständlich gewesen zu sein.« »Oja«, sagte K., dem von der Anstrengung mit der er sich zum Zuhören gezwungen hatte der Kopf schmerzte. Trotz dieser Bestätigung sagte der Maler alles nocheinmal zusammenfassend, als wolle er K. auf den Heimweg einen Trost mitgeben: »Beide Metoden haben das Gemeinsame, dass sie eine Verurteilung des Angeklagten verhindern.« »Sie verhindern aber auch die wirkliche Freisprechung«, sagte K. leise, als schäme er sich das erkannt zu haben. »Sie haben den Kern der Sache erfasst«, sagte der Maler schnell. K. legte die Hand auf seinen Winterrock, konnte sich aber nicht einmal entschließen, den Rock anzuziehn. Am liebsten hätte er alles zusammengepackt und wäre damit an die frische Luft gelaufen. Auch die Mädchen konnten ihn nicht dazu bewegen sich anzuziehn, trotzdem sie verfrüht schon einander zuriefen, dass er sich anziehe. Dem Maler lag daran K.'s Stimmung irgendwie zu deuten, er sagte deshalb: »Sie haben sich wohl hinsichtlich meiner Vorschläge noch nicht entschieden. Ich billige das. Ich hätte Ihnen sogar davon abgeraten sich sofort zu entscheiden. Die Vorteile und Nachteile sind haarfein. Man muss alles genau abschätzen. Allerdings darf man auch nicht zuviel Zeit verlieren.« »Ich werde bald wiederkommen«, sagte K., der in einem plötzlichen Entschluss den Rock anzog, den Mantel über die Schulter warf und zur Tür eilte, hinter der jetzt die Mädchen zu schreien anfiengen. K. glaubte die schreienden Mädchen durch die Tür zu sehn. »Sie müssen aber Wort halten«, sagte der Maler, der ihm nicht gefolgt war, »sonst kom-

me ich in die Bank, um selbst nachzufragen.« »Sperren Sie
doch die Tür auf«, sagte K. und riss an der Klinke, die die
Mädchen, wie er an dem Gegendruck merkte, draußen fest-
hielten. »Wollen Sie von den Mädchen belästigt werden?«
fragte der Maler. »Benützen Sie doch lieber diesen Ausgang«,
und er zeigte auf die Tür hinter dem Bett. K. war damit einverstanden und sprang zum Bett zurück. Aber statt die Tür
dort zu öffnen, kroch der Maler unter das Bett und fragte von
unten: »Nur noch einen Augenblick. Wollen Sie nicht noch
ein Bild sehn, das ich Ihnen verkaufen könnte?« K. wollte
nicht unhöflich sein, der Maler hatte sich wirklich seiner angenommen und versprochen ihm weiterhin zu helfen, auch
war infolge der Vergesslichkeit K.'s über die Entlohnung für
die Hilfe noch gar nicht gesprochen worden, deshalb konnte
ihn K. jetzt nicht abweisen und ließ sich das Bild zeigen, wenn
er auch vor Ungeduld zitterte, aus dem Atelier wegzukom-
men. Der Maler zog unter dem Bett einen Haufen ungerahm-
ter Bilder hervor, die so mit Staub bedeckt waren, dass dieser,
als ihn der Maler vom obersten Bild wegzublasen suchte, längere Zeit atemraubend K. vor den Augen wirbelte. »Eine Heidelandschaft«, sagte der Maler und reichte K. das Bild. Es
stellte zwei schwache Bäume dar, die weit von einander entfernt im dunklen Gras standen. Im Hintergrund war ein viel-
farbiger Sonnenuntergang. »Schön«, sagte K., »ich kaufe es.«
K. hatte unbedacht sich so kurz geäußert, er war daher froh,
als der Maler statt dies übel zu nehmen, ein zweites Bild vom
Boden aufhob. »Hier ist ein Gegenstück zu diesem Bild«, sagte der Maler. Es mochte als Gegenstück beabsichtigt sein, es
war aber nicht der geringste Unterschied gegenüber dem ersten Bild zu merken, hier waren die Bäume, hier das Gras und
dort der Sonnenuntergang. Aber K. lag wenig daran. »Es sind
schöne Landschaften«, sagte er, »ich kaufe beide und werde
sie in meinem Bureau aufhängen.« »Das Motiv scheint Ihnen
zu gefallen«, sagte der Maler und holte ein drittes Bild herauf,
»es trifft sich gut, dass ich noch ein ähnliches Bild hier habe.«
Es war aber nicht ähnlich, es war vielmehr die völlig gleiche
alte Heidelandschaft. Der Maler nützte diese Gelegenheit alte

Bilder zu verkaufen, gut aus. »Ich nehme auch dieses noch«, sagte K. »Wieviel kosten die 3 Bilder?« »Darüber werden wir nächstens sprechen«, sagte der Maler, »Sie haben jetzt Eile und wir bleiben doch in Verbindung. Im übrigen freut es mich, dass Ihnen die Bilder gefallen, ich werde Ihnen alle Bilder mitgeben, die ich hier unten habe. Es sind lauter Heidelandschaften, ich habe schon viele Heidelandschaften gemalt. Manche Leute weisen solche Bilder ab, weil sie zu düster sind, andere aber, und Sie gehören zu ihnen, lieben gerade das Düstere.« Aber K. hatte jetzt keinen Sinn für die beruflichen Erfahrungen des Bettelmalers. »Packen Sie alle Bilder ein«, rief er, dem Maler in die Rede fallend, »morgen kommt mein Diener und wird sie holen.« »Es ist nicht nötig«, sagte der Maler. »Ich hoffe ich werde Ihnen einen Träger verschaffen können, der gleich mit Ihnen gehn wird.« Und er beugte sich endlich über das Bett und sperrte die Tür auf. »Steigen Sie ohne Scheu auf das Bett«, sagte der Maler, »das tut jeder der hier hereinkommt.« K. hätte auch ohne diese Aufforderung keine Rücksicht genommen, er hatte sogar schon einen Fuß mitten auf das Federbett gesetzt, da sah er durch die offene Tür hinaus und zog den Fuß wieder zurück. »Was ist das?« fragte er den Maler. »Worüber staunen Sie?« fragte dieser, seinerseits staunend. »Es sind die Gerichtskanzleien. Wussten Sie nicht, dass hier Gerichtskanzleien sind? Gerichtskanzleien sind doch fast auf jedem Dachboden, warum sollten sie gerade hier fehlen? Auch mein Atelier gehört eigentlich zu den Gerichtskanzleien, das Gericht hat es mir aber zur Verfügung gestellt.« K. erschrak nicht so sehr darüber, dass er auch hier Gerichtskanzleien gefunden hatte, er erschrak hauptsächlich über sich, über seine Unwissenheit in Gerichtssachen. Als eine Grundregel für das Verhalten eines Angeklagten erschien es ihm, immer vorbereitet zu sein, sich niemals überraschen zu lassen, nicht ahnungslos nach rechts zu schauen, wenn links der Richter neben ihm stand – und gerade gegen diese Grundregel verstieß er immer wieder. Vor ihm dehnte sich ein langer Gang, aus dem eine Luft wehte, mit der verglichen die Luft im Atelier erfrischend war. Bänke waren zu beiden Seiten des Gan-

ges aufgestellt, genau so wie im Wartezimmer der Kanzlei, die
für K. zuständig war. Es schienen genaue Vorschriften für die
Einrichtung von Kanzleien zu bestehn. Augenblicklich war
der Parteienverkehr hier nicht sehr groß. Ein Mann saß dort
halb liegend, das Gesicht hatte er auf der Bank in seine Arme
vergraben und schien zu schlafen; ein anderer stand im Halbdunkel am Ende des Ganges. K. stieg nun über das Bett, der
Maler folgte ihm mit den Bildern. Sie trafen bald einen Gerichtsdiener – K. erkannte jetzt schon alle Gerichtsdiener an
dem Goldknopf, den diese an ihrem Civilanzug unter den
gewöhnlichen Knöpfen hatten – und der Maler gab ihm den
Auftrag, K. mit den Bildern zu begleiten. K. wankte mehr als
er gieng, das Taschentuch hielt er an den Mund gedrückt. Sie
waren schon nahe dem Ausgang, da stürmten ihnen die Mädchen entgegen, die also K. auch nicht erspart geblieben waren.
Sie hatten offenbar gesehn, dass die 2te Tür des Ateliers
geöffnet worden war und hatten den Umweg gemacht, um
von dieser Seite einzudringen. »Ich kann Sie nicht mehr begleiten«, rief der Maler lachend unter dem Andrang der Mädchen. »Auf Wiedersehn! Und überlegen Sie nicht zu lange!«
K. sah sich nicht einmal nach ihm um. Auf der Gasse nahm er
den ersten Wagen, der ihm in den Weg kam. Es lag ihm viel
daran, den Diener loszuwerden, dessen Goldknopf ihm unaufhörlich in die Augen stach, wenn er auch sonst wahrscheinlich niemandem auffiel. In seiner Dienstfertigkeit wollte sich der Diener noch auf den Kutschbock setzen, K. jagte
ihn aber herunter. Mittag war schon längst vorüber, als K. vor
der Bank ankam. Er hätte gern die Bilder im Wagen gelassen,
fürchtete aber, bei irgendeiner Gelegenheit genötigt zu werden, sich dem Maler gegenüber mit ihnen auszuweisen. Er
ließ sie daher in sein Bureau schaffen und versperrte sie in die
unterste Lade seines Tisches, um sie wenigstens für die aller-
nächsten Tage vor den Blicken des Direktor-Stellvertreters in
Sicherheit zu bringen.

Kaufmann Block
Kündigung des Advokaten

Endlich hatte sich K. doch entschlossen, dem Advokaten seine Vertretung zu entziehn. Zweifel daran, ob es richtig war, so zu handeln, waren zwar nicht auszurotten, aber die Überzeugung von der Notwendigkeit dessen überwog. Die Entschließung hatte K. an dem Tage an dem er zum Advokaten gehen wollte, viel Arbeitskraft entzogen, er arbeitete besonders langsam, er musste sehr lange im Bureau bleiben und es war schon 10 Uhr vorüber, als er endlich vor der Tür des Advokaten stand. Noch ehe er läutete überlegte er, ob es nicht besser wäre, dem Advokaten telephonisch oder brieflich zu kündigen, die persönliche Unterredung würde gewiss sehr peinlich werden. Trotzdem wollte K. schließlich auf sie nicht verzichten, bei jeder andern Art der Kündigung würde diese stillschweigend oder mit ein paar förmlichen Worten angenommen werden und K. würde, wenn nicht etwa Leni einiges erforschen könnte, niemals erfahren, wie der Advokat die Kündigung aufgenommen hatte und was für Folgen für K. diese Kündigung nach der nicht unwichtigen Meinung des Advokaten haben könnte. Saß aber der Advokat K. gegenüber und wurde er von der Kündigung überrascht, so würde K., selbst wenn der Advokat sich nicht viel entlocken ließ, aus seinem Gesicht und seinem Benehmen alles was er wollte, leicht entnehmen können. Es war sogar nicht ausgeschlossen, dass er überzeugt wurde, dass es doch gut wäre, dem Advokaten die Verteidigung zu überlassen und dass er dann seine Kündigung zurückzog.

Das erste Läuten an der Tür des Advokaten war, wie gewöhnlich, zwecklos. »Leni könnte flinker sein«, dachte K. Aber es war schon ein Vorteil, wenn sich nicht die andere

Partei einmischte, wie sie es gewöhnlich tat, sei es dass der Mann im Schlafrock oder sonst jemand zu belästigen anfieng. Während K. zum zweitenmal den Knopf drückte, sah er nach der andern Tür zurück, diesmal aber blieb auch sie geschlossen. Endlich erschienen an dem Guckfenster der Tür des Advokaten zwei Augen, es waren aber nicht Leni's Augen. Jemand schloss die Tür auf, stemmte sich aber noch vorläufig gegen sie, rief in die Wohnung zurück »Er ist es«, und öffnete erst dann vollständig. K. hatte gegen die Tür gedrängt, denn schon hörte er wie hinter ihm in der Tür der andern Wohnung der Schlüssel hastig im Schloss gedreht wurde. Als sich daher die Tür vor ihm endlich öffnete, stürmte er geradezu ins Vorzimmer und sah noch, wie durch den Gang, der zwischen den Zimmern hindurchführte, Leni, welcher der Warnungsruf des Türöffners gegolten hatte, im Hemd davonlief. Er blickte ihr ein Weilchen nach und sah sich dann nach dem Türöffner um. Es war ein kleiner dürrer Mann mit Vollbart, er hielt eine Kerze in der Hand. »Sie sind hier angestellt?« fragte K. »Nein«, antwortete der Mann, »ich bin hier fremd, der Advokat ist nur mein Vertreter, ich bin hier wegen einer Rechtsangelegenheit.« »Ohne Rock?« fragte K. und zeigte mit einer Handbewegung auf die mangelhafte Bekleidung des Mannes. »Ach verzeihen Sie«, sagte der Mann und beleuchtete sich selbst mit der Kerze, als sähe er selbst zum ersten Mal seinen Zustand. »Leni ist Ihre Geliebte?« fragte K. kurz. Er hatte die Beine ein wenig gespreizt, die Hände in denen er den Hut hielt, hinten verschlungen. Schon durch den Besitz eines starken Überrocks fühlte er sich dem magern Kleinen sehr überlegen. »Oh Gott«, sagte der und hob die eine Hand in erschrockener Abwehr vor das Gesicht, »nein, nein, was denken Sie denn?« »Sie sehn glaubwürdig aus«, sagte K. lächelnd, »trotzdem – kommen Sie.« Er winkte ihm mit dem Hut und ließ ihn vor sich gehn. »Wie heißen Sie denn?« fragte K. auf dem Weg. »Block, Kaufmann Block«, sagte der Kleine und drehte sich bei dieser Vorstellung nach K. um, stehen bleiben ließ ihn aber K. nicht. »Ist das Ihr wirklicher Name?« fragte K. »Gewiss«, war die Antwort, »warum haben Sie denn Zweifel?« »Ich dachte Sie könnten Grund haben Ihren Namen zu verschweigen«, sagte K. Er fühlte sich so frei, wie man es sonst nur ist, wenn man in der Fremde mit niedrigen Leuten spricht, alles was einen selbst betrifft, bei sich behält, nur gleichmütig von den Interessen der andern redet, sie dadurch vor sich selbst erhöht aber auch nach Belieben fallen lassen kann. Bei der Tür des Arbeitszimmers des Advokaten blieb K. stehn, öffnete sie und rief dem Kaufmann, der folgsam weiter gegangen war, zu: »Nicht so eilig! Leuchten Sie hier.« K. dachte, Leni könnte sich hier versteckt haben, er ließ den Kaufmann alle Winkel absuchen, aber das Zimmer war leer. Vor dem Bild des Richters hielt K. den Kaufmann hinten an den Hosenträgern zurück. »Kennen Sie den«, fragte er und zeigte mit dem Zeigefinger in die Höhe. Der Kaufmann hob die Kerze, sah blinzelnd hinauf und sagte: »Es ist ein Richter.« »Ein hoher Richter?« fragte K. und stellte sich seitlich vor den Kaufmann, um den Eindruck, den das Bild auf ihn machte, zu beobachten. Der Kaufmann sah bewundernd aufwärts. »Es ist ein hoher Richter«, sagte er. »Sie haben keinen großen Einblick«, sagte K. »Unter den niedrigen Untersuchungsrichtern ist er der niedrigste.« »Nun erinnere ich mich«, sagte der Kaufmann und senkte die Kerze, »ich habe es auch schon gehört.« »Aber natürlich«, rief K., »ich vergaß ja, natürlich müssen Sie es schon gehört haben.« »Aber warum denn, warum denn?« fragte der Kaufmann, während er sich von K. mit den Händen angetrieben zur Tür fortbewegte. Draußen auf dem Gang sagte K.: »Sie wissen doch, wo sich Leni versteckt hat?« »Versteckt?« sagte der Kaufmann, »nein, sie dürfte aber in der Küche sein und dem Advokaten eine Suppe kochen.« »Warum haben Sie das nicht gleich gesagt?« fragte K. »Ich wollte Sie ja hinführen, Sie haben mich aber wieder zurückgerufen«, antwortete der Kaufmann, wie verwirrt durch die widersprechenden Befehle. »Sie glauben wohl sehr schlau zu sein«, sagte K., »führen Sie mich also!« In der Küche war K. noch nie gewesen, sie war überraschend groß und reich ausgestattet. Allein der Herd war dreimal so groß wie gewöhnliche Herde, von dem übrigen sah man keine Einzelheiten, denn die Küche

wurde jetzt nur von einer kleinen Lampe beleuchtet, die beim
Eingang hieng. Am Herd stand Leni in weißer Schürze wie
immer und leerte Eier in einen Topf aus, der auf einem Spiri-
tusfeuer stand. »Guten Abend Josef«, sagte sie mit einem Seitenblick. »Guten Abend«, sagte K. und zeigte mit einer Hand
auf einen abseits stehenden Sessel, auf den sich der Kaufmann
setzen sollte, was dieser auch tat. K. aber gieng ganz nahe
hinter Leni, beugte sich über ihre Schulter und fragte: »Wer
ist der Mann?« Leni umfasste K. mit einer Hand, die andere
quirlte die Suppe, zog ihn nach vorn zu sich und sagte: »Es ist
ein bedauernswerter Mensch, ein armer Kaufmann, ein gewisser Block. Sieh ihn nur an.« Sie blickten beide zurück. Der
Kaufmann saß auf dem Sessel, auf den ihn K. gewiesen hatte,
er hatte die Kerze, deren Licht jetzt unnötig war ausgepustet
und drückte mit den Fingern den Docht, um den Rauch zu
verhindern. »Du warst im Hemd«, sagte K. und wendete ihren Kopf mit der Hand wieder dem Herd zu. Sie schwieg. »Er
ist Dein Geliebter?« fragte K. Sie wollte nach dem Suppentopf
greifen, aber K. nahm ihre beiden Hände und sagte: »Nun
antworte!« Sie sagte: »Komm ins Arbeitszimmer, ich werde
Dir alles erklären.« »Nein«, sagte K., »ich will dass Du es hier
erklärst.« Sie hieng sich an ihn und wollte ihn küssen, K.
wehrte sie aber ab und sagte: »Ich will nicht, dass Du mich
jetzt küsst.« »Josef«, sagte Leni und sah K. bittend und doch
offen in die Augen, »Du wirst doch nicht auf Herrn Block
eifersüchtig sein.« »Rudi«, sagte sie dann sich an den Kaufmann wendend, »so hilf mir doch, Du siehst ich werde ver-
dächtigt, lass die Kerze.« Man hätte denken können, er hätte
nicht achtgegeben, aber er war vollständig eingeweiht. »Ich
wüsste auch nicht, warum Sie eifersüchtig sein sollten«, sagte
er wenig schlagfertig. »Ich weiß es eigentlich auch nicht«, sagte K. und sah den Kaufmann lächelnd an. Leni lachte laut,
benützte die Unaufmerksamkeit K.'s, um sich in seinen Arm
einzuhängen und flüsterte: »Lass ihn jetzt, Du siehst ja was für
ein Mensch er ist. Ich habe mich seiner ein wenig angenomm-
en, weil er eine große Kundschaft des Advokaten ist, aus
keinem andern Grund. Und Du? Willst Du noch heute mit

dem Advokaten sprechen? Er ist heute sehr krank, aber wenn
Du willst, melde ich Dich doch an. Über Nacht bleibst Du
aber bei mir, ganz gewiss. Du warst auch schon so lange nicht
bei uns, selbst der Advokat hat nach Dir gefragt. Vernachläs-
sige den Process nicht! Auch ich habe Dir verschiedenes mit- 5
zuteilen, was ich erfahren habe. Nun aber zieh fürs erste Deinen Mantel aus!« Sie half ihm ihn auszieh'n, nahm ihm den
Hut ab, lief mit den Sachen ins Vorzimmer sie anzuhängen,
lief dann wieder zurück und sah nach der Suppe. »Soll ich
zuerst Dich anmelden oder ihm zuerst die Suppe bringen?« 10
»Melde mich zuerst an«, sagte K. Er war ärgerlich, er hatte
ursprünglich beabsichtigt, mit Leni seine Angelegenheit insbesondere die fragliche Kündigung genau zu besprechen, die
Anwesenheit des Kaufmanns hatte ihm aber die Lust dazu
genommen. Jetzt aber hielt er seine Sache doch für zu wichtig, 15
als dass dieser kleine Kaufmann vielleicht entscheidend eingreifen sollte und so rief er Leni, die schon auf dem Gang war,
wieder zurück. »Bring ihm doch zuerst die Suppe«, sagte er,
»er soll sich für die Unterredung mit mir stärken, er wird es
nötig haben.« »Sie sind auch ein Klient des Advokaten«, sagte 20
wie zur Feststellung der Kaufmann leise aus seiner Ecke. Es
wurde aber nicht gut aufgenommen. »Was kümmert Sie denn
das?« sagte K. und Leni sagte: »Wirst Du still sein.« »Dann
bringe ich ihm also zuerst die Suppe«, sagte Leni zu K. und
goss die Suppe auf einen Teller. »Es ist dann nur zu befürchten, 25
dass er bald einschläft, nach dem Essen schläft er bald ein.«
»Das was ich ihm sagen werde, wird ihn wacherhalten«, sagte
K., er wollte immerfort durchblicken lassen, dass er etwas
Wichtiges mit dem Advokaten zu verhandeln beabsichtige, er
wollte von Leni gefragt werden, was es sei, und dann erst sie 30
um Rat fragen. Aber sie erfüllte pünktlich bloß die ausgesprochenen Befehle. Als sie mit der Tasse an ihm vorüberging,
stieß sie absichtlich sanft an ihn und flüsterte: »Bis er die Suppe gegessen hat, melde ich Dich gleich an, damit ich Dich
möglichst bald wieder bekomme.« »Geh nur«, sagte K., »geh 35
nur.« »Sei doch freundlicher«, sagte sie und drehte sich in der
Tür mit der Tasse nochmals ganz um.

---

33 f. **Bis er die Suppe gegessen hat:** im Prager Deutsch für: wenn er
die Suppe gegessen hat | 37 **Tasse:** Tablett (österr.)

K. sah ihr nach; nun war es endgiltig beschlossen, dass der Advokat entlassen würde, es war wohl auch besser, dass er vorher mit Leni nicht mehr darüber sprechen konnte; sie hatte kaum den genügenden Überblick über das Ganze, hätte gewiss abgeraten, hätte möglicherweise K. auch wirklich von der Kündigung diesmal abgehalten, er wäre weiterhin in Zweifel und Unruhe geblieben und schließlich hätte er nach einiger Zeit seinen Entschluss doch ausgeführt, denn dieser Entschluss war allzu zwingend. Je früher er aber ausgeführt wurde, desto mehr Schaden wurde abgehalten. Vielleicht wusste übrigens der Kaufmann etwas darüber zu sagen.

K. wandte sich um, kaum bemerkte das der Kaufmann als er sofort aufstehen wollte. »Bleiben Sie sitzen«, sagte K. und zog einen Sessel neben ihn. »Sind Sie schon ein alter Klient des Advokaten?« fragte K. »Ja«, sagte der Kaufmann, »ein sehr alter Klient.« »Wie viel Jahre vertritt er Sie denn schon?« fragte K. »Ich weiß nicht, wie Sie es meinen«, sagte der Kaufmann, »in geschäftlichen Rechtsangelegenheiten – ich habe ein Getreidegeschäft – vertritt mich der Advokat schon seitdem ich das Geschäft übernommen habe, also etwa seit 20 Jahren, in meinem eigenen Process, auf den Sie wahrscheinlich anspielen, vertritt er mich auch seit Beginn, es ist schon länger als 5 Jahre.« »Ja, weit über 5 Jahre«, fügte er dann hinzu und zog eine alte Brieftasche hervor, »hier habe ich alles aufgeschrieben, wenn Sie wollen sage ich Ihnen die genauen Daten. Es ist schwer alles zu behalten. Mein Process dauert wahrscheinlich schon viel länger, er begann kurz nach dem Tod meiner Frau und das ist schon länger als 5 ½ Jahre.« K. rückte näher zu ihm. »Der Advokat übernimmt also auch gewöhnliche Rechtssachen?« fragte er. Diese Verbindung der Gerichte und Rechtswissenschaften schien K. ungemein beruhigend. »Gewiss«, sagte der Kaufmann und flüsterte dann K. zu: »Man sagt sogar dass er in diesen Rechtssachen tüchtiger ist als in den andern.« Aber dann schien er das Gesagte zu bereuen, er legte K. eine Hand auf die Schulter und sagte: »Ich bitte Sie sehr, verraten Sie mich nicht.« K. klopfte ihm zur Beruhigung auf den Schenkel und sagte: »Nein, ich bin kein

---

1 **endgiltig:** endgültig

Verräter.« »Er ist nämlich rachsüchtig«, sagte der Kaufmann. »Gegen einen so treuen Klienten wird er gewiss nichts tun«, sagte K. »Oh doch«, sagte der Kaufmann, »wenn er aufgeregt ist kennt er keine Unterschiede, übrigens bin ich ihm nicht eigentlich treu.« »Wieso denn nicht?« fragte K. »Soll ich es Ihnen anvertrauen«, fragte der Kaufmann zweifelnd. »Ich denke, Sie dürfen es«, sagte K. »Nun«, sagte der Kaufmann, »ich werde es Ihnen zum Teil anvertrauen, Sie müssen mir aber auch ein Geheimnis sagen, damit wir uns gegenüber dem Advokaten gegenseitig festhalten.« »Sie sind sehr vorsichtig«, sagte K., »aber ich werde Ihnen ein Geheimnis sagen, das Sie vollständig beruhigen wird. Worin besteht also Ihre Untreue gegenüber dem Advokaten?« »Ich habe«, sagte der Kaufmann zögernd und in einem Ton, als gestehe er etwas Unehrenhaftes ein, »ich habe außer ihm noch andere Advokaten.« »Das ist doch nichts so schlimmes«, sagte K. ein wenig enttäuscht. »Hier ja«, sagte der Kaufmann, der noch seit seinem Geständnis schwer atmete, infolge K.'s Bemerkung aber mehr Vertrauen fasste. »Es ist nicht erlaubt. Und am allerwenigsten ist es erlaubt, neben einem sogenannten Advokaten auch noch Winkeladvokaten zu nehmen. Und gerade das habe ich getan, ich habe außer ihm noch 5 Winkeladvokaten.« »Fünf!« rief K., erst die Zahl setzte ihn in Erstaunen, »fünf Advokaten außer diesem?« Der Kaufmann nickte: »Ich verhandle gerade noch mit einem 6ten.« »Aber wozu brauchen Sie denn soviel Advokaten«, fragte K. »Ich brauche alle«, sagte der Kaufmann. »Wollen Sie mir das nicht erklären?« fragte K. »Gern«, sagte der Kaufmann. »Vor allem will ich doch meinen Process nicht verlieren, das ist doch selbstverständlich. Infolgedessen darf ich nichts, was mir nützen könnte, außer acht lassen; selbst wenn die Hoffnung auf Nutzen in einem bestimmten Fall nur ganz gering ist, darf ich sie auch nicht verwerfen. Ich habe deshalb alles was ich besitze auf den Process verwendet. So habe ich z. B. alles Geld meinem Geschäft entzogen, früher füllten die Bureauräume meines Geschäftes fast ein Stockwerk, heute genügt eine kleine Kammer im Hinterhaus, wo ich mit einem Lehrjungen arbeite. Diesen Rückgang

---

22 **Winkeladvokaten:** abschätzig für: unseriöse Anwälte

hat natürlich nicht nur die Entziehung des Geldes verschuldet, sondern mehr noch die Entziehung meiner Arbeitskraft. Wenn man für seinen Process etwas tun will, kann man sich mit anderem nur wenig befassen.« »Sie arbeiten also auch selbst bei Gericht?« fragte K. »Gerade darüber möchte ich gern etwas erfahren.« »Darüber kann ich nur wenig berichten«, sagte der Kaufmann, »anfangs habe ich es wohl auch versucht, aber ich habe bald wieder davon abgelassen. Es ist zu erschöpfend und bringt nicht viel Erfolg. Selbst dort zu arbeiten und zu unterhandeln, hat sich wenigstens für mich als ganz unmöglich erwiesen. Es ist ja dort schon das bloße Sitzen und Warten eine große Anstrengung. Sie kennen ja selbst die schwere Luft in den Kanzleien.« »Wieso wissen Sie denn, dass ich dort war?« fragte K. »Ich war gerade im Wartezimmer, als Sie durchgiengen.« »Was für ein Zufall das ist!« rief K. ganz hingenommen und ganz an die frühere Lächerlichkeit des Kaufmanns vergessend, »Sie haben mich also gesehn! Sie waren im Wartezimmer, als ich durchgieng. Ja ich bin dort einmal durchgegangen.« »Es ist kein so großer Zufall«, sagte der Kaufmann, »ich bin dort fast jeden Tag.« »Ich werde nun wahrscheinlich auch öfters hingehn müssen«, sagte K., »nur werde ich wohl kaum mehr so ehrenvoll aufgenommen werden wie damals. Alle standen auf. Man dachte wohl, ich sei ein Richter.« »Nein«, sagte der Kaufmann, »wir grüßten damals den Gerichtsdiener. Dass Sie ein Angeklagter sind, das wussten wir. Solche Nachrichten verbreiten sich sehr rasch.« »Das wussten Sie also schon«, sagte K., »dann erschien Ihnen aber mein Benehmen vielleicht hochmütig. Sprach man sich nicht darüber aus?« »Nein«, sagte der Kaufmann, »im Gegenteil. Aber das sind Dummheiten.« »Was für Dummheiten denn?« fragte K. »Warum fragen Sie danach?« sagte der Kaufmann ärgerlich, »Sie scheinen die Leute dort noch nicht zu kennen und werden es vielleicht unrichtig auffassen. Sie müssen bedenken, dass in diesem Verfahren immer wieder viele Dinge zur Sprache kommen, für die der Verstand nicht mehr ausreicht, man ist einfach zu müde und abgelenkt für vieles und zum Ersatz verlegt man sich auf den Aberglauben.

Ich rede von den andern, bin aber selbst gar nicht besser. Ein solcher Aberglaube ist es z.B. dass viele aus dem Gesicht des Angeklagten, insbesondere aus der Zeichnung der Lippen den Ausgang des Processes erkennen wollen. Diese Leute also haben behauptet, Sie würden nach Ihren Lippen zu schließen, gewiss und bald verurteilt werden. Ich wiederhole, es ist ein lächerlicher Aberglaube und in den meisten Fällen durch die Tatsachen auch vollständig widerlegt, aber wenn man in jener Gesellschaft lebt, ist es schwer sich solchen Meinungen zu entziehn. Denken Sie nur, wie stark dieser Aberglaube wirken kann. Sie haben doch einen dort angesprochen, nicht? Er konnte Ihnen aber kaum antworten. Es gibt natürlich viele Gründe um dort verwirrt zu sein, aber einer davon war auch der Anblick Ihrer Lippen. Er hat später erzählt, er hätte auf Ihren Lippen auch das Zeichen seiner eigenen Verurteilung zu sehen geglaubt.« »Meine Lippen?« fragte K., zog einen Taschenspiegel hervor und sah sich an. »Ich kann an meinen Lippen nichts besonderes erkennen. Und Sie?« »Ich auch nicht«, sagte der Kaufmann, »ganz und gar nicht.« »Wie abergläubisch diese Leute sind«, rief K. aus. »Sagte ich es nicht?« fragte der Kaufmann. »Verkehren sie denn soviel untereinander und tauschen sie ihre Meinungen aus?« sagte K. »Ich habe mich bisher ganz abseits gehalten.« »Im allgemeinen verkehren sie nicht miteinander«, sagte der Kaufmann, »das wäre nicht möglich, es sind ja so viele. Es gibt auch wenig gemeinsame Interessen. Wenn manchmal in einer Gruppe der Glaube an ein gemeinsames Interesse auftaucht, so erweist er sich bald als ein Irrtum. Gemeinsam lässt sich gegen das Gericht nichts durchsetzen. Jeder Fall wird für sich untersucht, es ist ja das sorgfältigste Gericht. Gemeinsam kann man also nichts durchsetzen, nur ein einzelner erreicht manchmal etwas im Geheimen; erst wenn es erreicht ist, erfahren es die andern; keiner weiß wie es geschehen ist. Es gibt also keine Gemeinsamkeit, man kommt zwar hie und da in den Wartezimmern zusammen, aber dort wird wenig besprochen. Die abergläubischen Meinungen bestehen schon seit altersher und vermehren sich förmlich von selbst.« »Ich sah die Herren dort im

Wartezimmer«, sagte K., »ihr Warten kam mir so nutzlos vor.« »Das Warten ist nicht nutzlos«, sagte der Kaufmann, »nutzlos ist nur das selbstständige Eingreifen. Ich sagte schon, dass ich jetzt außer diesem noch 5 Advokaten habe. Man sollte doch glauben – ich selbst glaubte es zuerst – jetzt könnte ich ihnen die Sache vollständig überlassen. Das wäre aber ganz falsch. Ich kann sie ihnen weniger überlassen, als wenn ich nur einen hätte. Sie verstehn das wohl nicht?« »Nein«, sagte K. und legte, um den Kaufmann an seinem allzu schnellen Reden zu hindern, die Hand beruhigend auf seine Hand, »ich möchte Sie nur bitten, ein wenig langsamer zu reden, es sind doch lauter für mich sehr wichtige Dinge und ich kann Ihnen nicht recht folgen.« »Gut dass Sie mich daran erinnern«, sagte der Kaufmann, »Sie sind ja ein Neuer, ein Junger. Ihr Process ist ein ½ Jahr alt, nicht wahr? Ja ich habe davon gehört. Ein so junger Process! Ich aber habe diese Dinge schon unzähligemal durchgedacht, sie sind mir das Selbstverständlichste auf der Welt.« »Sie sind wohl froh, dass Ihr Process schon so weit fortgeschritten ist?« fragte K., er wollte nicht geradezu fragen, wie die Angelegenheiten des Kaufmanns stünden. Er bekam aber auch keine deutliche Antwort. »Ja, ich habe meinen Process 5 Jahre lang fortgewälzt«, sagte der Kaufmann und senkte den Kopf, »es ist keine kleine Leistung.« Dann schwieg er ein Weilchen. K. horchte, ob Leni nicht schon komme. Einerseits wollte er nicht dass sie komme, denn er hatte noch vieles zu fragen und wollte auch nicht von Leni in diesem vertraulichen Gespräch mit dem Kaufmann angetroffen werden, andererseits aber ärgerte er sich darüber, dass sie trotz seiner Anwesenheit solange beim Advokaten blieb, viel länger als zum Reichen der Suppe nötig war. »Ich erinnere mich noch genau an die Zeit«, begann der Kaufmann wieder und K. war gleich voll Aufmerksamkeit, »als mein Process etwa so alt war wie jetzt Ihr Process. Ich hatte damals nur diesen Advokaten, war aber nicht sehr mit ihm zufrieden.« »Hier erfahre ich ja alles«, dachte K. und nickte lebhaft mit dem Kopf als könne er dadurch den Kaufmann aufmuntern, alles Wissenswerte zu sagen. »Mein Process«, fuhr der Kaufmann fort, »kam nicht vorwärts, es fanden zwar Untersuchungen statt, ich kam auch zu jeder, sammelte Material, erlegte alle meine Geschäftsbücher bei Gericht, was wie ich später erfuhr nicht einmal nötig war, ich lief immer wieder zum Advokaten, er brachte auch verschiedene Eingaben ein –« »Verschiedene Eingaben?« fragte K. »Ja, gewiss«, sagte der Kaufmann. »Das ist mir sehr wichtig«, sagte K., »in meinem Fall arbeitet er noch immer an der ersten Eingabe. Er hat noch nichts getan. Ich sehe jetzt, er vernachlässigt mich schändlich.« »Dass die Eingabe noch nicht fertig ist, kann verschiedene berechtigte Gründe haben«, sagte der Kaufmann. »Übrigens hat es sich bei meinen Eingaben später gezeigt, dass sie ganz wertlos waren. Ich habe sogar eine durch das Entgegenkommen eines Gerichtsbeamten selbst gelesen. Sie war zwar gelehrt, aber eigentlich inhaltslos. Vor allem sehr viel Latein, das ich nicht verstehe, dann seitenlange allgemeine Anrufungen des Gerichtes, dann Schmeicheleien für einzelne bestimmte Beamte, die zwar nicht genannt waren, die aber ein Eingeweihter jedenfalls erraten musste, dann Selbstlob des Advokaten, wobei er sich auf geradezu hündische Weise vor dem Gericht demütigte, und endlich Untersuchungen von Rechtsfällen aus alter Zeit, die ähnlich dem meinigen sein sollten. Diese Untersuchungen waren allerdings, soweit ich ihnen folgen konnte, sehr sorgfältig gemacht. Ich will auch mit diesem allen kein Urteil über die Arbeit des Advokaten abgeben, auch war die Eingabe, die ich gelesen habe, nur eine unter mehreren, jedenfalls aber, und davon will ich jetzt sprechen, konnte ich damals in meinem Process keinen Fortschritt sehn.« »Was für einen Fortschritt wollten Sie denn sehn?« fragte K. »Sie fragen ganz vernünftig«, sagte der Kaufmann lächelnd, »man kann in diesem Verfahren nur selten Fortschritte sehn. Aber damals wusste ich das nicht. Ich bin Kaufmann und war es damals noch viel mehr als heute, ich wollte greifbare Fortschritte haben, das Ganze sollte sich zum Ende neigen oder wenigstens den regelrechten Aufstieg nehmen. Statt dessen gab es nur Einvernahmen, die meist den gleichen Inhalt hatten; die Antworten hatte ich schon bereit wie eine

Litanei; mehrmals in der Woche kamen Gerichtsboten in mein Geschäft, in meine Wohnung oder wo sie mich sonst antreffen konnten, das war natürlich störend (heute ist es wenigstens in dieser Hinsicht viel besser, der telephonische Anruf stört viel weniger), auch unter meinen Geschäftsfreunden insbesondere aber unter meinen Verwandten fingen Gerüchte von meinem Process sich zu verbreiten an, Schädigungen gab es also von allen Seiten, aber nicht das geringste Anzeichen sprach dafür, dass auch nur die erste Gerichtsverhandlung in der nächsten Zeit stattfinden würde. Ich ging also zum Advokaten und beklagte mich. Er gab mir zwar lange Erklärungen, lehnte es aber entschieden ab, etwas in meinem Sinne zu tun, niemand habe Einfluss auf die Festsetzung der Verhandlung, in einer Eingabe darauf zu dringen – wie ich es verlangte – sei einfach unerhört und würde mich und ihn verderben. Ich dachte: Was dieser Advokat nicht will oder kann, wird ein anderer wollen und können. Ich sah mich also nach andern Advokaten um. Ich will es gleich vorwegnehmen: Keiner hat die Festsetzung der Hauptverhandlung verlangt oder durchgesetzt, es ist, allerdings mit einem Vorbehalt, von dem ich noch sprechen werde, wirklich unmöglich, hinsichtlich dieses Punktes hat mich also dieser Advokat nicht getäuscht; im übrigen aber hatte ich es nicht zu bedauern, mich noch an andere Advokaten gewendet zu haben. Sie dürften wohl von Dr. Huld auch schon manches über die Winkeladvokaten gehört haben, er hat sie Ihnen wahrscheinlich als sehr verächtlich dargestellt und das sind sie wirklich. Allerdings unterläuft ihm immer, wenn er von ihnen spricht und sich und seine Kollegen zu ihnen in Vergleich setzt, ein kleiner Fehler, auf den ich Sie ganz nebenbei auch aufmerksam machen will. Er nennt dann immer die Advokaten seines Kreises zur Unterscheidung die ›großen Advokaten‹. Das ist falsch, es kann sich natürlich jeder ›groß‹ nennen, wenn es ihm beliebt, in diesem Fall aber entscheidet doch nur der Gerichtsgebrauch. Nach diesem gibt es nämlich außer den Winkeladvokaten noch kleine und große Advokaten. Dieser Advokat und seine Kollegen sind jedoch nur die kleinen Advokaten, die großen Advokaten aber, von denen ich nur gehört und die ich nie gesehn habe, stehen im Rang unvergleichlich höher über den kleinen Advokaten, als diese über den verachteten Winkeladvokaten.« »Die großen Advokaten?« fragte K. »Wer sind denn die? Wie kommt man zu ihnen?« »Sie haben also noch nie von ihnen gehört«, sagte der Kaufmann. »Es gibt kaum einen Angeklagten, der nicht nachdem er von ihnen erfahren hat eine Zeitlang von ihnen träumen würde. Lassen Sie sich lieber nicht dazu verführen. Wer die großen Advokaten sind weiß ich nicht und zu ihnen kommen, kann man wohl gar nicht. Ich kenne keinen Fall, von dem sich mit Bestimmtheit sagen ließe, dass sie eingegriffen hätten. Manchen verteidigen sie, aber durch eigenen Willen kann man das nicht erreichen, sie verteidigen nur den, den sie verteidigen wollen. Die Sache deren sie sich annehmen muss aber wohl über das niedrige Gericht schon hinausgekommen sein. Im übrigen ist es besser nicht an sie zu denken, denn sonst kommen einem die Besprechungen mit den andern Advokaten, deren Ratschläge und deren Hilfeleistungen so widerlich und nutzlos vor, ich habe es selbst erfahren, dass man am liebsten alles wegwerfen, sich zuhause ins Bett legen und von nichts mehr hören wollte. Das wäre aber natürlich wieder das Dümmste, auch hätte man im Bett nicht lange Ruhe.« »Sie dachten damals also nicht an die großen Advokaten?« fragte K. »Nicht lange«, sagte der Kaufmann und lächelte wieder, »vollständig vergessen kann man leider an sie nicht, besonders die Nacht ist solchen Gedanken günstig. Aber damals wollte ich ja sofortige Erfolge, ich gieng daher zu den Winkeladvokaten.«

»Wie Ihr hier beieinander sitzt«, rief Leni, die mit der Tasse zurückgekommen war und in der Tür stehen blieb. Sie saßen wirklich eng beisammen, bei der kleinsten Wendung mussten sie mit den Köpfen aneinanderstoßen, der Kaufmann, der abgesehen von seiner Kleinheit auch noch den Rücken gekrümmt hielt, hatte K. gezwungen, sich auch tief zu bücken, wenn er alles hören wollte. »Noch ein Weilchen«, rief K. Leni abwehrend zu und zuckte ungeduldig mit der Hand, die er noch immer auf des Kaufmanns Hand liegen hatte. »Er wollte, dass ich ihm von meinem Process erzähle«, sagte der Kaufmann zu Leni. »Erzähle nur, erzähle«, sagte diese. Sie sprach mit dem Kaufmann liebevoll, aber doch auch herablassend, K. gefiel das nicht; wie er jetzt erkannt hatte, hatte der Mann doch einen gewissen Wert, zumindest hatte er Erfahrungen, die er gut mitzuteilen verstand. Leni beurteilte ihn wahrscheinlich unrichtig. Er sah ärgerlich zu, als Leni jetzt dem Kaufmann die Kerze, die er die ganze Zeit über festgehalten hatte, abnahm, ihm die Hand mit ihrer Schürze abwischte und dann neben ihm niederkniete, um etwas Wachs wegzukratzen, das von der Kerze auf seine Hose getropft war. »Sie wollten mir von den Winkeladvokaten erzählen«, sagte K. und schob ohne eine weitere Bemerkung Leni's Hand weg. »Was willst Du denn?« fragte Leni, schlug leicht nach K. und setzte ihre Arbeit fort. »Ja, von den Winkeladvokaten«, sagte der Kaufmann und fuhr sich über die Stirn, als denke er nach. K. wollte ihm nachhelfen und sagte: »Sie wollten sofortige Erfolge haben und giengen deshalb zu den Winkeladvokaten.« »Ganz richtig«, sagte der Kaufmann, setzte aber nicht fort. »Er will vielleicht vor Leni nicht davon sprechen«, dachte K., bezwang seine Ungeduld das Weitere gleich jetzt zu hören und drang nun nicht mehr weiter in ihn.

»Hast Du mich angemeldet?« fragte er Leni. »Natürlich«, sagte diese, »er wartet auf Dich. Lass jetzt Block, mit Block kannst Du auch später reden, er bleibt doch hier.« K. zögerte noch. »Sie bleiben hier?« fragte er den Kaufmann, er wollte dessen eigene Antwort, er wollte nicht, dass Leni vom Kaufmann wie von einem Abwesenden spreche, er war heute gegen Leni voll geheimen Ärgers. Und wieder antwortete nur Leni: »Er schläft hier öfters.« »Schläft hier?« rief K., er hatte gedacht, der Kaufmann werde hier nur auf ihn warten, während er die Unterredung mit dem Advokaten rasch erledigen würde, dann aber würden sie gemeinsam fortgehn und alles gründlich und ungestört besprechen. »Ja«, sagte Leni, »nicht jeder wird wie Du, Josef, zu beliebiger Stunde beim Advokaten vorgelassen. Du scheinst Dich ja gar nicht darüber zu wundern, dass Dich der Advokat trotz seiner Krankheit noch um 11 Uhr nachts empfängt. Du nimmst das, was Deine Freunde für Dich tun, doch als gar zu selbstverständlich an. Nun Deine Freunde oder zumindest ich tun es gerne. Ich will keinen andern Dank und brauche keinen andern, als dass Du mich lieb hast.« »Dich lieb haben?« dachte K. im ersten Augenblick, erst dann gieng es ihm durch den Kopf: »Nun ja, ich habe sie lieb.« Trotzdem sagte er, alles andere vernachlässigend: »Er empfängt mich, weil ich sein Klient bin. Wenn auch dafür noch fremde Hilfe nötig wäre, müsste man bei jedem Schritt immer gleichzeitig betteln und danken.« »Wie schlimm er heute ist, nicht?« fragte Leni den Kaufmann. »Jetzt bin ich der Abwesende«, dachte K. und wurde fast sogar auf den Kaufmann böse, als dieser die Unhöflichkeit Leni's übernehmend sagte: »Der Advokat empfängt ihn auch noch aus andern Gründen. Sein Fall ist nämlich interessanter als der meine. Außerdem aber ist sein Process in den Anfängen, also wahrscheinlich noch nicht sehr verfahren, da beschäftigt sich der Advokat noch gern mit ihm. Später wird das anders werden.« »Ja, ja«, sagte Leni und sah den Kaufmann lachend an, »wie er schwatzt! Ihm darfst Du nämlich«, hiebei wandte sie sich an K., »gar nichts glauben. So lieb er ist, so geschwätzig ist er. Vielleicht mag ihn der Advokat auch deshalb nicht leiden. Jedenfalls empfängt er ihn nur, wenn er in Laune ist. Ich habe mir schon viel Mühe gegeben, das zu ändern, aber es ist unmöglich. Denke nur, manchmal melde ich Block an, er empfängt ihn aber erst am 3tten Tag nachher. Ist Block aber zu der Zeit wenn er vorgerufen wird, nicht zur Stelle, so ist alles verloren und er muss von neuem angemeldet werden. Deshalb habe ich Block erlaubt hier zu schlafen, es ist ja schon vorgekommen, dass er in der Nacht um ihn geläutet hat. Jetzt ist also Block auch in der Nacht bereit. Allerdings geschieht es jetzt wieder, dass der Advokat, wenn sich zeigt, dass Block da ist, seinen Auftrag ihn vorzulassen, manchmal widerruft.« K. sah fragend zum Kaufmann hin. Dieser nickte und sagte so offen wie er früher mit K. gesprochen hatte, vielleicht war er zerstreut vor Beschämung: »Ja, man wird später sehr abhängig von seinem Advokaten.« »Er klagt ja nur zum

Schein«, sagte Leni. »Er schläft ja hier sehr gern, wie er mir schon oft gestanden hat.« Sie gieng zu einer kleinen Tür und stieß sie auf. »Willst Du sein Schlafzimmer sehn?« fragte sie. K. gieng hin und sah von der Schwelle aus in den niedrigen fensterlosen Raum, der von einem schmalen Bett vollständig ausgefüllt war. In dieses Bett musste man über den Bettpfosten steigen. Am Kopfende des Bettes war eine Vertiefung in der Mauer, dort standen peinlich geordnet eine Kerze, Tintenfass und Feder, sowie ein Bündel Papiere, wahrscheinlich Process-schriften. »Sie schlafen im Dienstmädchenzimmer?« fragte K. und wendete sich zum Kaufmann zurück. »Leni hat es mir eingeräumt«, antwortete der Kaufmann, »es ist sehr vorteil-haft.« K. sah ihn lange an; der erste Eindruck, den er von dem Kaufmann erhalten hatte, war vielleicht doch der richtige ge-wesen; Erfahrungen hatte er, denn sein Process dauerte schon lange, aber er hatte diese Erfahrungen teuer bezahlt. Plötzlich ertrug K. den Anblick des Kaufmanns nicht mehr. »Bring ihn doch ins Bett«, rief er Leni zu, die ihn gar nicht zu verstehen schien. Er selbst aber wollte zum Advokaten gehn und durch die Kündigung sich nicht nur vom Advokaten sondern auch von Leni und dem Kaufmann befrein. Aber noch ehe er zur Tür gekommen war, sprach ihn der Kaufmann mit leiser Stimme an: »Herr Prokurist.« K. wandte sich mit bösem Ge-sichte um. »Sie haben an Ihr Versprechen vergessen«, sagte der Kaufmann und streckte sich von seinem Sitz aus bittend K. entgegen, »Sie wollten mir noch ein Geheimnis sagen.« »Wahrhaftig«, sagte K. und streifte auch Leni, die ihn auf-merksam ansah, mit einem Blick, »also hören Sie: es ist aller-dings fast kein Geheimnis mehr. Ich gehe jetzt zum Advoka-ten um ihn zu entlassen.« »Er entlässt ihn«, rief der Kaufmann, sprang vom Sessel und lief mit erhobenen Armen in der Kü-che umher. Immer wieder rief er: »Er entlässt den Advoka-ten.« Leni wollte gleich auf K. losfahren, aber der Kaufmann kam ihr in den Weg, wofür sie ihm mit den Fäusten einen Hieb gab. Noch mit den zu Fäusten geballten Händen lief sie dann hinter K., der aber einen großen Vorsprung hatte. Er war schon in das Zimmer des Advokaten eingetreten als ihn Leni

---

24 **an Ihr Versprechen vergessen:** Ihr Versprechen vergessen (österr.)

einholte. Die Tür hatte er hinter sich fast geschlossen, aber Leni, die mit dem Fuß den Türflügel offenhielt, fasste ihn beim Arm und wollte ihn zurückziehen. Aber er drückte ihr Handgelenk so stark, dass sie unter einem Seufzer ihn loslassen musste. Ins Zimmer einzutreten wagte sie nicht gleich, K. aber versperrte die Tür mit dem Schlüssel.

»Ich warte schon sehr lange auf Sie«, sagte der Advokat vom Bett aus, legte ein Schriftstück, das er beim Licht einer Kerze gelesen hatte, auf das Nachttischchen, und setzte sich eine Brille auf, mit der er K. scharf ansah. Statt sich zu entschuldigen, sagte K.: »Ich gehe bald wieder weg.« Der Advokat hatte K.'s Bemerkung, weil sie keine Entschuldigung war, unbeachtet gelassen und sagte: »Ich werde Sie nächstens zu dieser späten Stunde nicht mehr vorlassen.« »Das kommt meinem Anliegen entgegen«, sagte K. Der Advokat sah ihn fragend an. »Setzen Sie sich«, sagte er. »Weil Sie es wünschen«, sagte K., zog einen Sessel zum Nachttischchen und setzte sich. »Es schien mir, dass Sie die Tür abgesperrt haben«, sagte der Advokat. »Ja«, sagte K., »es war Leni's wegen.« Er hatte nicht die Absicht irgendjemanden zu schonen. Aber der Advokat fragte: »War sie wieder zudringlich?« »Zudringlich?« fragte K. »Ja«, sagte der Advokat, er lachte dabei, bekam einen Hustenanfall und begann nachdem dieser vergangen war, wieder zu lachen. »Sie haben doch wohl ihre Zudringlichkeit schon bemerkt?« fragte er und klopfte K. auf die Hand, die dieser zerstreut auf das Nachttischchen gestützt hatte und die er jetzt rasch zurückzog. »Sie legen dem nicht viel Bedeutung bei«, sagte der Advokat, als K. schwieg, »desto besser. Sonst hätte ich mich vielleicht bei Ihnen entschuldigen müssen. Es ist eine Sonderbarkeit Lenis, die ich ihr übrigens längst verziehen habe und von der ich auch nicht reden würde, wenn Sie nicht eben jetzt die Tür abgesperrt hätten. Diese Sonderbarkeit, Ihnen allerdings müsste ich sie wohl am wenigsten erklären, aber Sie sehen mich so bestürzt an und deshalb tue ich es, diese Sonderbarkeit besteht darin, dass Leni die meisten Angeklagten schön findet. Sie hängt sich an alle, liebt alle, scheint allerdings auch von allen geliebt zu werden; um mich zu unterhalten, erzählt sie mir dann, wenn ich es erlaube, manchmal davon. Ich bin über das Ganze nicht so erstaunt wie Sie es zu sein scheinen. Wenn man den richtigen Blick dafür hat, findet man die Angeklagten wirklich oft schön. Das allerdings ist eine merkwürdige gewissermaßen naturwissenschaftliche Erscheinung. Es tritt natürlich als Folge der Anklage nicht etwa eine deutliche, genau zu bestimmende Veränderung des Aussehns ein. Es ist doch nicht wie in andern Gerichtssachen, die meisten bleiben in ihrer gewöhnlichen Lebensweise und werden, wenn sie einen guten Advokaten haben, der für sie sorgt, durch den Process nicht sehr behindert. Trotzdem sind diejenigen, welche darin Erfahrung haben, imstande aus der größten Menge die Angeklagten Mann für Mann zu erkennen. Woran? werden Sie fragen. Meine Antwort wird Sie nicht befriedigen. Die Angeklagten sind eben die Schönsten. Es kann nicht die Schuld sein, die sie schön macht, denn – so muss wenigstens ich als Advokat sprechen – es sind doch nicht alle schuldig, es kann auch nicht die künftige Strafe sein, die sie jetzt schon schön macht, denn es werden doch nicht alle bestraft, es kann also nur an dem gegen sie erhobenen Verfahren liegen, das ihnen irgendwie anhaftet. Allerdings gibt es unter den Schönen auch besonders schöne. Schön sind aber alle, selbst Block, dieser elende Wurm.«

K. war, als der Advokat geendet hatte, vollständig gefasst, er hatte sogar zu den letzten Worten auffallend genickt und sich so selbst die Bestätigung seiner alten Ansicht gegeben, nach welcher der Advokat ihn immer und so auch diesmal durch allgemeine Mitteilungen, die nicht zur Sache gehörten, zu zerstreuen und von der Hauptfrage, was er an tatsächlicher Arbeit für K.'s Sache getan hatte, abzulenken suchte. Der Advokat merkte wohl, dass ihm K. diesmal mehr Widerstand leistete als sonst, denn er verstummte jetzt, um K. die Möglichkeit zu geben, selbst zu sprechen, und fragte dann, da K. stumm blieb: »Sind Sie heute mit einer bestimmten Absicht zu mir gekommen?« »Ja«, sagte K. und blendete mit der Hand ein wenig die Kerze ab, um den Advokaten besser zu sehen, »ich wollte Ihnen sagen, dass ich Ihnen mit dem heutigen Tage meine Vertretung entziehe.« »Verstehe ich Sie recht«, fragte der Advokat, erhob sich halb im Bett und stützte sich mit einer Hand auf die Kissen. »Ich nehme es an«, sagte K., der straff aufgerichtet wie auf der Lauer dasaß. »Nun wir können ja auch diesen Plan besprechen«, sagte der Advokat nach einem Weilchen. »Es ist kein Plan mehr«, sagte K. »Mag sein«, sagte der Advokat, »wir wollen aber trotzdem nichts übereilen.« Er gebrauchte das Wort »wir«, als habe er nicht die Absicht K. freizulassen und als wolle er, wenn er schon nicht sein Vertreter sein dürfe, wenigstens sein Berater bleiben. »Es ist nichts übereilt«, sagte K., stand langsam auf und trat hinter seinen Sessel, »es ist gut überlegt und vielleicht sogar zu lange. Der Entschluss ist endgiltig.« »Dann erlauben Sie mir nur noch einige Worte«, sagte der Advokat, hob das Federbett weg und setzte sich auf den Bettrand. Seine nackten weißhaarigen Beine zitterten vor Kälte. Er bat K. ihm vom Kanapee eine Decke zu reichen. K. holte die Decke und sagte: »Sie setzen sich ganz unnötig einer Verkühlung aus.« »Der Anlass ist wichtig genug«, sagte der Advokat, während er mit dem Federbett den Oberkörper umhüllte und dann die Beine in die Decke einwickelte. »Ihr Onkel ist mein Freund und auch Sie sind mir im Laufe der Zeit lieb geworden. Ich gestehe das offen ein. Ich brauche mich dessen nicht zu schämen.« Diese rührseligen Reden des alten Mannes waren K. sehr unwillkommen, denn sie zwangen ihn zu einer ausführlicheren Erklärung, die er gern vermieden hätte, und sie beirrten ihn außerdem, wie er sich offen eingestand, wenn sie allerdings auch seinen Entschluss niemals rückgängig machen konnten. »Ich danke Ihnen für Ihre freundliche Gesinnung«, sagte er, »ich erkenne auch an, dass Sie sich meiner Sache so sehr angenommen haben, wie es Ihnen möglich ist und wie es Ihnen für mich vorteilhaft scheint. Ich jedoch habe in der letzten Zeit die Überzeugung gewonnen, dass das nicht genügend ist. Ich werde natürlich niemals versuchen, Sie, einen so viel ältern und erfahreneren Mann von meiner Ansicht überzeugen zu wollen; wenn ich es manchmal unwillkürlich versucht habe so verzeihen Sie mir, die Sache aber ist, wie Sie sich selbst ausdrückten,

13 **endgiltig:** endgültig

wichtig genug, und es ist meiner Überzeugung nach notwendig viel kräftiger in den Process einzugreifen, als es bisher geschehen ist.« »Ich verstehe Sie«, sagte der Advokat, »Sie sind ungeduldig.« »Ich bin nicht ungeduldig«, sagte K. ein wenig gereizt und achtete nicht mehr so viel auf seine Worte. »Sie dürften bei meinem ersten Besuch, als ich mit meinem Onkel zu Ihnen kam, bemerkt haben, dass mir an dem Process nicht viel lag; wenn man mich nicht gewissermaßen gewaltsam an ihn erinnerte, vergaß ich vollständig an ihn. Aber mein Onkel bestand darauf, dass ich Ihnen meine Vertretung übergebe, ich tat es, um ihm gefällig zu sein. Und nun hätte man doch erwarten sollen, dass mir der Process noch leichter fallen würde als bis dahin, denn man übergibt doch dem Advokaten die Vertretung, um die Last des Processes ein wenig von sich abzuwälzen. Es geschah aber das Gegenteil. Niemals früher, hatte ich so große Sorgen wegen des Processes, wie seit der Zeit, seitdem Sie mich vertreten. Als ich allein war unternahm ich nichts in meiner Sache, aber ich fühlte es kaum, jetzt dagegen hatte ich einen Vertreter, alles war dafür eingerichtet, dass etwas geschehe, unaufhörlich und immer gespannter erwartete ich Ihr Eingreifen, aber es blieb aus. Ich bekam von Ihnen allerdings verschiedene Mitteilungen über das Gericht, die ich vielleicht von niemandem sonst hätte bekommen können. Aber das kann mir nicht genügen, wenn mir jetzt der Process, förmlich im Geheimen, immer näher an den Leib rückt.« K. hatte den Sessel von sich gestoßen und stand, die Hände in den Rocktaschen aufrecht da. »Von einem gewissen Zeitpunkt der Praxis an«, sagte der Advokat leise und ruhig, »ereignet sich nichts wesentlich Neues mehr. Wie viele Parteien sind in ähnlichen Stadien der Processe ähnlich wie Sie vor mir gestanden und haben ähnlich gesprochen.« »Dann haben«, sagte K., »alle diese ähnlichen Parteien ebenso recht gehabt wie ich. Das widerlegt mich gar nicht.« »Ich wollte Sie damit nicht widerlegen«, sagte der Advokat, »ich wollte aber noch hinzufügen, dass ich bei Ihnen mehr Urteilskraft erwartet hätte als bei andern, besonders da ich Ihnen mehr Einblick in das Gerichtswesen und in meine Tätigkeit gegeben habe, als ich es

---

9 **vergaß ich … an ihn:** vergaß ich ihn (österr.)

sonst Parteien gegenüber tue. Und nun muss ich sehn, dass Sie trotz allem nicht genügend Vertrauen zu mir haben. Sie machen es mir nicht leicht.« Wie sich der Advokat vor K. demütigte! Ohne jede Rücksicht auf die Standesehre, die gewiss gerade in diesem Punkte am empfindlichsten ist. Und warum tat er das? Er war doch dem Anschein nach ein vielbeschäftigter Advokat und überdies ein reicher Mann, es konnte ihm an und für sich weder an dem Verdienstentgang noch an dem Verlust eines Klienten viel liegen. Außerdem war er kränklich und hätte selbst darauf bedacht sein sollen, dass ihm Arbeit abgenommen werde. Und trotzdem hielt er K. so fest. Warum? War es persönliche Anteilnahme für den Onkel oder sah er K.'s Process wirklich für so außerordentlich an und hoffte sich darin auszuzeichnen entweder für K. oder – diese Möglichkeit war eben niemals auszuschließen – für die Freunde beim Gericht? An ihm selbst war nichts zu erkennen, so rücksichtslos prüfend ihn auch K. ansah. Man hätte fast annehmen können, er warte mit absichtlich verschlossener Miene die Wirkung seiner Worte ab. Aber er deutete offenbar das Schweigen K.'s für sich allzu günstig, wenn er jetzt fortfuhr: »Sie werden bemerkt haben, dass ich zwar eine große Kanzlei habe aber keine Hilfskräfte beschäftige. Das war früher anders, es gab eine Zeit wo einige junge Juristen für mich arbeiteten, heute arbeite ich allein. Es hängt dies zum Teil mit der Änderung meiner Praxis zusammen, indem ich mich immer mehr auf Rechtssachen von der Art der Ihrigen beschränkte, zum Teil mit der immer tiefern Erkenntnis, die ich von diesen Rechtssachen erhielt. Ich fand, dass ich diese Arbeit niemandem überlassen dürfe, wenn ich mich nicht an meinen Klienten und an der Aufgabe, die ich übernommen hatte, versündigen wollte. Der Entschluss aber alle Arbeit selbst zu leisten hatte die natürlichen Folgen: ich musste fast alle Ansuchen um Vertretungen abweisen und konnte nur denen nachgeben, die mir besonders nahegiengen – nun es gibt ja genug Kreaturen und sogar ganz in der Nähe, die sich auf jeden Brocken stürzen, den ich wegwerfe. Und außerdem wurde ich vor Überanstrengung krank. Aber trotzdem bereue ich meinen Ent-

---

8 **Verdienstentgang:** Verdienstausfall

schluss nicht, es ist möglich, dass ich mehr Vertretungen hätte abweisen sollen, als ich getan habe, dass ich aber den übernommenen Processen mich ganz hingegeben habe, hat sich als unbedingt notwendig herausgestellt und durch die Erfolge belohnt. Ich habe einmal in einer Schrift den Unterschied sehr schön ausgedrückt gefunden, der zwischen der Vertretung in gewöhnlichen Rechtssachen und der Vertretung in diesen Rechtssachen besteht. Es hieß dort: Der eine Advokat führt seinen Klienten an einem Zwirnfaden bis zum Urteil, der andere aber hebt seinen Klienten gleich auf die Schultern und trägt ihn zum Urteil und ohne ihn abzusetzen noch darüber hinaus. So ist es. Aber es war nicht ganz richtig wenn ich sagte, dass ich diese große Arbeit niemals bereue. Wenn sie, wie in Ihrem Fall, so vollständig verkannt wird, dann, nun dann bereue ich fast.« K. wurde durch diese Reden mehr ungeduldig als überzeugt. Er glaubte irgendwie aus dem Tonfall des Advokaten herauszuhören, was ihn erwartete, wenn er nachgeben würde, wieder würden die Vertröstungen beginnen, die Hinweise auf die fortschreitende Eingabe, auf die gebesserte Stimmung der Gerichtsbeamten, aber auch auf die großen Schwierigkeiten, die sich der Arbeit entgegenstellten, – kurz das alles bis zum Überdruss Bekannte würde hervorgeholt werden, um K. wieder mit unbestimmten Hoffnungen zu täuschen und mit unbestimmten Drohungen zu quälen. Das musste endgiltig verhindert werden, er sagte deshalb: »Was wollen Sie in meiner Sache unternehmen, wenn Sie die Vertretung behalten.« Der Advokat fügte sich sogar dieser beleidigenden Frage und antwortete: »In dem, was ich für Sie bereits unternommen habe, weiter fortfahren.« »Ich wusste es ja«, sagte K., »nun ist aber jedes weitere Wort überflüssig.« »Ich werde noch einen Versuch machen«, sagte der Advokat, als geschehe, das was K. erregte, nicht K. sondern ihm. »Ich habe nämlich die Vermutung, dass Sie nicht nur zu der falschen Beurteilung meines Rechtsbeistandes, sondern auch zu Ihrem sonstigen Verhalten dadurch verleitet werden, dass man Sie, trotzdem Sie Angeklagter sind, zu gut behandelt oder richtiger ausgedrückt nachlässig, scheinbar nachlässig behandelt.

Auch dieses Letztere hat seinen Grund; es ist oft besser in Ketten als frei zu sein. Aber ich möchte Ihnen doch zeigen, wie andere Angeklagte behandelt werden, vielleicht gelingt es Ihnen, daraus eine Lehre zu nehmen. Ich werde jetzt nämlich Block vorrufen, sperren Sie die Tür auf und setzen Sie sich hier neben den Nachttisch.« »Gerne«, sagte K. und tat was der Advokat verlangt hatte; zu lernen war er immer bereit. Um sich aber für jeden Fall zu sichern, fragte er noch: »Sie haben aber zur Kenntnis genommen, dass ich Ihnen meine Vertretung entziehe?« »Ja«, sagte der Advokat, »Sie können es aber heute noch rückgängig machen.« Er legte sich wieder ins Bett zurück, zog das Federbett bis zum Kinn und drehte sich der Wand zu. Dann läutete er.

Fast gleichzeitig mit dem Glockenzeichen erschien Leni, sie suchte durch rasche Blicke zu erfahren was geschehen war; dass K. ruhig beim Bett des Advokaten saß, schien ihr beruhigend. Sie nickte K., der sie starr ansah, lächelnd zu. »Hole Block«, sagte der Advokat. Statt ihn aber zu holen, trat sie nur vor die Tür, rief: »Block! Zum Advokaten!« und schlüpfte dann, wahrscheinlich weil der Advokat zur Wand abgekehrt blieb und sich um nichts kümmerte, hinter K.'s Sessel. Sie störte ihn von nun ab, indem sie sich über die Sessellehne vorbeugte oder mit den Händen allerdings sehr zart und vorsichtig, durch sein Haar fuhr und über seine Wangen strich. Schließlich suchte K. sie daran zu hindern, indem er sie bei einer Hand erfasste, die sie ihm nach einigem Widerstreben überließ.

Block war auf den Anruf hin gleich gekommen, blieb aber vor der Tür stehn und schien zu überlegen ob er eintreten sollte. Er zog die Augenbrauen hoch und neigte den Kopf, als horche er ob sich der Befehl zum Advokaten zu kommen, wiederholen würde. K. hätte ihn zum Eintreten aufmuntern können, aber er hatte sich vorgenommen nicht nur mit dem Advokaten sondern mit allem was hier in der Wohnung war endgiltig zu brechen und verhielt sich deshalb regungslos. Auch Leni schwieg. Block merkte, dass ihn wenigstens niemand verjage, und trat auf den Fußspitzen ein, das Gesicht gespannt, die Hände auf dem Rücken verkrampft. Die Tür hatte er für einen möglichen Rückzug offengelassen. K. blickte er gar nicht an, sondern immer nur das hohe Federbett, unter dem der Advokat, da er sich ganz nahe an die Wand geschoben hatte, nicht einmal zu sehen war. Da hörte man aber seine Stimme: »Block hier?« fragte er. Diese Frage gab Block, der schon eine große Strecke weitergerückt war, förmlich einen Stoß in die Brust und dann einen in den Rücken, er taumelte, blieb tief gebückt stehn und sagte: »Zu dienen.« »Was willst Du?« fragte der Advokat, »Du kommst ungelegen.« »Wurde ich nicht gerufen?« fragte Block, mehr sich selbst, als den Advokaten, hielt die Hände zum Schutze vor und war bereit wegzulaufen. »Du wurdest gerufen«, sagte der Advokat, »trotzdem kommst Du ungelegen.« Und nach einer Pause fügte er hinzu: »Du kommst immer ungelegen.« Seitdem der Advokat sprach, sah Block nicht mehr auf das Bett hin, er starrte vielmehr irgendwo in eine Ecke und lauschte nur, als sei der Anblick des Sprechers zu blendend, als dass er ihn ertragen könnte. Es war aber auch das Zuhören schwer, denn der Advokat sprach gegen die Wand undzwar leise und schnell. »Wollt Ihr dass ich weggehe?« fragte Block. »Nun bist Du einmal da«, sagte der Advokat. »Bleib!« Man hätte glauben können, der Advokat habe nicht Blocks Wunsch erfüllt, sondern ihm etwa mit Prügeln gedroht, denn jetzt fieng Block wirklich zu zittern an. »Ich war gestern«, sagte der Advokat, »beim dritten Richter, meinem Freund, und habe allmählich das Gespräch auf Dich gelenkt. Willst Du wissen, was er sagte?« »Oh bitte«, sagte Block. Da der Advokat nicht gleich antwortete, wiederholte Block nochmals die Bitte und neigte sich als wolle er niederknien. Da fuhr ihn aber K. an: »Was tust Du?« rief er. Da ihn Leni an dem Ausruf hatte hindern wollen, fasste er auch ihre zweite Hand. Es war nicht der Druck der Liebe, mit dem er sie festhielt, sie seufzte auch öfters und suchte ihm die Hände zu entwinden. Für K.'s Ausruf aber wurde Block gestraft, denn der Advokat fragte ihn: »Wer ist denn Dein Advokat?« »Ihr seid es«, sagte Block. »Und außer mir?« fragte der Advokat. »Niemand außer

Euch«, sagte Block. »Dann folge auch niemandem sonst«, sagte der Advokat. Block erkannte das vollständig an, er maß K. mit bösen Blicken und schüttelte heftig gegen ihn den Kopf. Hätte man dieses Benehmen in Worte übersetzt so wären es grobe Beschimpfungen gewesen. Mit diesem Menschen hatte K. freundschaftlich über seine eigene Sache reden wollen! »Ich werde Dich nicht mehr stören«, sagte K. in den Sessel zurückgelehnt. »Knie nieder oder krieche auf allen Vieren, tu was Du willst, ich werde mich nicht darum kümmern.« Aber Block hatte doch Ehrgefühl, wenigstens gegenüber K., denn er gieng mit den Fäusten fuchtelnd auf ihn zu, und rief so laut als er es nur in der Nähe des Advokaten wagte: »Sie dürfen nicht so mit mir reden, das ist nicht erlaubt. Warum beleidigen Sie mich? Und überdies noch hier vor dem Herrn Advokaten, wo wir beide, Sie und ich, nur aus Barmherzigkeit geduldet sind? Sie sind kein besserer Mensch als ich, denn Sie sind auch angeklagt und haben auch einen Process. Wenn Sie aber trotzdem noch ein Herr sind, dann bin ich ein ebensolcher Herr, wenn nicht gar ein noch größerer. Und ich will auch als ein solcher angesprochen werden, gerade von Ihnen. Wenn Sie sich aber dadurch für bevorzugt halten, dass Sie hier ruhig sitzen und ruhig zuhören dürfen, während ich, wie Sie sich ausdrücken, auf allen Vieren krieche, dann erinnere ich Sie an den alten Rechtsspruch: Für den Verdächtigen ist Bewegung besser als Ruhe, denn der welcher ruht kann immer, ohne es zu wissen auf einer Wagschale sein und mit seinen Sünden gewogen werden.« K. sagte nichts, er staunte nur mit unbeweglichen Augen diesen verwirrten Menschen an. Was für Veränderungen waren mit ihm nur schon in der letzten Stunde vor sich gegangen! War es der Process, der ihn so hin und her warf und ihn nicht erkennen ließ, wo Freund und wo Feind war? Sah er denn nicht, dass der Advokat ihn absichtlich demütigte und diesmal nichts anderes bezweckte, als sich vor K. mit seiner Macht zu brüsten und sich dadurch vielleicht auch K. zu unterwerfen? Wenn Block aber nicht fähig war das zu erkennen, oder wenn er den Advokaten so sehr fürchtete, dass ihm jene Erkenntnis nichts helfen konnte, wie kam es dass er doch wieder so schlau oder so kühn war, den Advokaten zu betrügen und ihm zu verschweigen, dass er außer ihm noch andere Advokaten für sich arbeiten ließ. Und wieso wagte er es, K. anzugreifen, da dieser doch gleich sein Geheimnis verraten konnte. Aber er wagte noch mehr, er gieng zum Bett des Advokaten und begann sich nun auch dort über K. zu beschweren: »Herr Advokat«, sagte er, »Ihr habt gehört, wie dieser Mann mit mir gesprochen hat. Man kann noch die Stunden seines Processes zählen und schon will er mir, einem Mann, der 5 Jahre im Processe steht, gute Lehren geben. Er beschimpft mich sogar. Weiß nichts und beschimpft mich, der ich, soweit meine schwachen Kräfte reichen, genau studiert habe, was Anstand, Pflicht und Gerichtsgebrauch verlangt.« »Kümmere Dich um niemanden«, sagte der Advokat, »und tue was Dir richtig scheint.« »Gewiss«, sagte Block, als spreche er sich selbst Mut zu, und kniete unter einem kurzen Seitenblick nun knapp beim Bett nieder. »Ich knie schon, mein Advokat«, sagte er. Der Advokat schwieg aber. Block streichelte mit einer Hand vorsichtig das Federbett. In der Stille, die jetzt herrschte, sagte Leni, indem sie sich von K.'s Händen befreite: »Du machst mir Schmerzen. Lass mich. Ich gehe zu Block.« Sie ging hin und setzte sich auf den Bettrand. Block war über ihr Kommen sehr erfreut, er bat sie gleich durch lebhafte aber stumme Zeichen sich beim Advokaten für ihn einzusetzen. Er benötigte offenbar die Mitteilungen des Advokaten sehr dringend aber vielleicht nur zu dem Zweck, um sie durch seine übrigen Advokaten ausnützen zu lassen. Leni wusste wahrscheinlich genau wie man dem Advokaten beikommen könne, sie zeigte auf die Hand des Advokaten und spitzte die Lippen wie zum Kuss. Gleich führte denn Block den Handkuss aus und wiederholte ihn auf eine Aufforderung Lenis hin noch zweimal. Aber der Advokat schwieg noch immer. Da beugte sich Leni über den Advokaten hin, der schöne Wuchs ihres Körpers wurde sichtbar als sie sich so streckte, und strich tief zu seinem Gesicht geneigt über sein langes weißes Haar. Das zwang ihm nun doch eine Antwort ab. »Ich zögere es ihm mitzuteilen«, sagte der Advokat und man sah, wie er den Kopf ein wenig schüttelte, vielleicht um des Drucks von Leni's Hand mehr teilhaftig zu werden. Block horchte mit gesenktem Kopf, als übertrete er durch dieses Horchen ein Gebot. »Warum zögerst Du denn?« fragte Leni. K. hatte das Gefühl, als höre er ein einstudiertes Gespräch, das sich schon oft wiederholt hatte, das sich noch oft wiederholen würde und das nur für Block seine Neuheit nicht verlieren konnte. »Wie hat er sich heute verhalten?« fragte der Advokat statt zu antworten. Ehe sich Leni darüber äußerte, sah sie zu Block hinunter und beobachtete ein Weilchen, wie er die Hände ihr entgegenhob und bittend aneinander rieb. Schließlich nickte sie ernst, wandte sich zum Advokaten und sagte: »Er war ruhig und fleißig.« Ein alter Kaufmann, ein Mann mit langem Bart, flehte ein junges Mädchen um ein günstiges Zeugnis an. Mochte er dabei auch Hintergedanken haben, nichts konnte ihn in den Augen eines Mitmenschen rechtfertigen. Er entwürdigte fast den Zuseher. K. begriff nicht, wie der Advokat daran hatte denken können, durch diese Vorführung ihn zu gewinnen. Hätte er ihn nicht schon früher verjagt, er hätte es durch diese Szene erreicht. So wirkte also die Methode des Advokaten, welcher K. glücklicher Weise nicht lange genug ausgesetzt gewesen war, dass der Klient schließlich an die ganze Welt vergaß und nur auf diesem Irrweg zum Ende des Processes sich fortzuschleppen hoffte. Das war kein Klient mehr, das war der Hund des Advokaten. Hätte ihm dieser befohlen, unter das Bett wie in eine Hundehütte zu kriechen und von dort aus zu bellen, er hätte es mit Lust getan. Als sei K. beauftragt, alles was hier gesprochen wurde, genau in sich aufzunehmen, an einem höhern Ort die Anzeige davon zu erstatten und einen Bericht abzulegen, hörte er prüfend und überlegen zu. »Was hat er während des ganzen Tags getan?« fragte der Advokat. »Ich habe ihn«, sagte Leni, »damit er mich bei der Arbeit nicht störe, in dem Dienstmädchenzimmer eingesperrt, wo er sich ja gewöhnlich aufhält. Durch die Luke konnte ich von Zeit zu Zeit nachsehn, was er machte. Er kniete immer auf dem Bett, hatte die Schriften, die Du ihm geliehen hast, auf dem Fensterbrett aufgeschlagen

23 **an die ganze Welt vergaß:** die ganze Welt vergaß (österr.)

und las in ihnen. Das hat einen guten Eindruck auf mich gemacht; das Fenster führt nämlich nur in einen Luftschacht und gibt fast kein Licht. Dass Block trotzdem las, zeigte mir, wie folgsam er ist.« »Es freut mich das zu hören«, sagte der Advokat. »Hat er aber auch mit Verständnis gelesen?« Block bewegte während dieses Gespräches unaufhörlich die Lippen, offenbar formulierte er die Antworten, die er von Leni erhoffte. »Darauf kann ich natürlich«, sagte Leni, »nicht mit Bestimmtheit antworten. Jedenfalls habe ich gesehn, dass er gründlich las. Er hat den ganzen Tag über die gleiche Seite gelesen und beim Lesen den Finger die Zeilen entlanggeführt. Immer wenn ich zu ihm hineinsah, hat er geseufzt, als mache ihm das Lesen viel Mühe. Die Schriften, die Du ihm geliehen hast sind wahrscheinlich schwer verständlich.« »Ja«, sagte der Advokat, »das sind sie allerdings. Ich glaube auch nicht, dass er etwas von ihnen versteht. Sie sollen ihm nur eine Ahnung davon geben, wie schwer der Kampf ist, den ich zu seiner Verteidigung führe. Und für wen führe ich diesen schweren Kampf? Für – es ist fast lächerlich es auszusprechen – für Block. Auch was das bedeutet soll er begreifen lernen. Hat er ununterbrochen studiert?« »Fast ununterbrochen«, antwortete Leni, »nur einmal hat er mich um Wasser zum Trinken gebeten. Da habe ich ihm ein Glas durch die Luke gereicht. Um acht Uhr habe ich ihn dann herausgelassen und ihm etwas zu essen gegeben.« Block streifte K. mit einem Seitenblick, als werde hier Rühmendes von ihm erzählt und müsse auch auf K. Eindruck machen. Er schien jetzt gute Hoffnungen zu haben, bewegte sich freier und rückte auf den Knien hin und her. Desto deutlicher war es, wie er unter den folgenden Worten des Advokaten erstarrte. »Du lobst ihn«, sagte der Advokat. »Aber gerade das macht es mir schwer zu reden. Der Richter hat sich nämlich nicht günstig ausgesprochen, weder über Block selbst noch über seinen Process.« »Nicht günstig?« fragte Leni. »Wie ist das möglich?« Block sah sie mit einem so gespannten Blick an, als traue er ihr die Fähigkeit zu, jetzt noch die längst ausgesprochenen Worte des Richters zu seinen Gunsten zu wenden. »Nicht günstig«, sagte der Advokat.

---

20 f. **Hat er ununterbrochen studiert?:** evtl. Anspielung auf die Pflicht gläubiger Juden, sich immer wieder intensiv mit der Thora zu beschäftigen

»Er war sogar unangenehm berührt, als ich von Block zu sprechen anfieng. ›Reden Sie nicht von Block‹, sagte er. ›Er ist mein Klient‹, sagte ich. ›Sie lassen sich missbrauchen‹, sagte er. ›Ich halte seine Sache nicht für verloren‹, sagte ich. ›Sie lassen sich missbrauchen‹, wiederholte er. ›Ich glaube es nicht‹, sagte ich. ›Block ist im Process fleißig und immer hinter seiner Sache her. Er wohnt fast bei mir um immer auf dem Laufenden zu sein. Solchen Eifer findet man nicht immer. Gewiss er ist persönlich nicht angenehm, hat hässliche Umgangsformen und ist schmutzig, aber in prozessualer Hinsicht ist er untadelhaft.‹ Ich sagte untadelhaft, ich übertrieb absichtlich. Darauf sagte er: ›Block ist bloß schlau. Er hat viel Erfahrung angesammelt und versteht es den Process zu verschleppen. Aber seine Unwissenheit ist noch viel größer als seine Schlauheit. Was würde er wohl dazu sagen, wenn er erfahren würde, dass sein Process noch gar nicht begonnen hat, wenn man ihm sagen würde, dass noch nicht einmal das Glockenzeichen zum Beginn des Processes gegeben ist.‹ Ruhig Block«, sagte der Advokat, denn Block begann sich gerade auf unsicheren Knien zu erheben und wollte offenbar um Aufklärung bitten. Es war jetzt das erste Mal, dass sich der Advokat mit ausführlicheren Worten geradezu an Block wendete. Mit müden Augen sah er halb ziellos, halb zu Block hinunter, der unter diesem Blick wieder langsam in die Knie zurücksank. »Diese Äußerung des Richters hat für Dich gar keine Bedeutung«, sagte der Advokat. »Erschrick doch nicht bei jedem Wort. Wenn sich das wiederholt, werde ich Dir gar nichts mehr verraten. Man kann keinen Satz beginnen, ohne dass Du einen anschaust, als ob jetzt Dein Endurteil käme. Schäme Dich hier vor meinem Klienten! Auch erschütterst Du das Vertrauen, das er in mich setzt. Was willst Du denn? Noch lebst Du, noch stehst Du unter meinem Schutz. Sinnlose Angst! Du hast irgendwo gelesen, dass das Endurteil in manchen Fällen unversehens komme aus beliebigem Munde zu beliebiger Zeit. Mit vielen Vorbehalten ist das allerdings wahr, ebenso wahr aber ist es, dass mich Deine Angst anwidert und dass ich darin einen Mangel des notwendigen Vertrauens sehe. Was habe ich denn gesagt? Ich habe die Äußerung eines Richters wiedergegeben. Du weißt, die verschiedenen Ansichten häufen sich um das Verfahren bis zur Undurchdringlichkeit. Dieser Richter z.B. nimmt den Anfang des Verfahrens zu einem andern Zeitpunkt an als ich. Ein Meinungsunterschied, nichts weiter. In einem gewissen Stadium des Processes wird nach altem Brauch ein Glockenzeichen gegeben. Nach der Ansicht dieses Richters beginnt damit der Process. Ich kann Dir jetzt nicht alles sagen, was dagegen spricht, Du würdest es auch nicht verstehn, es genüge Dir, dass viel dagegen spricht.« Verlegen fuhr Block unten mit den Fingern durch das Fell des Bettvorlegers, die Angst wegen des Ausspruches des Richters ließ ihn zeitweise die eigene Untertänigkeit gegenüber dem Advokaten vergessen, er dachte dann nur an sich und drehte die Worte des Richters nach allen Seiten. »Block«, sagte Leni in warnendem Ton und zog ihn am Rockkragen ein wenig in die Höhe. »Lass jetzt das Fell und höre dem Advokaten zu.«

Im Dom

K. bekam den Auftrag, einem italienischen Geschäftsfreund der Bank, der für sie sehr wichtig war und sich zum ersten Mal in dieser Stadt aufhielt, einige Kunstdenkmäler zu zeigen. Es war ein Auftrag, den er zu anderer Zeit gewiss für ehrend gehalten hätte, den er aber jetzt, da er nur mit großer Anstrengung sein Ansehen in der Bank noch wahren konnte, widerwillig übernahm. Jede Stunde, die er dem Bureau entzogen wurde machte ihm Kummer; er konnte zwar die Bureauzeit beiweitem nicht mehr so ausnützen wie früher, er brachte manche Stunden nur unter dem notdürftigsten Anschein wirklicher Arbeit hin, aber desto größer waren seine Sorgen, wenn er nicht im Bureau war. Er glaubte dann zu sehn, wie der Direktor-Stellvertreter, der ja immer auf der Lauer gewesen war, von Zeit zu Zeit in sein Bureau kam, sich an seinen Schreibtisch setzte, seine Schriftstücke durchsuchte, Parteien, mit denen K. seit Jahren fast befreundet gewesen war, empfieng und ihm abspenstig machte, ja vielleicht sogar Fehler aufdeckte, von denen sich K. während der Arbeit jetzt immer aus tausend Richtungen bedroht sah und die er nicht mehr vermeiden konnte. Wurde er daher einmal sei es in noch so auszeichnender Weise zu einem Geschäftsweg oder gar zu einer kleinen Reise beauftragt – solche Aufträge hatten sich in der letzten Zeit ganz zufällig gehäuft – dann lag immerhin die Vermutung nahe, dass man ihn für ein Weilchen aus dem Bureau entfernen und seine Arbeit überprüfen wolle oder wenigstens dass man ihn im Bureau für leicht entbehrlich halte. Die meisten dieser Aufträge hätte er ohne Schwierigkeit ablehnen können, aber er wagte es nicht, denn, wenn seine Befürchtung auch nur im geringsten begründet war, bedeutete die Ablehnung des Auftrags Geständnis seiner Angst. Aus diesem Grunde nahm er solche Aufträge scheinbar gleichmü-

tig hin und verschwieg sogar, als er eine anstrengende 2tä-
gige Geschäftsreise machen sollte, eine ernstliche Verkühlung, um sich nur nicht der Gefahr auszusetzen, mit Berufung
auf das gerade herrschende regnerische Herbstwetter von der
Reise abgehalten zu werden. Als er von dieser Reise mit wü-
tenden Kopfschmerzen zurückkehrte, erfuhr er, dass er dazu
bestimmt sei, am nächsten Tag den italienischen Geschäftsfreund zu begleiten. Die Verlockung, sich wenigstens dieses
eine Mal zu weigern, war sehr groß, vor allem war das was
man ihm hier zugedacht hatte, keine unmittelbar mit dem Geschäft zusammenhängende Arbeit, die Erfüllung dieser ge-
sellschaftlichen Pflicht gegenüber dem Geschäftsfreund war
an sich zweifellos wichtig genug, nur nicht für K., der wohl
wusste, dass er sich nur durch Arbeitserfolge erhalten könne
und dass es, wenn ihm das nicht gelingen würde, vollständig
wertlos war, wenn er diesen Italiener unerwarteter Weise sogar bezaubern sollte; er wollte nicht einmal für einen Tag aus
dem Bereich der Arbeit geschoben werden, denn die Furcht
nicht mehr zurückgelassen zu werden, war zu groß, eine
Furcht, die er sehr genau als übertrieben erkannte, die ihn
aber doch beengte. In diesem Fall allerdings war es fast unmöglich einen annehmbaren Einwand zu erfinden, K.'s
Kenntnis des Italienischen war zwar nicht sehr groß, aber immerhin genügend; das Entscheidende aber war, dass K. aus
früherer Zeit einige kunsthistorische Kenntnisse besaß, was in
äußerst übertriebener Weise dadurch in der Bank bekannt geworden war, dass K. eine Zeitlang, übrigens auch nur aus geschäftlichen Gründen, Mitglied des Vereins zur Erhaltung der
städtischen Kunstdenkmäler gewesen war. Nun war aber der
Italiener, wie man gerüchtweise erfahren hatte, ein Kunstlieb-
haber und die Wahl K.'s zu seinem Begleiter war daher selbstverständlich.

Es war ein sehr regnerischer stürmischer Morgen, als K.
voll Ärger über den Tag der ihm bevorstand schon um sieben
Uhr ins Bureau kam, um wenigstens einige Arbeit noch fer-
tigzubringen, ehe der Besuch ihn allem entziehen würde. Er
war sehr müde, denn er hatte die halbe Nacht mit dem Studi-

um einer italienischen Grammatik verbracht, um sich ein wenig vorzubereiten, das Fenster an dem er in der letzten Zeit viel zu oft zu sitzen pflegte, lockte ihn mehr als der Schreibtisch, aber er widerstand und setzte sich zur Arbeit. Leider trat gerade der Diener ein und meldete, der Herr Direktor habe ihn geschickt, um nachzusehn, ob der Herr Prokurist schon hier sei; sei er hier, dann möge er so freundlich sein und ins Empfangszimmer hinüberkommen, der Herr aus Italien sei schon da. »Ich komme schon«, sagte K., steckte ein kleines Wörterbuch in die Tasche, nahm ein Album der städtischen Sehenswürdigkeiten, das er für den Fremden vorbereitet hatte unter den Arm, und gieng durch das Bureau des Direktor-Stellvertreters in das Direktionszimmer. Er war glücklich darüber, so früh ins Bureau gekommen zu sein und sofort zur Verfügung stehn zu können, was wohl niemand ernstlich erwartet hatte. Das Bureau des Direktor-Stellvertreters war natürlich noch leer, wie in tiefer Nacht, wahrscheinlich hatte der Diener auch ihn ins Empfangszimmer berufen sollen, es war aber erfolglos gewesen. Als K. ins Empfangszimmer eintrat erhoben sich die zwei Herren aus den tiefen Fauteuils. Der Direktor lächelte freundlich, offenbar war er sehr erfreut über K.'s Kommen, er besorgte sofort die Vorstellung, der Italiener schüttelte K. kräftig die Hand und nannte lachend irgendjemanden einen Frühaufsteher, K. verstand nicht genau wen er meinte, es war überdies ein sonderbares Wort, dessen Sinn K. erst nach einem Weilchen erriet. Er antwortete mit einigen glatten Sätzen, die der Italiener wieder lachend hinnahm, wobei er mehrmals mit nervöser Hand über seinen graublauen buschigen Schnurrbart fuhr. Dieser Bart war offenbar parfümiert, man war fast versucht, sich zu nähern und zu riechen. Als sich alle gesetzt hatten und ein kleines einleitendes Gespräch begann, bemerkte K. mit großem Unbehagen, dass er den Italiener nur bruchstückweise verstand. Wenn er ganz ruhig sprach, verstand er ihn fast vollständig, das waren aber nur seltene Ausnahmen, meistens quoll förmlich ihm die Rede aus dem Mund, er schüttelte den Kopf wie vor Lust darüber. Bei solchen Reden aber verwickelte er sich regelmäßig in irgendeinen Dialekt, der für K. nichts Italienisches mehr hatte, den aber der Direktor nicht nur verstand sondern auch sprach, was K. allerdings hätte voraussehn können, denn der Italiener stammte aus Süditalien, wo auch der Direktor einige Jahre gewesen war. Jedenfalls erkannte K. dass ihm die Möglichkeit sich mit dem Italiener zu verständigen, zum größten Teil genommen war, denn auch dessen Französisch war nur schwer verständlich, auch verdeckte der Bart die Lippenbewegungen, deren Anblick vielleicht zum Verständnis geholfen hätte. K. begann viele Unannehmlichkeiten vorauszusehn, vorläufig gab er es auf, den Italiener verstehen zu wollen – in der Gegenwart des Direktors, der ihn so leicht verstand, wäre es unnötige Anstrengung gewesen – und er beschränkte sich darauf, ihn verdrießlich zu beobachten, wie er tief und doch leicht in dem Fauteuil ruhte, wie er öfters an seinem kurzen, scharf geschnittenen Röckchen zupfte und wie er einmal mit erhobenen Armen und lose in den Gelenken bewegten Händen irgendetwas darzustellen versuchte das K. nicht begreifen konnte, trotzdem er vorgebeugt die Hände nicht aus den Augen ließ. Schließlich machte sich bei K., der sonst unbeschäftigt nur mechanisch mit den Blicken dem Hin und Her der Reden folgte, die frühere Müdigkeit geltend und er ertappte sich einmal zu seinem Schrecken, glücklicherweise noch rechtzeitig, darauf, dass er in der Zerstreutheit gerade hatte aufstehen, sich umdrehn und weggehn wollen. Endlich sah der Italiener auf die Uhr und sprang auf. Nachdem er sich vom Direktor verabschiedet hatte, drängte er sich an K. undzwar so dicht, dass K. sein Fauteuil zurückschieben musste, um sich bewegen zu können. Der Direktor, der gewiss an K.'s Augen die Not erkannte, in der er sich gegenüber diesem Italienisch befand, mischte sich in das Gespräch undzwar so klug und so zart, dass es den Anschein hatte als füge er nur kleine Ratschläge bei, während er in Wirklichkeit alles was der Italiener, unermüdlich ihm in die Rede fallend vorbrachte, in aller Kürze K. verständlich machte. K. erfuhr von ihm, dass der Italiener vorläufig noch einige Geschäfte zu besorgen habe, dass er leider auch im Ganzen nur wenig Zeit haben

19 **trotzdem:** obwohl

werde, dass er auch keinesfalls beabsichtige in Eile alle Sehenswürdigkeiten abzulaufen, dass er sich vielmehr – allerdings nur wenn K. zustimme, bei ihm allein liege die Entscheidung – entschlossen habe nur den Dom, diesen aber gründlich zu besichtigen. Er freue sich ungemein diese Besichtigung in Begleitung eines so gelehrten und liebenswürdigen Mannes – damit war K. gemeint, der mit nichts anderem beschäftigt war, als den Italiener zu überhören und die Worte des Direktors schnell aufzufassen – vornehmen zu können und er bitte ihn, wenn ihm die Stunde gelegen sei, in zwei Stunden etwa um 10 Uhr sich im Dom einzufinden. Er selbst hoffe um diese Zeit schon bestimmt dort sein zu können. K. antwortete einiges Entsprechende, der Italiener drückte zuerst dem Direktor, dann K., dann nochmals dem Direktor die Hand und gieng von beiden gefolgt, nur noch halb ihnen zugewendet, im Reden aber noch immer nicht aussetzend, zur Tür. K. blieb dann noch ein Weilchen mit dem Direktor beisammen, der heute besonders leidend aussah. Er glaubte sich bei K. irgendwie entschuldigen zu müssen und sagte – sie standen vertraulich nahe beisammen – zuerst hätte er beabsichtigt, selbst mit dem Italiener zu gehn, dann aber – er gab keinen nähern Grund an – habe er sich entschlossen, lieber K. zu schicken. Wenn er den Italiener nicht gleich im Anfang verstehe, so müsse er sich dadurch nicht verblüffen lassen, das Verständnis komme sehr rasch und wenn er auch viel überhaupt nicht verstehen sollte, so sei es auch nicht so schlimm, denn für den Italiener sei es nicht gar so wichtig verstanden zu werden. Übrigens sei K.'s Italienisch überraschend gut und er werde sich gewiss ausgezeichnet mit der Sache abfinden. Damit war K. verabschiedet. Die Zeit, die ihm noch freiblieb verbrachte er damit seltene Vokabeln, die er zur Führung im Dom benötigte, aus dem Wörterbuch herauszuschreiben. Es war eine äußerst lästige Arbeit, Diener brachten die Post, Beamte kamen mit verschiedenen Anfragen und blieben, da sie K. beschäftigt sahen, bei der Tür stehn, rührten sich aber nicht weg, bis sie K. angehört hatte, der Direktor-Stellvertreter ließ es sich nicht entgehn K. zu stören, kam öfters herein, nahm ihm das Wörterbuch aus der Hand und blätterte offenbar ganz sinnlos darin, selbst Parteien tauchten wenn sich die Türe öffnete im Halbdunkel des Vorzimmers auf und verbeugten sich zögernd, sie wollten auf sich aufmerksam machen, waren aber dessen nicht sicher ob sie gesehen wurden – das alles bewegte sich um K. als um seinen Mittelpunkt, während er selbst die Wörter die er brauchte, zusammenstellte, dann im Wörterbuch suchte, dann herausschrieb, dann sich in ihrer Aussprache übte und schließlich auswendig zu lernen versuchte. Sein früheres gutes Gedächtnis schien ihm aber ganz verlassen zu haben, manchmal wurde er auf den Italiener, der ihm diese Anstrengung verursachte, so wütend, dass er das Wörterbuch unter Papieren vergrub mit der festen Absicht sich nicht mehr vorzubereiten, dann aber sah er ein, dass er doch nicht stumm mit dem Italiener vor den Kunstwerken im Dom auf und abgehn könne und er zog mit noch größerer Wut das Wörterbuch wieder hervor.

Gerade um ½10 als er weggehn wollte, erfolgte ein telephonischer Anruf, Leni wünschte ihm guten Morgen und fragte nach seinem Befinden, K. dankte eilig und bemerkte er könne sich jetzt unmöglich in ein Gespräch einlassen, denn er müsse in den Dom. »In den Dom?« fragte Leni. »Nun ja, in den Dom.« »Warum denn in den Dom?« fragte Leni. K. suchte es ihr in Kürze zu erklären, aber kaum hatte er damit angefangen, sagte Leni plötzlich: »Sie hetzen Dich.« Bedauern, das er nicht herausgefordert und nicht erwartet hatte, vertrug K. nicht, er verabschiedete sich mit zwei Worten, sagte aber doch, während er den Hörer an seinen Platz hängte, halb zu sich, halb zu dem fernen Mädchen, das er nicht mehr hörte: »Ja, sie hetzen mich.«

Nun war es aber schon spät, es bestand schon fast die Gefahr, dass er nicht rechtzeitig ankam. Im Automobil fuhr er hin, im letzten Augenblick hatte er sich noch an das Album erinnert, das er früh zu übergeben keine Gelegenheit gefunden hatte und das er deshalb jetzt mitnahm. Er hielt es auf seinen Knien und trommelte darauf unruhig während der ganzen Fahrt. Der Regen war schwächer geworden, aber es war feucht, kühl und dunkel, man würde im Dom wenig sehn, wohl aber würde sich dort infolge des langen Stehns auf den kalten Fliesen K.'s Verkühlung sehr verschlimmern.

Der Domplatz war ganz leer, K. erinnerte sich, dass es ihm schon als kleinem Kind aufgefallen war, dass in den Häusern dieses engen Platzes immer fast alle Fenstervorhänge herabgelassen waren. Bei dem heutigen Wetter war es allerdings verständlicher als sonst. Auch im Dom schien es leer zu sein, es fiel natürlich niemandem ein, jetzt hierherzukommen. K. durchlief beide Seitenschiffe, er traf nur ein altes Weib, das eingehüllt in ein warmes Tuch vor einem Marienbild kniete und es anblickte. Von weitem sah er dann noch einen hinkenden Diener in einer Mauertür verschwinden. K. war pünktlich gekommen, gerade bei seinem Eintritt hatte es 11 geschlagen, der Italiener war aber noch nicht hier. K. gieng zum Haupteingang zurück, stand dort eine Zeitlang unentschlossen und machte dann im Regen einen Rundgang um den Dom, um nachzusehn, ob der Italiener nicht vielleicht bei irgendeinem Seiteneingang warte. Er war nirgends zu finden. Sollte der Direktor etwa die Zeitangabe missverstanden haben? Wie konnte man auch diesen Menschen richtig verstehn. Wie es aber auch sein mochte, jedenfalls musste K. zumindest eine ½ Stunde auf ihn warten. Da er müde war, wollte er sich setzen, er gieng wieder in den Dom, fand auf einer Stufe einen kleinen teppichartigen Fetzen, zog ihn mit der Fußspitze vor eine nahe Bank, wickelte sich fester in seinen Mantel, schlug den Kragen in die Höhe und setzte sich. Um sich zu zerstreuen schlug er das Album auf, blätterte darin ein wenig, musste aber bald aufhören, denn es wurde so dunkel, dass er, als er aufblickte, in dem nahen Seitenschiff kaum eine Einzelheit unterscheiden konnte.

In der Ferne funkelte auf dem Hauptaltar ein großes Dreieck von Kerzenlichtern, K. hätte nicht mit Bestimmtheit sagen können, ob er sie schon früher gesehen hatte. Vielleicht waren sie erst jetzt angezündet worden. Die Kirchendiener sind berufsmäßige Schleicher, man bemerkt sie nicht. Als sich K. zufällig umdrehte, sah er nicht weit hinter sich eine hohe

---

12 f. **einen hinkenden Diener:** offenbar Anspielung auf den Volksglauben, dem zufolge der Teufel hinkt

starke an einer Säule befestigte Kerze gleichfalls brennen. So schön das war, zur Beleuchtung der Altarbilder, die meistens in der Finsternis der Seitenaltäre hiengen, war das gänzlich unzureichend, es vermehrte vielmehr die Finsternis. Es war vom Italiener ebenso vernünftig als unhöflich gehandelt, dass er nicht gekommen war, es wäre nichts zu sehn gewesen, man hätte sich damit begnügen müssen mit K.'s elektrischer Taschenlampe einige Bilder zollweise abzusuchen. Um zu versuchen, was man davon erwarten könnte, gieng K. zu einer nahen kleinen Seitenkapelle, stieg paar Stufen bis zu einer niedrigen Marmorbrüstung und über sie vorgebeugt beleuchtete er mit der Lampe das Altarbild. Störend schwebte das ewige Licht davor. Das erste was K. sah und zum Teil erriet, war ein großer gepanzerter Ritter, der am äußersten Rande des Bildes dargestellt war. Er stützte sich auf sein Schwert, das er in den kahlen Boden vor sich – nur einige Grashalme kamen hie und da hervor – gestoßen hatte. Er schien aufmerksam einen Vorgang zu beobachten, der sich vor ihm abspielte. Es war erstaunlich, dass er so stehen blieb und sich nicht näherte. Vielleicht war er dazu bestimmt, Wache zu stehn. K., der schon lange keine Bilder gesehen hatte, betrachtete den Ritter längere Zeit, trotzdem er immerfort mit den Augen zwinkern musste, da er das grüne Licht der Lampe nicht vertrug. Als er dann das Licht über den übrigen Teil des Bildes streichen ließ, fand er eine Grablegung Christi in gewöhnlicher Auffassung, es war übrigens ein neueres Bild. Er steckte die Lampe ein und kehrte wieder zu seinem Platz zurück.

Es war nun schon wahrscheinlich unnötig auf den Italiener zu warten, draußen war aber gewiss strömender Regen und da es hier nicht so kalt war, wie K. erwartet hatte, beschloss er vorläufig hier zu bleiben. In seiner Nachbarschaft war die große Kanzel, auf ihrem kleinen runden Dach waren halb liegend zwei leere goldene Kreuze angebracht, die sich mit ihrer äußersten Spitze überquerten. Die Außenwand der Brüstung und ihr Übergang zur tragenden Säule war von grünem Laubwerk gebildet in das kleine Engel griffen, bald lebhaft bald ruhend. K. trat vor die Kanzel und untersuchte sie von allen

22 **trotzdem:** obwohl

Seiten, die Bearbeitung des Steines war überaus sorgfältig, das tiefe Dunkel zwischen dem Laubwerk und hinter ihm schien wie eingefangen und festgehalten, K. legte seine Hand in eine solche Lücke und tastete dann den Stein vorsichtig ab, von dem Dasein dieser Kanzel hatte er bisher gar nicht gewusst. Da bemerkte er zufällig hinter der nächsten Bankreihe einen Kirchendiener, der dort in einem hängenden faltigen schwarzen Rock stand, in der linken Hand eine Schnupftabakdose hielt und ihn betrachtete. »Was will denn der Mann?« dachte K. »Bin ich ihm verdächtig? Will er ein Trinkgeld?« Als sich aber nun der Kirchendiener von K. bemerkt sah, zeigte er mit der Rechten, zwischen zwei Fingern hielt er noch eine Prise Tabak, in irgendeiner unbestimmten Richtung. Sein Benehmen war fast unverständlich, K. wartete noch ein Weilchen, aber der Kirchendiener hörte nicht auf mit der Hand etwas zu zeigen und bekräftigte es noch durch Kopfnicken. »Was will er denn?« fragte K. leise, er wagte es nicht hier zu rufen; dann aber zog er die Geldtasche und drängte sich durch die nächste Bank, um zu dem Mann zu kommen. Doch dieser machte sofort eine abwehrende Bewegung mit der Hand, zuckte die Schultern und hinkte davon. Mit einer ähnlichen Gangart wie es dieses eilige Hinken war, hatte K. als Kind das Reiten auf Pferden nachzuahmen versucht. »Ein kindischer Alter«, dachte K., »sein Verstand reicht nur noch zum Kirchendienst aus. Wie er stehn bleibt wenn ich stehe und wie er lauert, ob ich weitergehen will.« Lächelnd folgte K. dem Alten durch das ganze Seitenschiff fast bis zur Höhe des Hauptaltars, der Alte hörte nicht auf, etwas zu zeigen, aber K. drehte sich absichtlich nicht um, das Zeigen hatte keinen andern Zweck als ihn von der Spur des Alten abzubringen. Schließlich ließ er wirklich von ihm, er wollte ihn nicht zu sehr ängstigen, auch wollte er die Erscheinung, für den Fall, dass der Italiener doch noch kommen sollte, nicht ganz verscheuchen.

Als er in das Hauptschiff trat, um seinen Platz zu suchen, auf dem er das Album liegengelassen hatte, bemerkte er an einer Säule fast angrenzend an die Bänke des Altarchors eine kleine Nebenkanzel, ganz einfach aus kahlem bleichem Stein.

Sie war so klein, dass sie aus der Ferne wie eine noch leere Nische erschien, die für die Aufnahme einer Statue bestimmt war. Der Prediger konnte gewiss keinen vollen Schritt von der Brüstung zurücktreten. Außerdem begann die steinerne Einwölbung der Kanzel ungewöhnlich tief und stieg zwar ohne jeden Schmuck aber derartig geschweift in die Höhe, dass ein mittelgroßer Mann dort nicht aufrecht stehen konnte, sondern sich dauernd über die Brüstung vorbeugen musste. Das Ganze war wie zur Qual des Predigers bestimmt, es war unverständlich wozu man diese Kanzel benötigte, da man doch die andere große und so kunstvoll geschmückte zur Verfügung hatte.

K. wäre auch diese kleine Kanzel gewiss nicht aufgefallen, wenn nicht oben eine Lampe befestigt gewesen wäre, wie man sie kurz vor einer Predigt bereitzustellen pflegt. Sollte jetzt etwa eine Predigt stattfinden? In der leeren Kirche? K. sah an der Treppe hinab, die an die Säule sich anschmiegend zur Kanzel führte und so schmal war, als solle sie nicht für Menschen, sondern nur zum Schmuck der Säule dienen. Aber unten an der Kanzel, K. lächelte vor Staunen, stand wirklich der Geistliche, hielt die Hand am Geländer, bereit aufzusteigen und sah auf K. hin. Dann nickte er ganz leicht mit dem Kopf, worauf K. sich bekreuzigte und verbeugte, was er schon früher hätte tun sollen. Der Geistliche gab sich einen kleinen Aufschwung und stieg mit kurzen, schnellen Schritten die Kanzel hinauf. Sollte wirklich eine Predigt beginnen? War vielleicht der Kirchendiener doch nicht so ganz vom Verstand verlassen und hatte K. dem Prediger zutreiben wollen, was allerdings in der leeren Kirche äußerst notwendig gewesen war. Übrigens gab es ja noch irgendwo vor einem Marienbild ein altes Weib, das auch hätte kommen sollen. Und wenn es schon eine Predigt sein sollte, warum wurde sie nicht von der Orgel eingeleitet. Aber die blieb still und blinkte nur schwach aus der Finsternis ihrer großen Höhe.

K. dachte daran, ob er sich jetzt nicht eiligst entfernen sollte, wenn er es jetzt nicht tat, war keine Aussicht, dass er es während der Predigt tun könnte, er musste dann bleiben, solange sie dauerte, im Bureau verlor er so viel Zeit, auf den Italiener zu warten war er längst nicht mehr verpflichtet, er sah auf seine Uhr, es war 11. Aber konnte denn wirklich gepredigt werden? Konnte K. allein die Gemeinde darstellen? Wie, wenn er ein Fremder gewesen wäre, der nur die Kirche besichtigen wollte? Im Grunde war er auch nichts anderes. Es war unsinnig daran zu denken dass gepredigt werden sollte, jetzt um 11 Uhr, an einem Werketag bei graulichstem Wetter. Der Geistliche – ein Geistlicher war es zweifellos, ein junger Mann mit glattem dunklem Gesicht – gieng offenbar nur hinauf um die Lampe zu löschen, die irrtümlich angezündet worden war.

Es war aber nicht so, der Geistliche prüfte vielmehr das Licht und schraubte es noch ein wenig auf, dann drehte er sich langsam der Brüstung zu, die er vorn an der kantigen Einfassung mit beiden Händen erfasste. So stand er eine Zeitlang und blickte ohne den Kopf zu rühren umher. K. war ein großes Stück zurückgewichen und lehnte mit den Elbogen an der vordersten Kirchenbank. Mit unsichern Augen sah er irgendwo, ohne den Ort genau zu bestimmen, den Kirchendiener mit krummem Rücken friedlich wie nach beendeter Aufgabe sich zusammenkauern. Was für eine Stille herrschte jetzt im Dom! Aber K. musste sie stören, er hatte nicht die Absicht hierzubleiben; wenn es die Pflicht des Geistlichen war zu einer bestimmten Stunde ohne Rücksicht auf die Umstände zu predigen, so mochte er es tun, es würde auch ohne K.'s Beistand gelingen, ebenso wie die Anwesenheit K.'s die Wirkung gewiss nicht steigern würde. Langsam setzte sich also K. in Gang, tastete sich auf den Fußspitzen an der Bank hin, kam dann in den breiten Hauptweg und gieng auch dort ganz ungestört, nur dass der steinerne Boden unter dem leisesten Schritt erklang und die Wölbungen schwach aber ununterbrochen, in vielfachem gesetzmäßigem Fortschreiten davon widerhallten. K. fühlte sich ein wenig verlassen, als er dort vom Geistlichen vielleicht beobachtet zwischen den leeren Bänken allein hindurchgieng, auch schien ihm die Größe des Doms gerade an der Grenze des für Menschen noch Erträglichen zu liegen. Als er zu seinem frühern Platz kam, haschte er förmlich ohne weitern Aufenthalt nach dem dort liegen gelassenen Album und nahm es an sich. Fast hatte er schon das Gebiet der Bänke verlassen und näherte sich dem freien Raum, der zwischen ihnen und dem Ausgang lag, als er zum ersten Mal die Stimme des Geistlichen hörte. Eine mächtige geübte Stimme. Wie durchdrang sie den zu ihrer Aufnahme bereiten Dom! Es war aber nicht die Gemeinde, die der Geistliche anrief, es war ganz eindeutig und es gab keine Ausflüchte, er rief: »Josef K.!«

K. stockte und sah vor sich auf den Boden. Vorläufig war er noch frei, er konnte noch weitergehn und durch eine der drei kleinen dunklen Holztüren, die nicht weit vor ihm waren, sich davon machen. Es würde eben bedeuten, dass er nicht verstanden hatte oder dass er zwar verstanden hatte, sich aber darum nicht kümmern wollte. Falls er sich aber umdrehte, war er festgehalten, denn dann hatte er das Geständnis gemacht, dass er gut verstanden hatte, dass er wirklich der Angerufene war und dass er auch folgen wollte. Hätte der Geistliche nochmals gerufen, wäre K. gewiss fortgegangen, aber da alles still blieb, solange K. auch wartete, drehte er doch ein wenig den Kopf, denn er wollte sehn, was der Geistliche jetzt mache. Er stand ruhig auf der Kanzel wie früher, es war aber deutlich zu sehn, dass er K.'s Kopfwendung bemerkt hatte. Es wäre ein kindliches Versteckenspiel gewesen, wenn sich jetzt K. nicht vollständig umgedreht hätte. Er tat es und wurde vom Geistlichen durch ein Winken des Fingers näher gerufen. Da jetzt alles offen geschehen konnte, lief er – er tat es auch aus Neugierde und um die Angelegenheit abzukürzen – mit langen fliegenden Schritten der Kanzel entgegen. Bei den ersten Bänken machte er halt, aber dem Geistlichen schien die Entfernung noch zu groß, er streckte die Hand aus und zeigte mit dem scharf gesenkten Zeigefinger auf eine Stelle knapp vor der Kanzel. K. folgte auch darin, er musste auf diesem Platz den Kopf schon weit zurückbeugen um den Geistlichen noch zu sehn. »Du bist Josef K.«, sagte der Geistliche und erhob eine Hand auf der Brüstung in einer unbestimmten Bewegung. »Ja«, sagte K., er dachte daran wie offen er früher immer seinen Namen genannt hatte, seit einiger Zeit war er ihm eine Last, auch kannten jetzt seinen Namen Leute, mit denen er zum ersten Mal zusammenkam, wie schön war es sich zuerst vorzustellen und dann erst gekannt zu werden. »Du bist angeklagt«, sagte der Geistliche besonders leise. »Ja«, sagte K., »man hat mich davon verständigt.« »Dann bist Du der, den ich suche«, sagte der Geistliche. »Ich bin der Gefängniskaplan.« »Ach so«, sagte K. »Ich habe Dich hierherrufen lassen«, sagte der Geistliche, »um mit Dir zu sprechen.« »Ich wusste es nicht«, sagte K. »Ich bin hierhergekommen, um einem Italiener den Dom zu zeigen.« »Lass das Nebensächliche«, sagte der Geistliche. »Was hältst Du in der Hand? Ist es ein Gebetbuch?« »Nein«, antwortete K., »es ist ein Album der städtischen Sehenswürdigkeiten.« »Leg es aus der Hand«, sagte der Geistliche. K. warf es so heftig weg, dass es aufklappte und mit zerdrückten Blättern ein Stück über den Boden schleifte. »Weißt Du, dass Dein Process schlecht steht?« fragte der Geistliche. »Es scheint mir auch so«, sagte K. »Ich habe mir alle Mühe gegeben, bisher aber ohne Erfolg. Allerdings habe ich die Eingabe noch nicht fertig.« »Wie stellst Du Dir das Ende vor«, fragte der Geistliche. »Früher dachte ich es müsse gut enden«, sagte K., »jetzt zweifle ich daran manchmal selbst. Ich weiß nicht, wie es enden wird. Weißt Du es?« »Nein«, sagte der Geistliche, »aber ich fürchte es wird schlecht enden. Man hält Dich für schuldig. Dein Process wird vielleicht über ein niedriges Gericht gar nicht hinauskommen. Man hält wenigstens vorläufig Deine Schuld für erwiesen.« »Ich bin aber nicht schuldig«, sagte K. »Es ist ein Irrtum. Wie kann denn ein Mensch überhaupt schuldig sein. Wir sind hier doch alle Menschen, einer wie der andere.« »Das ist richtig«, sagte der Geistliche, »aber so pflegen die Schuldigen zu reden.« »Hast auch Du ein Vorurteil gegen mich?« fragte K. »Ich habe kein Vorurteil gegen Dich«, sagte der Geistliche. »Ich danke Dir«, sagte K. »Alle andern aber, die an dem Verfahren beteiligt sind haben ein Vorurteil gegen mich. Sie flößen es auch den Unbeteiligten ein. Meine Stellung wird immer schwieriger.« »Du missverstehst die Tatsachen«, sagte der Geistliche. »Das Urteil kommt nicht mit einemmal, das Verfahren geht allmählich ins Urteil über.« »So ist es also«, sagte K. und senkte den Kopf. »Was willst Du nächstens in Deiner Sache tun?« fragte der Geistliche. »Ich will noch Hilfe suchen«, sagte K. und hob den Kopf um zu sehn wie der Geistliche es beurteile. »Es gibt noch gewisse Möglichkeiten, die ich nicht ausgenützt habe.« »Du suchst zuviel fremde Hilfe«, sagte der Geistliche missbilligend, »und besonders bei Frauen. Merkst Du denn nicht, dass es nicht die wahre Hilfe ist.« »Manchmal und sogar oft könnte ich Dir recht geben«, sagte K., »aber nicht immer. Die Frauen haben eine große Macht. Wenn ich einige Frauen, die ich kenne, dazu bewegen könnte, gemeinschaftlich für mich zu arbeiten, müsste ich durchdringen. Besonders bei diesem Gericht, das fast nur aus Frauenjägern besteht. Zeig dem Untersuchungsrichter eine Frau aus der Ferne und er überrennt um nur rechtzeitig hinzukommen, den Gerichtstisch und den Angeklagten.« Der Geistliche neigte den Kopf zur Brüstung, jetzt erst schien die Überdachung der Kanzel ihn niederzudrücken. Was für ein Unwetter mochte draußen sein? Das war kein trüber Tag mehr, das war schon tiefe Nacht. Keine Glasmalerei der großen Fenster war imstande, die dunkle Wand auch nur mit einem Schimmer zu unterbrechen. Und gerade jetzt begann der Kirchendiener die Kerzen auf dem Hauptaltar eine nach der andern auszulöschen. »Bist Du mir böse«, fragte K. den Geistlichen. »Du weißt vielleicht nicht, was für einem Gericht Du dienst.« Er bekam keine Antwort. »Es sind doch nur meine Erfahrungen«, sagte K. Oben blieb es noch immer still. »Ich wollte Dich nicht beleidigen«, sagte K. Da schrie der Geistliche zu K. hinunter: »Siehst Du denn nicht zwei Schritte weit?« Es war im Zorn geschrien, aber gleichzeitig wie von einem, der jemanden fallen sieht und weil er selbst erschrocken ist, unvorsichtig, ohne Willen schreit.

Nun schwiegen beide lange. Gewiss konnte der Geistliche in dem Dunkel das unten herrschte, K. nicht genau erkennen, während K. den Geistlichen im Licht der kleinen Lampe deutlich sah. Warum kam der Geistliche nicht herunter? Eine Predigt hatte er ja nicht gehalten, sondern K. nur einige Mitteilungen gemacht, die ihm, wenn er sie genau beachten würde, wahrscheinlich mehr schaden als nützen würden. Wohl aber schien K. die gute Absicht des Geistlichen zweifellos zu sein, es war nicht unmöglich, dass er sich mit ihm, wenn er herunterkäme, einigen würde, es war nicht unmöglich, dass er von ihm einen entscheidenden und annehmbaren Rat bekäme, der ihm z.B. zeigen würde, nicht etwa wie der Process zu beeinflussen war, sondern wie man aus dem Process ausbrechen, wie man ihn umgehen, wie man außerhalb des Processes leben könnte. Diese Möglichkeit musste bestehn, K. hatte in der letzten Zeit öfters an sie gedacht. Wusste aber der Geistliche eine solche Möglichkeit, würde er sie vielleicht, wenn man ihn darum bat, verraten, trotzdem er selbst zum Gericht gehörte und trotzdem er, als K. das Gericht angegriffen hatte, sein sanftes Wesen unterdrückt und K. sogar angeschrien hatte.

»Willst Du nicht hinunterkommen?« sagte K. »Es ist doch keine Predigt zu halten. Komm zu mir hinunter.« »Jetzt kann ich schon kommen«, sagte der Geistliche, er bereute vielleicht sein Schreien. Während er die Lampe von ihrem Haken löste, sagte er: »Ich musste zuerst aus der Entfernung mit Dir sprechen. Ich lasse mich sonst zu leicht beeinflussen und vergesse meinen Dienst.«

K. erwartete ihn unten an der Treppe. Der Geistliche streckte ihm schon von einer obern Stufe im Hinuntergehn die Hand entgegen. »Hast Du ein wenig Zeit für mich?« fragte K. »Soviel Zeit als Du brauchst«, sagte der Geistliche und reichte K. die kleine Lampe damit er sie trage. Auch in der Nähe verlor sich eine gewisse Feierlichkeit aus seinem Wesen nicht. »Du bist sehr freundlich zu mir«, sagte K. Sie giengen nebeneinander im dunklen Seitenschiff auf und ab. »Du bist eine Ausnahme unter allen, die zum Gericht gehören. Ich habe mehr Vertrauen zu Dir, als zu irgendjemanden von ihnen, soviele ich schon kenne. Mit Dir kann ich offen reden.« »Täusche Dich nicht«, sagte der Geistliche. »Worin sollte ich mich denn täuschen?« fragte K. »In dem Gericht täuschst Du Dich«, sagte der Geistliche, »in den einleitenden Schriften

---

13 **trotzdem:** obwohl

zum Gesetz heißt es von dieser Täuschung: Vor dem Gesetz steht ein Türhüter. Zu diesem Türhüter kommt ein Mann vom Lande und bittet um Eintritt in das Gesetz. Aber der Türhüter sagt, dass er ihm jetzt den Eintritt nicht gewähren könne. Der Mann überlegt und fragt dann, ob er also später werde eintreten dürfen. ›Es ist möglich‹, sagt der Türhüter, ›jetzt aber nicht.‹ Da das Tor zum Gesetz offensteht wie immer und der Türhüter beiseite tritt, bückt sich der Mann, um durch das Tor in das Innere zu sehn. Als der Türhüter das merkt, lacht er und sagt: ›Wenn es Dich so lockt, versuche es doch trotz meines Verbotes hineinzugehn. Merke aber: Ich bin mächtig. Und ich bin nur der unterste Türhüter. Von Saal zu Saal stehn aber Türhüter einer mächtiger als der andere. Schon den Anblick des dritten kann nicht einmal ich mehr ertragen.‹ Solche Schwierigkeiten hat der Mann vom Lande nicht erwartet, das Gesetz soll doch jedem und immer zugänglich sein denkt er, aber als er jetzt den Türhüter in seinem Pelzmantel genauer ansieht, seine große Spitznase, den langen dünnen schwarzen tartarischen Bart, entschließt er sich doch lieber zu warten bis er die Erlaubnis zum Eintritt bekommt. Der Türhüter gibt ihm einen Schemel und lässt ihn seitwärts von der Tür sich niedersetzen. Dort sitzt er Tage und Jahre. Er macht viele Versuche eingelassen zu werden und ermüdet den Türhüter durch seine Bitten. Der Türhüter stellt öfters kleine Verhöre mit ihm an, fragt ihn über seine Heimat aus und nach vielem andern, es sind aber teilnahmslose Fragen wie sie große Herren stellen und zum Schlusse sagt er ihm immer wieder, dass er ihn noch nicht einlassen könne. Der Mann, der sich für seine Reise mit vielem ausgerüstet hat, verwendet alles und sei es noch so wertvoll um den Türhüter zu bestechen. Dieser nimmt zwar alles an, aber sagt dabei: ›Ich nehme es nur an, damit Du nicht glaubst, etwas versäumt zu haben.‹ Während der vielen Jahre beobachtet der Mann den Türhüter fast ununterbrochen. Er vergisst die andern Türhüter und dieser erste scheint ihm das einzige Hindernis für den Eintritt in das Gesetz. Er verflucht den unglücklichen Zufall, in den ersten Jahren laut, später als er alt wird brummt er nur

---

19 **tartarischen Bart:** Auf den Volksstamm der Tataren wird hier, im Blick auf ihr kriegerisches Wirken im Mittelalter, als Sinnbild barbarischer Grausamkeit angespielt

noch vor sich hin. Er wird kindisch und da er in dem jahrelangen Studium des Türhüters auch die Flöhe in seinem Pelzkragen erkannt hat, bittet er auch die Flöhe ihm zu helfen und den Türhüter umzustimmen. Schließlich wird sein Augenlicht schwach und er weiß nicht ob es um ihn wirklich dunkler wird oder ob ihn nur seine Augen täuschen. Wohl aber erkennt er jetzt im Dunkel einen Glanz, der unverlöschlich aus der Türe des Gesetzes bricht. Nun lebt er nicht mehr lange. Vor seinem Tode sammeln sich in seinem Kopfe alle Erfahrungen der ganzen Zeit zu einer Frage die er bisher an den Türhüter noch nicht gestellt hat. Er winkt ihm zu, da er seinen erstarrenden Körper nicht mehr aufrichten kann. Der Türhüter muss sich tief zu ihm hinunterneigen, denn die Größenunterschiede haben sich sehr zuungunsten des Mannes verändert. ›Was willst Du denn jetzt noch wissen‹, fragt der Türhüter, ›Du bist unersättlich.‹ ›Alle streben doch nach dem Gesetz‹, sagt der Mann, ›wie so kommt es, dass in den vielen Jahren niemand außer mir Einlass verlangt hat.‹ Der Türhüter erkennt, dass der Mann schon am Ende ist und um sein vergehendes Gehör noch zu erreichen brüllt er ihn an: ›Hier konnte niemand sonst Einlass erhalten, denn dieser Eingang war nur für Dich bestimmt. Ich gehe jetzt und schließe ihn.‹«

»Der Türhüter hat also den Mann getäuscht«, sagte K. sofort, von der Geschichte sehr stark angezogen. »Sei nicht übereilt«, sagte der Geistliche, »übernimm nicht die fremde Meinung ungeprüft. Ich habe Dir die Geschichte im Wortlaut der Schrift erzählt. Von Täuschung steht darin nichts.« »Es ist aber klar«, sagte K., »und Deine erste Deutung war ganz richtig. Der Türhüter hat die erlösende Mitteilung erst dann gemacht, als sie dem Manne nichts mehr helfen konnte.« »Er wurde nicht früher gefragt«, sagte der Geistliche, »bedenke auch dass er nur Türhüter war und als solcher hat er seine Pflicht erfüllt.« »Warum glaubst Du dass er seine Pflicht erfüllt hat?« fragte K., »er hat sie nicht erfüllt. Seine Pflicht war es vielleicht alle Fremden abzuwehren, diesen Mann aber, für den der Eingang bestimmt war, hätte er einlassen müssen.« »Du hast nicht genug Achtung vor der Schrift und veränderst

---

23 **Der Türhüter hat also den Mann getäuscht:** Beginn der Deutung der Parabel, von Kafka als »Exegese« (Auslegung) bezeichnet

die Geschichte«, sagte der Geistliche. »Die Geschichte enthält
über den Einlass ins Gesetz zwei wichtige Erklärungen des
Türhüters, eine am Anfang, eine am Ende. Die eine Stelle lau-
tet: ›dass er ihm jetzt den Eintritt nicht gewähren könne‹ und
die andere: ›dieser Eingang war nur für Dich bestimmt.‹ Be-
stände zwischen diesen Erklärungen ein Widerspruch dann
hättest Du recht und der Türhüter hätte den Mann getäuscht.
Nun besteht aber kein Widerspruch. Im Gegenteil die erste
Erklärung deutet sogar auf die zweite hin. Man könnte fast
sagen der Türhüter gieng über seine Pflicht hinaus, indem er
dem Mann eine zukünftige Möglichkeit des Einlasses in Aussicht stellte. Zu jener Zeit scheint es nur seine Pflicht gewesen
zu sein, den Mann abzuweisen. Und tatsächlich wundern sich
viele Erklärer der Schrift darüber, dass der Türhüter jene Andeutung überhaupt gemacht hat, denn er scheint die Genauigkeit zu lieben und wacht streng über sein Amt. Durch viele
Jahre verlässt er seinen Posten nicht und schließt das Tor erst
ganz zuletzt, er ist sich der Wichtigkeit seines Dienstes sehr
bewusst, denn er sagt ›ich bin mächtig‹, er hat Ehrfurcht vor
den Vorgesetzten, denn er sagt ›ich bin nur der unterste Türhüter‹, er ist wo es um Pflichterfüllung geht weder zu rühren
noch zu erbittern, denn es heißt von dem Mann ›er ermüdet
den Türhüter durch seine Bitten‹, er ist nicht geschwätzig,
denn während der vielen Jahre stellt er nur wie es heißt ›teilnahmslose Fragen‹, er ist nicht bestechlich, denn er sagt über
ein Geschenk ›ich nehme es nur an, damit Du nicht glaubst
etwas versäumt zu haben‹, schließlich deutet auch sein Äußeres auf einen pedantischen Charakter hin, die große Spitznase
und der lange dünne schwarze tartarische Bart. Kann es einen
pflichttreueren Türhüter geben? Nun mischen sich aber in
den Türhüter noch andere Wesenszüge ein, die für den, der
Einlass verlangt, sehr günstig sind und welche es immerhin
begreiflich machen, dass er in jener Andeutung einer zukünftigen Möglichkeit über seine Pflicht etwas hinausgehn konnte. Es ist nämlich nicht zu leugnen, dass er ein wenig einfältig
und im Zusammenhang damit ein wenig eingebildet ist. Wenn
auch seine Äußerungen über seine Macht und über die Macht

16f. **Durch viele Jahre:** Viele Jahre hindurch, viele Jahre lang

der andern Türhüter und über deren sogar für ihn unerträglichen Anblick – ich sage wenn auch alle diese Äußerungen an sich richtig sein mögen, so zeigt doch die Art wie er diese Äußerungen vorbringt, dass seine Auffassung durch Einfalt und Überhebung getrübt ist. Die Erklärer sagen hiezu: Richtiges Auffassen einer Sache und Missverstehn der gleichen Sache schließen einander nicht vollständig aus. Jedenfalls aber muss man annehmen, dass jene Einfalt und Überhebung, so geringfügig sie sich vielleicht auch äußern, doch die Bewachung des Einganges schwächen, es sind Lücken im Charakter des Türhüters. Hiezu kommt noch dass der Türhüter seiner Naturanlage nach freundlich zu sein scheint, er ist durchaus nicht immer Amtsperson. Gleich in den ersten Augenblicken macht er den Spaß, dass er den Mann trotz des ausdrücklich aufrecht erhaltenen Verbotes zum Eintritt einladet, dann schickt er ihn nicht etwa fort, sondern gibt ihm wie es heißt einen Schemel und lässt ihn seitwärts von der Tür sich niedersetzen. Die Geduld mit der er durch alle die Jahre die Bitten des Mannes erträgt, die kleinen Verhöre, die Annahme der Geschenke, die Vornehmheit, mit der er es zulässt, dass der Mann neben ihm laut den unglücklichen Zufall verflucht, der den Türhüter hier aufgestellt hat – alles dieses lässt auf Regungen des Mitleids schließen. Nicht jeder Türhüter hätte so gehandelt. Und schließlich beugt er sich noch auf einen Wink hin tief zu dem Mann hinab, um ihm Gelegenheit zur letzten Frage zu geben. Nur eine schwache Ungeduld – der Türhüter weiß ja dass alles zuende ist – spricht sich in den Worten aus: ›Du bist unersättlich‹. Manche gehn sogar in dieser Art der Erklärung noch weiter und meinen, die Worte ›Du bist unersättlich‹ drücken eine Art freundschaftlicher Bewunderung aus, die allerdings von Herablassung nicht frei ist. Jedenfalls schließt sich so die Gestalt des Türhüters anders ab, als Du es glaubst.« »Du kennst die Geschichte genauer als ich und längere Zeit«, sagte K. Sie schwiegen ein Weilchen. Dann sagte K.: »Du glaubst also der Mann wurde nicht getäuscht?« »Missverstehe mich nicht«, sagte der Geistliche, »ich zeige Dir nur die Meinungen, die darüber bestehn. Du musst nicht zuviel auf Meinungen achten. Die Schrift ist unveränderlich und die Meinungen sind oft nur ein Ausdruck der Verzweiflung darüber. In diesem Falle gibt es sogar eine Meinung nach welcher gerade der Türhüter der Getäuschte ist.« »Das ist eine weitgehende Meinung«, sagte K. »Wie wird sie begründet?« »Die Begründung«, antwortete der Geistliche, »geht von der Einfalt des Türhüters aus. Man sagt, dass er das Innere des Gesetzes nicht kennt, sondern nur den Weg, den er vor dem Eingang immer wieder abgehn muss. Die Vorstellungen die er von dem Innern hat werden für kindlich gehalten und man nimmt an, dass er das wovor er dem Manne Furcht machen will, selbst fürchtet. Ja er fürchtet es mehr als der Mann, denn dieser will ja nichts anderes als eintreten, selbst als er von den schrecklichen Türhütern des Innern gehört hat, der Türhüter dagegen will nicht eintreten, wenigstens erfährt man nichts darüber. Andere sagen zwar, dass er bereits im Innern gewesen sein muss, denn er ist doch einmal in den Dienst des Gesetzes aufgenommen worden und das könne nur im Innern geschehen sein. Darauf ist zu antworten, dass er wohl auch durch einen Ruf aus dem Innern zum Türhüter bestellt worden sein könne und dass er zumindest tief im Innern nicht gewesen sein dürfte, da er doch schon den Anblick des dritten Türhüters nicht mehr ertragen kann. Außerdem aber wird auch nicht berichtet, dass er während der vielen Jahre außer der Bemerkung über die Türhüter irgendetwas von dem Innern erzählt hätte. Es könnte ihm verboten sein, aber auch vom Verbot hat er nichts erzählt. Aus alledem schließt man, dass er über das Aussehn und die Bedeutung des Innern nichts weiß und sich darüber in Täuschung befindet. Aber auch über den Mann vom Lande soll er sich in Täuschung befinden, denn er ist diesem Mann untergeordnet und weiß es nicht. Dass er den Mann als einen Untergeordneten behandelt, erkennt man an vielem, das Dir noch erinnerlich sein dürfte. Dass er ihm aber tatsächlich untergeordnet ist, soll nach dieser Meinung ebenso deutlich hervorgehn. Vor allem ist der Freie dem Gebundenen übergeordnet. Nun ist der Mann tatsächlich frei, er kann hingehn wohin er will, nur der Eingang in das Gesetz ist ihm verboten und überdies nur von einem Einzelnen, vom Türhüter. Wenn er sich auf den Schemel seitwärts vom Tor niedersetzt und dort sein Leben lang bleibt, so geschieht dies freiwillig, die Geschichte erzählt von keinem Zwang. Der Türhüter dagegen ist durch sein Amt an seinen Posten gebunden, er darf sich nicht auswärts entfernen, allem Anschein nach aber auch nicht in das Innere gehn, selbst wenn er es wollte. Außerdem ist er zwar im Dienst des Gesetzes, dient aber nur für diesen Eingang, also auch nur für diesen Mann für den dieser Eingang allein bestimmt ist. Auch aus diesem Grunde ist er ihm untergeordnet. Es ist anzunehmen, dass er durch viele Jahre, durch ein ganzes Mannesalter gewissermaßen nur leeren Dienst geleistet hat, denn es wird gesagt, dass ein Mann kommt, also jemand im Mannesalter, dass also der Türhüter lange warten musste ehe sich sein Zweck erfüllte undzwar solange warten musste, als es dem Mann beliebte, der doch freiwillig kam. Aber auch das Ende des Dienstes wird durch das Lebensende des Mannes bestimmt, bis zum Ende also bleibt er ihm untergeordnet. Und immer wieder wird betont, dass von alledem der Türhüter nichts zu wissen scheint. Daran wird aber nichts auffälliges gesehn, denn nach dieser Meinung befindet sich der Türhüter noch in einer viel schwerern Täuschung, sie betrifft seinen Dienst. Zuletzt spricht er nämlich vom Eingang und sagt ›Ich gehe jetzt und schließe ihn‹, aber am Anfang heißt es, dass das Tor zum Gesetz offensteht wie immer, steht es aber immer offen, immer d.h. unabhängig von der Lebensdauer des Mannes für den es bestimmt ist, dann wird es auch der Türhüter nicht schließen können. Darüber gehn die Meinungen auseinander, ob der Türhüter mit der Ankündigung dass er das Tor schließen wird, nur eine Antwort geben oder seine Dienstpflicht betonen oder den Mann noch im letzten Augenblick in Reue und Trauer setzen will. Darin aber sind viele einig, dass er das Tor nicht wird schließen können. Sie glauben sogar, dass er wenigstens am Ende auch in seinem Wissen dem Manne untergeordnet ist, denn dieser sieht den Glanz der aus dem Eingang des Gesetzes bricht, während der Türhüter als solcher wohl

mit dem Rücken zum Eingang steht und auch durch keine
Äußerung zeigt, dass er eine Veränderung bemerkt hätte.«
»Das ist gut begründet«, sagte K., der einzelne Stellen aus der
Erklärung des Geistlichen halblaut für sich wiederholt hatte.
»Es ist gut begründet und ich glaube nun auch dass der Tür-
hüter getäuscht ist. Dadurch bin ich aber von meiner frühern
Meinung nicht abgekommen, denn beide decken sich teilwei-
se. Es ist unentscheidend, ob der Türhüter klar sieht oder getäuscht wird. Ich sagte, der Mann wird getäuscht. Wenn der
Türhüter klar sieht, könnte man daran zweifeln, wenn der
Türhüter aber getäuscht ist, dann muss sich seine Täuschung
notwendig auf den Mann übertragen. Der Türhüter ist dann
zwar kein Betrüger, aber so einfältig, dass er sofort aus dem
Dienst gejagt werden müsste. Du musst doch bedenken, dass
die Täuschung in der sich der Türhüter befindet ihm nichts
schadet, dem Mann aber tausendfach.« »Hier stößt Du auf
eine Gegenmeinung«, sagte der Geistliche. »Manche sagen
nämlich, dass die Geschichte niemandem ein Recht gibt über
den Türhüter zu urteilen. Wie er uns auch erscheinen mag, so
ist er doch ein Diener des Gesetzes, also zum Gesetz gehörig,
also dem menschlichen Urteil entrückt. Man darf dann auch
nicht glauben, dass der Türhüter dem Manne untergeordnet
ist. Durch seinen Dienst auch nur an den Eingang des Gesetzes gebunden zu sein ist unvergleichlich mehr als frei in der
Welt zu leben. Der Mann kommt erst zum Gesetz, der Türhüter ist schon dort. Er ist vom Gesetz zum Dienst bestellt,
an seiner Würdigkeit zu zweifeln, hieße am Gesetze zweifeln.« »Mit dieser Meinung stimme ich nicht überein«, sagte
K. kopfschüttelnd, »denn wenn man sich ihr anschließt, muss
man alles was der Türhüter sagt für wahr halten. Dass das aber
nicht möglich ist, hast Du ja selbst ausführlich begründet.«
»Nein«, sagte der Geistliche, »man muss nicht alles für wahr
halten, man muss es nur für notwendig halten.« »Trübselige
Meinung«, sagte K. »Die Lüge wird zur Weltordnung gemacht.«

K. sagte das abschließend, aber sein Endurteil war es nicht.
Er war zu müde, um alle Folgerungen der Geschichte über-

---

8 **unentscheidend:** nicht entscheidend, nicht wichtig

sehn zu können, es waren auch ungewohnte Gedankengänge in die sie ihn führte, unwirkliche Dinge, besser geeignet zur Besprechung für die Gesellschaft der Gerichtsbeamten als für ihn. Die einfache Geschichte war unförmlich geworden, er wollte sie von sich abschütteln und der Geistliche, der jetzt ein großes Zartgefühl bewies, duldete es und nahm K.'s Bemerkung schweigend auf, trotzdem sie mit seiner eigenen Meinung gewiss nicht übereinstimmte.

Sie giengen eine Zeitlang schweigend weiter, K. hielt sich eng neben dem Geistlichen ohne in der Finsternis zu wissen, wo er sich befand. Die Lampe in seiner Hand war längst erloschen. Einmal blinkte gerade vor ihm das silberne Standbild eines Heiligen nur mit dem Schein des Silbers und spielte gleich wieder ins Dunkel über. Um nicht vollständig auf den Geistlichen angewiesen zu bleiben, fragte ihn K.: »Sind wir jetzt nicht in der Nähe des Haupteinganges?« »Nein«, sagte der Geistliche, »wir sind weit von ihm entfernt. Willst Du schon fortgehn?« Trotzdem K. gerade jetzt nicht daran gedacht hatte, sagte er sofort: »Gewiss, ich muss fortgehn. Ich bin Prokurist einer Bank, man wartet auf mich, ich bin nur hergekommen, um einem ausländischen Geschäftsfreund den Dom zu zeigen.« »Nun«, sagte der Geistliche und reichte K. die Hand, »dann geh.« »Ich kann mich aber im Dunkel allein nicht zurechtfinden«, sagte K. »Geh links zur Wand«, sagte der Geistliche, »dann weiter die Wand entlang ohne sie zu verlassen und Du wirst einen Ausgang finden.« Der Geistliche hatte sich erst paar Schritte entfernt aber K. rief schon sehr laut: »Bitte, warte noch.« »Ich warte«, sagte der Geistliche. »Willst Du nicht noch etwas von mir?« fragte K. »Nein«, sagte der Geistliche. »Du warst früher so freundlich zu mir«, sagte K., »und hast mir alles erklärt, jetzt aber entlässt Du mich, als läge Dir nichts an mir.« »Du musst doch fortgehn«, sagte der Geistliche. »Nun ja«, sagte K., »sieh das doch ein.« »Sieh Du zuerst ein, wer ich bin«, sagte der Geistliche. »Du bist der Gefängniskaplan«, sagte K. und gieng näher zum Geistlichen hin, seine sofortige Rückkehr in die Bank war nicht so notwendig wie er sie dargestellt hatte, er konnte recht gut noch hier bleiben. »Ich gehöre also zum Gericht«, sagte der Geistliche. »Warum sollte ich also etwas von Dir wollen. Das Gericht will nichts von Dir. Es nimmt Dich auf wenn Du kommst und es entlässt Dich wenn Du gehst.«

Ende

Am Vorabend seines 31. Geburtstages – es war gegen
9 Uhr abends, die Zeit der Stille auf den Straßen – kamen
zwei Herren in K.'s Wohnung. In Gehröcken, bleich und
fett, mit scheinbar unverrückbaren Cylinderhüten. Nach
einer kleinen Förmlichkeit bei der Wohnungstür wegen des
ersten Eintretens wiederholte sich die gleiche Förmlichkeit in
größerem Umfange vor K.'s Tür. Ohne dass ihm der Besuch
angekündigt gewesen wäre, saß K. gleichfalls schwarz angezogen in einem Sessel in der Nähe der Türe und zog langsam
neue scharf sich über die Finger spannende Handschuhe an,
in der Haltung wie man Gäste erwartet. Er stand gleich auf
und sah die Herren neugierig an. »Sie sind also für mich bestimmt?« fragte er. Die Herren nickten, einer zeigte mit dem
Cylinderhut in der Hand auf den andern. K. gestand sich ein,
dass er einen andern Besuch erwartet hatte. Er gieng zum Fenster und sah noch einmal auf die dunkle Straße. Auch fast alle
Fenster auf der andern Straßenseite waren noch dunkel, in
vielen die Vorhänge herabgelassen. In einem beleuchteten
Fenster des Stockwerkes spielten zwei kleine Kinder hinter
einem Gitter mit einander und tasteten, noch unfähig sich von
ihren Plätzen fortzubewegen, mit den Händchen nach einander. »Alte untergeordnete Schauspieler schickt man um
mich«, sagte sich K. und sah sich um, um sich nochmals davon
zu überzeugen. »Man sucht auf billige Weise mit mir fertig zu
werden.« K. wendete sich plötzlich ihnen zu und fragte: »An
welchem Teater spielen Sie.« »Teater?« fragte der eine Herr
mit zuckenden Mundwinkeln den andern um Rat. Der andere
geberdete sich wie ein Stummer, der mit dem widerspenstigen
Organismus kämpft. »Sie sind nicht darauf vorbereitet, gefragt zu werden«, sagte sich K. und gieng seinen Hut holen.

Schon auf der Treppe wollten sich die Herren in K. einhän-

---

5 **Cylinderhüten:** Zylindern

gen, aber K. sagte: »Erst auf der Gasse, ich bin nicht krank.«
Gleich aber vor dem Tor hängten sie sich in ihn in einer Weise
ein, wie K. noch niemals mit einem Menschen gegangen war.
Sie hielten die Schultern eng hinter den seinen, knickten die
Arme nicht ein, sondern benützten sie, um K.'s Arme in ihrer
ganzen Länge zu umschlingen, unten erfassten sie K.'s Hände
mit einem schulmäßigen, eingeübten, unwiderstehlichen
Griff. K. gieng straff gestreckt zwischen ihnen, sie bildeten
jetzt alle drei eine solche Einheit, dass wenn man einen von
ihnen zerschlagen hätte, alle zerschlagen gewesen wären. Es
war eine Einheit, wie sie fast nur Lebloses bilden kann.

Unter den Laternen versuchte K. öfters, so schwer es bei
diesem engen Aneinander ausgeführt werden konnte, seine
Begleiter deutlicher zu sehn, als es in der Dämmerung seines
Zimmers möglich gewesen war. Vielleicht sind es Tenöre
dachte er im Anblick ihres schweren Doppelkinns. Er ekelte
sich vor der Reinlichkeit ihrer Gesichter. Man sah förmlich
noch die säubernde Hand, die in ihre Augenwinkel gefahren,
die ihre Oberlippe gerieben, die die Falten am Kinn ausge-
kratzt hatte.

Als K. das bemerkte blieb er stehn, infolgedessen blieben
auch die andern stehn; sie waren am Rand eines freien men-
schenleeren mit Anlagen geschmückten Platzes. »Warum hat
man gerade Sie geschickt!« rief er mehr als er fragte. Die Herren wussten scheinbar keine Antwort, sie warteten mit dem
hängenden freien Arm, wie Krankenwärter, wenn der Kranke
sich ausruhn will. »Ich gehe nicht weiter«, sagte K. versuchsweise. Darauf brauchten die Herren nicht zu antworten, es
genügte dass sie den Griff nicht lockerten und K. von der Stelle wegzuheben versuchten, aber K. widerstand. »Ich werde
nicht mehr viel Kraft brauchen, ich werde jetzt alle anwenden«, dachte er. Ihm fielen die Fliegen ein, die mit zerreißen-
den Beinchen von der Leimrute wegstreben. »Die Herren
werden schwere Arbeit haben.«

Da stieg vor ihnen aus einer tiefer gelegenen Gasse auf einer
kleinen Treppe Fräulein Bürstner zum Platz empor. Es war
nicht ganz sicher, ob sie es war, die Ähnlichkeit war freilich

groß. Aber K. lag auch nichts daran, ob es bestimmt Fräulein Bürstner war, bloß die Wertlosigkeit seines Widerstandes kam ihm gleich zu Bewusstsein. Es war nichts Heldenhaftes wenn er widerstand, wenn er jetzt den Herren Schwierigkeiten bereitete, wenn er jetzt in der Abwehr noch den letzten Schein des Lebens zu genießen versuchte. Er setzte sich in Gang und von der Freude, die er dadurch den Herren machte, gieng noch etwas auf ihn selbst über. Sie duldeten es jetzt, dass er die Wegrichtung bestimmte und er bestimmte sie nach dem Weg, den das Fräulein vor ihnen nahm, nicht etwa weil er sie einholen, nicht etwa weil er sie möglichst lange sehen wollte, sondern nur deshalb um die Mahnung, die sie für ihn bedeutete nicht zu vergessen. »Das einzige was ich jetzt tun kann«, sagte er sich und das Gleichmaß seiner Schritte und der Schritte der drei andern bestätigte seine Gedanken, »das einzige was ich jetzt tun kann ist, bis zum Ende den ruhig einteilenden Verstand behalten. Ich wollte immer mit 20 Händen in die Welt hineinfahren und überdies zu einem nicht zu billigenden Zweck. Das war unrichtig, soll ich nun zeigen, dass nicht einmal der einjährige Process mich belehren konnte? Soll ich als ein begriffsstütziger Mensch abgehn? Soll man mir nachsagen dürfen, dass ich am Anfang des Processes ihn beenden und jetzt an seinem Ende ihn wieder beginnen will. Ich will nicht, dass man das sagt. Ich bin dankbar dafür, dass man mir auf diesem Weg diese halbstummen verständnislosen Herren mitgegeben hat und dass man es mir überlassen hat, mir selbst das Notwendige zu sagen.«

Das Fräulein war inzwischen in eine Seitengasse eingebogen, aber K. konnte sie schon entbehren und überließ sich seinen Begleitern. Alle drei zogen nun in vollem Einverständnis über eine Brücke im Mondschein, jeder kleinen Bewegung, die K. machte, gaben die Herren jetzt bereitwillig nach, als er ein wenig zum Geländer sich wendete, drehten auch sie sich in ganzer Front dorthin. Das im Mondlicht glänzende und zitternde Wasser teilte sich um eine kleine Insel, auf der wie zusammengedrängt Laubmassen von Bäumen und Sträuchern sich aufhäuften. Unter ihnen jetzt unsichtbar führten

Kieswege mit bequemen Bänken, auf denen K. in manchem Sommer sich gestreckt und gedehnt hatte. »Ich wollte ja gar nicht stehn bleiben«, sagte er zu seinen Begleitern, beschämt durch ihre Bereitwilligkeit. Der eine schien dem andern hinter K.'s Rücken einen sanften Vorwurf wegen des missverständlichen Stehenbleibens zu machen, dann giengen sie weiter.

Sie kamen durch einige ansteigende Gassen, in denen hie und da Polizisten standen oder giengen, bald in der Ferne, bald in nächster Nähe. Einer mit buschigem Schnurrbart, die Hand am Griff des Säbels trat wie mit Absicht nahe an die nicht ganz unverdächtige Gruppe. Die Herren stockten, der Polizeimann schien schon den Mund zu öffnen, da zog K. mit Macht die Herren vorwärts. Öfters drehte er sich vorsichtig um, ob der Polizeimann nicht folge; als sie aber eine Ecke zwischen sich und dem Polizeimann hatten fieng K. zu laufen an, die Herren mussten trotz großer Atemnot auch mitlaufen.

So kamen sie rasch aus der Stadt hinaus, die sich in dieser Richtung fast ohne Übergang an die Felder anschloss. Ein kleiner Steinbruch, verlassen und öde, lag in der Nähe eines noch ganz städtischen Hauses. Hier machten die Herren halt, sei es dass dieser Ort von allem Anfang an ihr Ziel gewesen war, sei es dass sie zu erschöpft waren, um noch weiter zu laufen. Jetzt ließen sie K. los der stumm wartete, nahmen die Cylinderhüte ab und wischten sich, während sie sich im Steinbruch umsahen, mit den Taschentüchern den Schweiß von der Stirn. Überall lag der Mondschein mit seiner Natürlichkeit und Ruhe, die keinem andern Licht gegeben ist.

Nach Austausch einiger Höflichkeiten hinsichtlich dessen wer die nächsten Aufgaben auszuführen habe, – die Herren schienen die Aufträge ungeteilt bekommen zu haben – gieng der eine zu K. und zog ihm den Rock, die Weste und schließlich das Hemd aus. K. fröstelte unwillkürlich, worauf ihm der Herr einen leichten beruhigenden Schlag auf den Rücken gab. Dann legte er die Sachen sorgfältig zusammen, wie Dinge die man noch gebrauchen wird, wenn auch nicht in allernächster Zeit. Um K. nicht ohne Bewegung der immerhin kühlen Nachtluft auszusetzen, nahm er ihn unter den Arm und gieng

---

24 **Cylinderhüte:** Zylinder

mit ihm ein wenig auf und ab, während der andere Herr den Steinbruch nach irgendeiner passenden Stelle absuchte. Als er sie gefunden hatte winkte er und der andere Herr geleitete K. hin. Es war nahe der Bruchwand, es lag dort ein losgebrochener Stein. Die Herren setzten K. auf die Erde nieder, lehnten ihn an den Stein und betteten seinen Kopf obenauf. Trotz aller Anstrengung, die sie sich gaben, und trotz alles Entgegenkommens, das ihnen K. bewies, blieb seine Haltung eine sehr gezwungene und unglaubwürdige. Der eine Herr bat daher den andern ihm für ein Weilchen das Hinlegen K.'s allein zu überlassen, aber auch dadurch wurde es nicht besser. Schließlich ließen sie K. in einer Lage, die nicht einmal die beste von den bereits erreichten Lagen war. Dann öffnete der eine Herr seinen Gehrock und nahm aus einer Scheide, die an einem um die Weste gespannten Gürtel hing, ein langes dünnes beiderseitig geschärftes Fleischermesser, hielt es hoch und prüfte die Schärfen im Licht. Wieder begannen die widerlichen Höflichkeiten, einer reichte über K. hinweg das Messer dem andern, dieser reichte es wieder über K. zurück. K. wusste jetzt genau, dass es seine Pflicht gewesen wäre, das Messer, als es von Hand zu Hand über ihm schwebte, selbst zu fassen und sich einzubohren. Aber er tat es nicht, sondern drehte den noch freien Hals und sah umher. Vollständig konnte er sich nicht bewähren, alle Arbeit den Behörden nicht abnehmen, die Verantwortung für diesen letzten Fehler trug der, der ihm den Rest der dazu nötigen Kraft versagt hatte. Seine Blicke fielen auf das letzte Stockwerk des an den Steinbruch angrenzenden Hauses. Wie ein Licht aufzuckt, so fuhren die Fensterflügel eines Fensters dort auseinander, ein Mensch schwach und dünn in der Ferne und Höhe beugte sich mit einem Ruck weit vor und streckte die Arme noch weiter aus. Wer war es? Ein Freund? Ein guter Mensch? Einer der teilnahm? Einer der helfen wollte? War es ein einzelner? Waren es alle? War noch Hilfe? Gab es Einwände, die man vergessen hatte? Gewiss gab es solche. Die Logik ist zwar unerschütterlich, aber einem Menschen der leben will, widersteht sie nicht. Wo war der Richter den er nie gesehen hatte? Wo war das hohe Gericht bis zu dem er nie gekommen war? Er hob die Hände und spreizte alle Finger.

Aber an K.'s Gurgel legten sich die Hände des einen Herrn, während der andere das Messer ihm ins Herz stieß und zweimal dort drehte. Mit brechenden Augen sah noch K. wie nahe vor seinem Gesicht die Herren Wange an Wange aneinandergelehnt die Entscheidung beobachteten. »Wie ein Hund!« sagte er, es war, als sollte die Scham ihn überleben.

Fragmente

B.'s Freundin

In der nächsten Zeit war es K. unmöglich mit Fräulein Bürstner auch nur einige wenige Worte zu sprechen. Er versuchte
auf die verschiedenste Weise an sie heranzukommen, sie aber
wusste es immer zu verhindern. Er kam gleich nach dem Bureau nachhause, blieb in seinem Zimmer ohne das Licht anzudrehn auf dem Kanapee sitzen und beschäftigte sich mit
nichts anderem als das Vorzimmer zu beobachten. Gieng etwa
das Dienstmädchen vorbei und schloss die Tür des scheinbar
leeren Zimmers, so stand er nach einem Weilchen auf und
öffnete sie wieder. Des Morgens stand er um eine Stunde früher auf als sonst, um vielleicht Fräulein Bürstner allein treffen
zu können, wenn sie ins Bureau gieng. Aber keiner dieser
Versuche gelang. Dann schrieb er ihr einen Brief sowohl ins
Bureau als auch in die Wohnung, suchte darin nochmals sein
Verhalten zu rechtfertigen, bot sich zu jeder Genugtuung an,
versprach niemals die Grenzen zu überschreiten, die sie ihm
setzen würde und bat nur ihm die Möglichkeit zu geben, einmal mit ihr zu sprechen, besonders da er auch bei Frau Grubach nichts veranlassen könne, solange er sich nicht vorher
mit ihr beraten habe, schließlich teilte er ihr mit, dass er den
nächsten Sonntag während des ganzen Tages in seinem Zimmer auf ein Zeichen von ihr warten werde, das ihm die Erfüllung seiner Bitte in Aussicht stelle oder das ihm wenigstens
erklären solle, warum sie die Bitte nicht erfüllen könne, trotzdem er doch versprochen habe sich in allem ihr zu fügen. Die
Briefe kamen nicht zurück, aber es erfolgte auch keine Antwort. Dagegen gab es Sonntag ein Zeichen, dessen Deutlichkeit genügend war. Gleich früh bemerkte K. durch das Schlüsselloch eine besondere Bewegung im Vorzimmer, die sich bald
aufklärte. Eine Lehrerin des Französischen, sie war übrigens
eine Deutsche und hieß Montag, ein schwaches blasses, ein

wenig hinkendes Mädchen, das bisher ein eigenes Zimmer bewohnt hatte, übersiedelte in das Zimmer des Fräulein Bürstner. Stundenlang sah man sie durch das Vorzimmer schlürfen. Immer war noch ein Wäschestück, oder ein Deckchen oder ein Buch vergessen, das besonders geholt und in die neue Wohnung hinübergetragen werden musste.

Als Frau Grubach K. das Frühstück brachte – sie überließ seitdem sie K. so erzürnt hatte, auch nicht die geringste Bedienung dem Dienstmädchen – konnte sich K. nicht zurückhalten, sie zum erstenmal seit 5 Tagen anzusprechen. »Warum ist denn heute ein solcher Lärm im Vorzimmer?« fragte er während er den Kaffee eingoss. »Könnte das nicht eingestellt werden? Muss gerade am Sonntag aufgeräumt werden?« Trotzdem K. nicht zu Frau Grubach aufsah, bemerkte er doch, dass sie wie erleichtert aufatmete. Selbst diese strengen Fragen K.'s fasste sie als Verzeihung oder als Beginn der Verzeihung auf. »Es wird nicht aufgeräumt, Herr K.« sagte sie, »Fräulein Montag übersiedelt nur zu Fräulein Bürstner und schafft ihre Sachen hinüber.« Sie sagte nichts weiter, sondern wartete wie K. es aufnehmen und ob er ihr gestatten würde, weiter zu reden. K. stellte sie aber auf die Probe, rührte nachdenklich den Kaffee mit dem Löffel und schwieg. Dann sah er zu ihr auf und sagte: »Haben Sie schon Ihren frühern Verdacht wegen Fräulein Bürstner aufgegeben?« »Herr K.«, rief Frau Grubach die nur auf diese Frage gewartet hatte und hielt K. ihre gefalteten Hände hin, »Sie haben eine gelegentliche Bemerkung letzthin so schwer genommen. Ich habe ja nicht im entferntesten daran gedacht, Sie oder irgendjemand zu kränken. Sie kennen mich doch schon lange genug Herr K., um davon überzeugt sein zu können. Sie wissen gar nicht wie ich die letzten Tage gelitten habe! Ich sollte meine Mieter verleumden! Und Sie Herr K. glaubten es! Und sagten ich solle Ihnen kündigen! Ihnen kündigen!« Der letzte Ausruf erstickte schon unter Tränen, sie hob die Schürze zum Gesicht und schluchzte laut.

»Weinen Sie doch nicht Frau Grubach«, sagte K. und sah zum Fenster hinaus, er dachte nur an Fräulein Bürstner und

---

14 **Trotzdem:** Obwohl

daran dass sie ein fremdes Mädchen in ihr Zimmer aufgenommen hatte. »Weinen Sie doch nicht«, sagte er nochmals als er
sich ins Zimmer zurückwendete und Frau Grubach noch immer weinte. »Es war ja damals auch von mir nicht so schlimm
gemeint. Wir haben eben einander gegenseitig missverstanden.
Das kann auch alten Freunden einmal geschehn.« Frau Grubach rückte die Schürze unter die Augen, um zu sehn, ob K.
wirklich versöhnt sei. »Nun ja, es ist so«, sagte K. und wagte
nun, da nach dem Verhalten der Frau Grubach zu schließen,
der Hauptmann nichts verraten hatte, noch hinzuzufügen:
»Glauben Sie denn wirklich, dass ich mich wegen eines fremden Mädchens mit Ihnen verfeinden könnte.« »Das ist es ja
eben Herr K.«, sagte Frau Grubach, es war ihr Unglück, dass
sie sobald sie sich nur irgendwie freier fühlte gleich etwas Ungeschicktes sagte, »ich fragte mich immerfort: Warum nimmt
sich Herr K. so sehr des Fräulein Bürstner an? Warum zankt
er ihretwegen mit mir, trotzdem er weiß, dass mir jedes böse
Wort von ihm den Schlaf nimmt? Ich habe ja über das Fräulein nichts anderes gesagt als was ich mit eigenen Augen gesehen habe.« K. sagte dazu nichts, er hätte sie mit dem ersten
Wort aus dem Zimmer jagen müssen und das wollte er nicht.
Er begnügte sich damit den Kaffee zu trinken und Frau Grubach ihre Überflüssigkeit fühlen zu lassen. Draußen hörte
man wieder den schleppenden Schritt des Fräulein Montag,
welche das ganze Vorzimmer durchquerte. »Hören Sie es?«
fragte K. und zeigte mit der Hand nach der Tür. »Ja«, sagte
Frau Grubach und seufzte, »ich wollte ihr helfen und auch
vom Dienstmädchen helfen lassen, aber sie ist eigensinnig, sie
will alles selbst übersiedeln. Ich wundere mich über Fräulein
Bürstner. Mir ist es oft lästig, dass ich Fräulein Montag in Miete habe, Fräulein Bürstner aber nimmt sie sogar zu sich ins
Zimmer.« »Das muss Sie gar nicht kümmern«, sagte K. und
zerdrückte die Zuckerreste in der Tasse. »Haben Sie denn dadurch einen Schaden?« »Nein«, sagte Frau Grubach, »an und
für sich ist es mir ganz willkommen, ich bekomme dadurch
ein Zimmer frei und kann dort meinen Neffen den Hauptmann unterbringen. Ich fürchtete schon längst, dass er Sie in

---

17 **trotzdem:** obwohl

den letzten Tagen, während derer ich ihn nebenan im Wohnzimmer wohnen lassen musste, gestört haben könnte. Er nimmt nicht viel Rücksicht.« »Was für Einfälle!« sagte K. und stand auf, »davon ist ja keine Rede. Sie scheinen mich wohl für überempfindlich zu halten, weil ich diese Wanderungen des Fräulein Montag – jetzt geht sie wieder zurück – nicht vertragen kann.« Frau Grubach kam sich recht machtlos vor. »Soll ich, Herr K., sagen, dass sie den restlichen Teil der Übersiedlung aufschieben soll? Wenn Sie wollen, tue ich es sofort.« »Aber sie soll doch zu Fräulein Bürstner übersiedeln!« sagte K. »Ja«, sagte Frau Grubach, sie verstand nicht ganz, was K. meinte. »Nun also«, sagte K., »dann muss sie doch ihre Sachen hinübertragen.« Frau Grubach nickte nur. Diese stumme Hilflosigkeit, die äußerlich nicht anders aussah als Trotz reizte K. noch mehr. Er fieng an im Zimmer vom Fenster zur Tür auf- und abzugehn und nahm dadurch Frau Grubach die Möglichkeit sich zu entfernen, was sie sonst wahrscheinlich getan hätte.

Gerade war K. einmal wieder bis zur Tür gekommen, als es klopfte. Es war das Dienstmädchen, welches meldete, dass Fräulein Montag gern mit Herrn K. paar Worte sprechen möchte und dass sie ihn deshalb bitte ins Esszimmer zu kommen, wo sie ihn erwarte. K. hörte das Dienstmädchen nachdenklich an, dann wandte er sich mit einem fast höhnischen Blick nach der erschrockenen Frau Grubach um. Dieser Blick schien zu sagen, dass K. diese Einladung des Fräulein Montag schon längst vorausgesehen habe und dass sie auch sehr gut mit der Quälerei zusammenpasse, die er diesen Sonntagvormittag von den Mietern der Frau Grubach erfahren musste. Er schickte das Dienstmädchen zurück mit der Antwort dass er sofort komme, gieng dann zum Kleiderkasten, um den Rock zu wechseln und hatte als Antwort für Frau Grubach, welche leise über die lästige Person jammerte, nur die Bitte, sie möge das Frühstücksgeschirr schon forttragen. »Sie haben ja fast nichts angerührt«, sagte Frau Grubach. »Ach tragen Sie es doch weg«, rief K., es war ihm, als sei irgendwie allem Fräulein Montag beigemischt und mache es widerwärtig.

---

21 **paar Worte:** ein paar Worte

Als er durch das Vorzimmer gieng, sah er nach der geschlossenen Tür von Fräulein Bürstners Zimmer. Aber er war nicht dorthin eingeladen, sondern in das Esszimmer, dessen Tür er aufriss ohne zu klopfen.

Es war ein sehr langes aber schmales einfenstriges Zimmer. Es war dort nur soviel Platz vorhanden, dass man in den Ekken an der Türseite zwei Schränke schief hatte aufstellen können, während der übrige Raum vollständig von dem langen Speisetisch eingenommen war, der in der Nähe der Tür begann und bis knapp zum großen Fenster reichte, welches dadurch fast unzugänglich geworden war. Der Tisch war bereits gedeckt undzwar für viele Personen, da am Sonntag fast alle Mieter hier zu Mittag aßen.

Als K. eintrat, kam Fräulein Montag vom Fenster her an der einen Seite des Tisches entlang K. entgegen. Sie grüßten einander stumm. Dann sagte Fräulein Montag, wie immer den Kopf ungewöhnlich aufgerichtet: »Ich weiß nicht, ob Sie mich kennen.« K. sah sie mit zusammengezogenen Augen an. »Gewiss«, sagte er, »Sie wohnen doch schon längere Zeit bei Frau Grubach.« »Sie kümmern sich aber, wie ich glaube, nicht viel um die Pension«, sagte Fräulein Montag. »Nein«, sagte K. »Wollen Sie sich nicht setzen«, sagte Fräulein Montag. Sie zogen beide schweigend zwei Sessel am äußersten Ende des Tisches hervor und setzten sich einander gegenüber. Aber Fräulein Montag stand gleich wieder auf, denn sie hatte ihr Handtäschchen auf dem Fensterbrett liegen gelassen und gieng es holen; sie schleifte durch das ganze Zimmer. Als sie, das Handtäschchen leicht schwenkend, wieder zurückkam, sagte sie: »Ich möchte nur im Auftrag meiner Freundin ein paar Worte mit Ihnen sprechen. Sie wollte selbst kommen, aber sie fühlt sich heute ein wenig unwohl. Sie möchten sie entschuldigen und mich statt ihrer anhören. Sie hätte Ihnen auch nichts anderes sagen können, als ich Ihnen sagen werde. Im Gegenteil, ich glaube, ich kann Ihnen sogar mehr sagen, da ich wohl verhältnismäßig unbeteiligt bin. Glauben Sie nicht auch?« »Was wäre denn zu sagen!« antwortete K., der dessen müde war, die Augen des Fräulein Montag fortwährend auf seine Lippen gerichtet zu sehn. Sie maßte sich dadurch eine Herrschaft schon darüber an, was er erst sagen wollte. »Fräulein Bürstner will mir offenbar die persönliche Aussprache um die ich sie gebeten habe, nicht bewilligen.« »Das ist es«, sagte Fräulein Montag, »oder vielmehr so ist es gar nicht, Sie drücken es sonderbar scharf aus. Im allgemeinen werden doch Aussprachen weder bewilligt noch geschieht das Gegenteil. Aber es kann geschehn, dass man Aussprachen für unnötig hält und so ist es eben hier. Jetzt nach Ihrer Bemerkung kann ich ja offen reden. Sie haben meine Freundin schriftlich oder mündlich um eine Unterredung gebeten. Nun weiß aber meine Freundin, so muss ich wenigstens annehmen, was diese Unterredung betreffen soll, und ist deshalb aus Gründen die ich nicht kenne überzeugt, dass es niemandem Nutzen bringen würde, wenn die Unterredung wirklich zustandekäme. Im übrigen erzählte sie mir erst gestern und nur ganz flüchtig davon, sie sagte hiebei dass auch Ihnen jedenfalls nicht viel an der Unterredung liegen könne, denn Sie wären nur durch einen Zufall auf einen derartigen Gedanken gekommen, und würden selbst auch ohne besondere Erklärung wenn nicht schon jetzt so doch sehr bald die Sinnlosigkeit des Ganzen erkennen. Ich antwortete darauf, dass das richtig sein mag, dass ich es aber zur vollständigen Klarstellung doch für vorteilhaft halten würde, Ihnen eine ausdrückliche Antwort zukommen zu lassen. Ich bot mich an, diese Aufgabe zu übernehmen, nach einigem Zögern gab meine Freundin mir nach. Ich hoffe nun aber auch in Ihrem Sinne gehandelt zu haben, denn selbst die kleinste Unsicherheit in der geringfügigsten Sache ist doch immer quälend und wenn man sie, wie in diesem Falle leicht beseitigen kann, so soll es doch besser sofort geschehn.« »Ich danke Ihnen«, sagte K. sofort, stand langsam auf, sah Fräulein Montag an, dann über den Tisch hin, dann aus dem Fenster – das gegenüberliegende Haus stand in der Sonne – und gieng zur Tür. Fräulein Montag folgte ihm paar Schritte als vertraue sie ihm nicht ganz. Vor der Tür mussten aber beide zurückweichen, denn sie öffnete sich und der Hauptmann Lanz trat ein. K. sah ihn zum erstenmal aus der Nähe. Es war ein großer

---

34 **paar Schritte:** ein paar Schritte

etwa 40jähriger Mann mit braungebranntem fleischigen Gesicht. Er machte eine leichte Verbeugung, die auch K. galt, gieng dann zu Fräulein Montag und küsste ihr ehrerbietig die Hand. Er war sehr gewandt in seinen Bewegungen. Seine Höflichkeit gegen Fräulein Montag stach auffallend von der Behandlung ab, die sie von K. erfahren hatte. Trotzdem schien Fräulein Montag K. nicht böse zu sein, denn sie wollte ihn sogar wie K. zu bemerken glaubte, dem Hauptmann vorstellen. Aber K. wollte nicht vorgestellt werden, er wäre nicht imstande gewesen, weder dem Hauptmann noch Fräulein Montag gegenüber irgendwie freundlich zu sein, der Handkuss hatte sie für ihn zu einer Gruppe verbunden, die ihn unter dem Anschein äußerster Harmlosigkeit und Uneigennützigkeit von Fräulein Bürstner abhalten wollte. K. glaubte jedoch nicht nur das zu erkennen, er erkannte auch dass Fräulein Montag ein gutes, allerdings zweischneidiges Mittel gewählt hatte. Sie übertrieb die Bedeutung der Beziehung zwischen Fräulein Bürstner und K., sie übertrieb vor allem die Bedeutung der erbetenen Aussprache und versuchte es gleichzeitig so zu wenden, als ob es K. sei, der alles übertreibe. Sie sollte sich täuschen, K. wollte nichts übertreiben, er wusste, dass Fräulein Bürstner ein kleines Schreibmaschinenfräulein war, das ihm nicht lange Widerstand leisten sollte. Hiebei zog er absichtlich gar nicht in Berechnung, was er von Frau Grubach über Fräulein Bürstner erfahren hatte. Das alles überlegte er, während er kaum grüßend das Zimmer verließ. Er wollte gleich in sein Zimmer gehn, aber ein kleines Lachen des Fräulein Montag, das er hinter sich aus dem Esszimmer hörte, brachte ihn auf den Gedanken, dass er vielleicht beiden, dem Hauptmann wie Fräulein Montag eine Überraschung bereiten könnte. Er sah sich um und horchte, ob aus irgendeinem der umliegenden Zimmer eine Störung zu erwarten wäre, es war überall still, nur die Unterhaltung aus dem Esszimmer war zu hören und aus dem Gang, der zur Küche führte, die Stimme der Frau Grubach. Die Gelegenheit schien günstig, K. gieng zur Tür von Fräulein Bürstners Zimmer und klopfte leise. Da sich nichts rührte, klopfte er nochmals, aber es erfolgte noch immer keine Antwort. Schlief sie? Oder war sie wirklich unwohl? Oder verleugnete sie sich nur deshalb, weil sie ahnte, dass es nur K. sein konnte, der so leise klopfte? K. nahm an, dass sie sich verleugne und klopfte stärker, öffnete schließlich, da das Klopfen keinen Erfolg hatte, vorsichtig und nicht ohne das Gefühl, etwas unrechtes und überdies nutzloses zu tun, die Tür. Im Zimmer war niemand. Es erinnerte übrigens kaum mehr an das Zimmer wie es K. gekannt hatte. An der Wand waren nun zwei Betten hintereinander aufgestellt, drei Sessel in der Nähe der Tür waren mit Kleidern und Wäsche überhäuft, ein Schrank stand offen. Fräulein Bürstner war wahrscheinlich fortgegangen, während Fräulein Montag im Esszimmer auf K. eingeredet hatte. K. war davon nicht sehr bestürzt, er hatte kaum mehr erwartet Fräulein Bürstner so leicht zu treffen, er hatte diesen Versuch fast nur aus Trotz gegen Fräulein Montag gemacht. Umso peinlicher war es ihm aber, als er während er die Tür wieder schloss, in der offenen Tür des Esszimmers Fräulein Montag und den Hauptmann sich unterhalten sah. Sie standen dort vielleicht schon seitdem K. die Tür geöffnet hatte, sie vermieden jeden Anschein als ob sie K. etwa beobachteten, sie unterhielten sich leise und verfolgten K.'s Bewegungen mit den Blicken nur so wie man während eines Gespräches zerstreut umherblickt. Aber auf K. lagen diese Blicke doch schwer, er beeilte sich an der Wand entlang in sein Zimmer zu kommen.

Staatsanwalt

Trotz der Menschenkenntnis und Welterfahrung, welche K. während seiner langen Dienstzeit in der Bank erworben hatte, war ihm doch die Gesellschaft seines Stammtisches immer als außerordentlich achtungswürdig erschienen und er leugnete sich selbst gegenüber niemals, dass es für ihn eine große Ehre war einer solchen Gesellschaft anzugehören. Sie bestand fast ausschließlich aus Richtern, Staatsanwälten und Advokaten, auch einige ganz junge Beamte und Advokatursgehilfen waren zugelassen, sie saßen aber ganz unten am Tisch und durften sich in die Debatten nur einmischen, wenn besondere Fragen an sie gestellt wurden. Solche Fragestellungen aber hatten meist nur den Zweck die Gesellschaft zu belustigen, besonders Staatsanwalt Hasterer der gewöhnlich K.'s Nachbar war liebte es auf diese Weise die jungen Herren zu beschämen. Wenn er die große stark behaarte Hand mitten auf dem Tisch spreizte und sich zum untern Tischende wandte, horchte schon alles auf. Und wenn dann dort einer die Frage aufnahm aber entweder sie nicht einmal enträtseln konnte oder nachdenklich in sein Bier sah oder statt zu reden bloß mit den Kiefern schnappte oder gar – das war das Ärgste – in unaufhaltsamem Schwall eine falsche oder unbeglaubigte Meinung vertrat, dann drehten sich die ältern Herren lächelnd auf ihren Sitzen und es schien ihnen erst jetzt behaglich zu werden. Die wirklich ernsten fachgemäßen Gespräche blieben nur ihnen vorbehalten.

K. war in diese Gesellschaft durch einen Advokaten, den Rechtsvertreter der Bank gebracht worden. Es hatte eine Zeit gegeben, da K. mit diesem Advokaten in der Bank lange Besprechungen bis spät in den Abend hatte führen müssen und es hatte sich dann von selbst gefügt, dass er mit dem Advokaten an dessen Stammtisch gemeinsam genachtmahlt und an der Gesellschaft Gefallen gefunden hatte. Er sah hier lauter gelehrte, angesehene, in gewissem Sinne mächtige Herren, deren Erholung darin bestand, dass sie schwierige mit dem gewöhnlichen Leben nur entfernt zusammenhängende Fragen zu lösen suchten und hiebei sich abmühten. Wenn er selbst natürlich nur wenig eingreifen konnte, so bekam er doch die Möglichkeit vieles zu erfahren, was ihm früher oder später auch in der Bank Vorteil bringen konnte und außerdem konnte er zum Gericht persönliche Beziehungen anknüpfen, die immer nützlich waren. Aber auch die Gesellschaft schien ihn gern zu dulden. Als geschäftlicher Fachmann war er bald anerkannt und seine Meinung in solchen Dingen galt – wenn es dabei auch nicht ganz ohne Ironie abgieng – als etwas Unumstößliches. Es geschah nicht selten, dass zwei, die eine Rechtsfrage verschieden beurteilten, K. seine Ansicht über den Tatbestand abverlangten und dass dann K.'s Name in allen Reden und Gegenreden wiederkehrte und bis in die abstraktesten Untersuchungen gezogen wurde, denen K. längst nicht mehr folgen konnte. Allerdings klärte sich ihm allmählich vieles auf, besonders da er in Staatsanwalt Hasterer einen guten Berater an seiner Seite hatte, der ihm auch freundschaftlich nähertrat. K. begleitete ihn sogar öfters in der Nacht nachhause. Er konnte sich aber lange nicht daran gewöhnen Arm in Arm neben dem riesigen Mann zu gehn, der ihn in seinem Radmantel ganz unauffällig hätte verbergen können.

Im Laufe der Zeit aber fanden sie sich derartig zusammen, dass alle Unterschiede der Bildung, des Berufes, des Alters sich verwischten. Sie verkehrten mit einander, als hätten sie seit jeher zu einander gehört und wenn in ihrem Verhältnis äußerlich manchmal einer überlegen schien, so war es nicht Hasterer sondern K., denn seine praktischen Erfahrungen behielten meistens Recht, da sie so unmittelbar gewonnen waren, wie es vom Gerichtstisch aus niemals geschehen kann.

Diese Freundschaft wurde natürlich am Stammtisch bald allgemein bekannt, es geriet halb in Vergessenheit, wer K. in die Gesellschaft gebracht hatte, nun war es jedenfalls Hasterer der K. deckte; wenn K.'s Berechtigung hier zu sitzen auf

---

25 **Radmantel:** langer Mantel

Zweifel stoßen würde, konnte er sich mit gutem Recht auf Hasterer berufen. Dadurch aber erlangte K. eine besonders bevorzugte Stellung, denn Hasterer war ebenso angesehn als gefürchtet. Die Kraft und Gewandtheit seines juristischen Denkens waren zwar sehr bewundernswert, doch waren in dieser Hinsicht viele Herren ihm zumindest ebenbürtig, keiner jedoch reichte an ihn heran in der Wildheit, mit welcher er seine Meinung verteidigte. K. hatte den Eindruck, dass Hasterer, wenn er seinen Gegner nicht überzeugen konnte, ihn doch wenigstens in Furcht setzte, schon vor seinem gestreckten Zeigefinger wichen viele zurück. Es war dann als ob der Gegner vergessen würde, dass er in Gesellschaft von guten Bekannten und Kollegen war, dass es sich doch nur um teoretische Fragen handelte, dass ihm in Wirklichkeit keinesfalls etwas geschehen konnte – aber er verstummte und Kopfschütteln war schon Mut. Ein fast peinlicher Anblick war es, wenn der Gegner weit entfernt saß, Hasterer erkannte, dass auf die Entfernung hin keine Einigung zustandekommen könnte, wenn er nun etwa den Teller mit dem Essen zurückschob und langsam aufstand, um den Mann selbst aufzusuchen. Die in der Nähe beugten dann die Köpfe zurück, um sein Gesicht zu beobachten. Allerdings waren das nur verhältnismäßig seltene Zwischenfälle, vor allem konnte er fast nur über juristische Fragen in Erregung geraten, undzwar hauptsächlich über solche, welche Processe betrafen, die er selbst geführt hatte oder führte. Handelte es sich nicht um solche Fragen, dann war er freundlich und ruhig, sein Lachen war liebenswürdig und seine Leidenschaft gehörte dem Essen und Trinken. Es konnte sogar geschehn, dass er der allgemeinen Unterhaltung gar nicht zuhörte, sich zu K. wandte, den Arm über dessen Sessellehne legte, ihn halblaut über die Bank ausfragte, dann selbst über seine eigene Arbeit sprach oder auch von seinen Damenbekanntschaften erzählte, die ihm fast soviel zu schaffen machten wie das Gericht. Mit keinem andern in der Gesellschaft sah man ihn derartig reden und tatsächlich kam man oft, wenn man etwas von Hasterer erbitten wollte – meistens sollte eine Versöhnung mit einem Kollegen bewerkstelligt werden – zunächst zu K. und bat ihn um seine Vermittlung, die er immer gerne und leicht durchführte. Er war überhaupt, ohne etwa seine Beziehung zu Hasterer in dieser Hinsicht auszunützen, allen gegenüber sehr höflich und bescheiden und er verstand es, was noch wichtiger als Höflichkeit und Bescheidenheit war, zwischen den Rangabstufungen der Herren richtig zu unterscheiden und jeden seinem Range gemäß zu behandeln. Allerdings belehrte ihn Hasterer darin immer wieder, es waren dies die einzigen Vorschriften, die Hasterer selbst in der erregtesten Debatte nicht verletzte. Darum richtete er auch an die jungen Herren unten am Tisch, die noch fast gar keinen Rang besaßen, immer nur allgemeine Ansprachen, als wären es nicht einzelne, sondern bloß ein zusammengeballter Klumpen. Gerade diese Herren aber erwiesen ihm die größten Ehren und wenn er gegen 11 Uhr sich erhob, um nachhause zu gehn, war gleich einer da, der ihm beim Anziehn des schweren Mantels behilflich war und ein anderer der mit großer Verbeugung die Türe vor ihm öffnete und sie natürlich auch noch festhielt wenn K. hinter Hasterer das Zimmer verließ.

Während in der ersten Zeit K. Hasterer oder auch dieser K. ein Stück Wegs begleitete, endeten später solche Abende in der Regel damit, dass Hasterer K. bat mit ihm in seine Wohnung zu kommen und ein Weilchen bei ihm zu bleiben. Sie saßen dann noch wohl eine Stunde bei Schnaps und Zigarren. Diese Abende waren Hasterer so lieb, dass er nicht einmal auf sie verzichten wollte, als er während einiger Wochen ein Frauenzimmer namens Helene bei sich wohnen hatte. Es war eine dicke ältliche Frau mit gelblicher Haut und schwarzen Locken, die sich um ihre Stirn ringelten. K. sah sie zunächst nur im Bett, sie lag dort gewöhnlich recht schamlos, pflegte einen Lieferungsroman zu lesen und kümmerte sich nicht um das Gespräch der Herren. Erst wenn es spät wurde, streckte sie sich, gähnte und warf auch, wenn sie auf andere Weise die Aufmerksamkeit nicht auf sich lenken konnte, ein Heft ihres Romans nach Hasterer. Dieser stand dann lächelnd auf und K. verabschiedete sich. Später allerdings als Hasterer Helene's

---

27 f. **ein Frauenzimmer:** abwertend für: eine Frau | 32 **Lieferungsroman:** literarisch anspruchsloser Roman, in Fortsetzungen als Serie von preiswerten Heften (»Groschenroman«) veröffentlicht

müde zu werden anfieng, störte sie die Zusammenkünfte empfindlich. Sie erwartete nun immer die Herren vollständig angekleidet undzwar gewöhnlich in einem Kleid, das sie wahrscheinlich für sehr kostbar und kleidsam hielt, das aber in Wirklichkeit ein altes überladenes Ballkleid war und besonders unangenehm durch einige Reihen langer Fransen auffiel, mit denen es zum Schmuck behängt war. Das genaue Aussehn dieses Kleides kannte K. gar nicht, er weigerte sich gewissermaßen sie anzusehn und saß stundenlang mit halbgesenkten Augen da, während sie sich wiegend durch das Zimmer gieng oder in seiner Nähe saß und später als ihre Stellung immer unhaltbarer wurde, in ihrer Not sogar versuchte, durch Bevorzugung K.'s Hasterer eifersüchtig zu machen. Es war nur Not, nicht Bosheit, wenn sie sich mit dem entblößten rundlichen fetten Rücken über den Tisch lehnte, ihr Gesicht K. näherte und ihn so zwingen wollte, aufzublicken. Sie erreichte damit nur, dass K. sich nächstens weigerte zu Hasterer zu gehn, und als er nach einiger Zeit doch wieder hinkam, war Helene endgiltig fortgeschickt; K. nahm das als selbstverständlich hin. Sie blieben an diesem Abend besonders lange beisammen, feierten auf Hasterers Anregung Bruderschaft und K. war auf dem Nachhauseweg vom Rauchen und Trinken fast ein wenig betäubt.

Gerade am nächsten Morgen machte der Direktor in der Bank im Laufe eines geschäftlichen Gespräches die Bemerkung, er glaube gestern abend K. gesehen zu haben. Wenn er sich nicht getäuscht habe, so sei K. Arm in Arm mit dem Staatsanwalt Hasterer gegangen. Der Direktor schien das so merkwürdig zu finden, dass er – allerdings entsprach dies auch seiner sonstigen Genauigkeit – die Kirche nannte, an deren Längsseite in der Nähe des Brunnens jene Begegnung stattgefunden habe. Hätte er eine Luftspiegelung beschreiben wollen, er hätte sich nicht anders ausdrücken können. K. erklärte ihm nun, dass der Staatsanwalt sein Freund sei und dass sie wirklich gestern abend an der Kirche vorübergegangen wären. Der Direktor lächelte erstaunt und forderte K. auf, sich zu setzen. Es war einer jener Augenblicke, wegen deren K.

19 **endgiltig:** endgültig

den Direktor so liebte, Augenblicke, in denen aus diesem schwachen kranken hüstelnden mit der verantwortungsvollsten Arbeit überlasteten Mann eine gewisse Sorge um K.'s Wohl und um seine Zukunft ans Licht kam, eine Sorge, die man allerdings nach Art anderer Beamten, die beim Direktor ähnliches erlebt hatten, kalt und äußerlich nennen konnte, die nichts war als ein gutes Mittel, wertvolle Beamte durch das Opfer von 2 Minuten für Jahre an sich zu fesseln – wie es auch sein mochte, K. unterlag dem Direktor in diesen Augenblicken. Vielleicht sprach auch der Direktor mit K. ein wenig anders als mit den andern, er vergaß nämlich nicht etwa seine übergeordnete Stellung, um auf diese Weise mit K. gemein zu werden – dies tat er vielmehr regelmäßig im gewöhnlichen geschäftlichen Verkehr – hier aber schien er gerade K.'s Stellung vergessen zu haben und sprach mit ihm wie mit einem Kind oder wie mit einem unwissenden jungen Menschen, der sich erst um eine Stellung bewirbt und aus irgendeinem unverständlichen Grunde das Wohlgefallen des Direktors erregt. K. hätte gewiss eine solche Redeweise weder von einem andern noch vom Direktor selbst geduldet, wenn ihm nicht die Fürsorge des Direktors wahrhaftig erschienen wäre oder wenn ihn nicht wenigstens die Möglichkeit dieser Fürsorge, wie sie sich ihm in solchen Augenblicken zeigte, vollständig bezaubert hätte. K. erkannte seine Schwäche; vielleicht hatte sie ihren Grund darin, dass in dieser Hinsicht wirklich noch etwas Kindisches in ihm war, da er die Fürsorge des eigenen Vaters, der sehr jung gestorben war, niemals erfahren hatte, bald von zuhause fortgekommen war und die Zärtlichkeit der Mutter, die halbblind noch draußen in dem unveränderlichen Städtchen lebte und die er zuletzt vor etwa 2 Jahren besucht hatte, immer eher abgelehnt als hervorgelockt hatte.

»Von dieser Freundschaft wusste ich gar nichts«, sagte der Direktor und nur ein schwaches freundliches Lächeln milderte die Strenge dieser Worte.

Zu Elsa

Eines Abends wurde K. knapp vor dem Weggehn telephonisch angerufen und aufgefordert sofort in die Gerichtskanzlei zu kommen. Man warne ihn davor ungehorsam zu sein. Seine unerhörten Bemerkungen darüber, dass die Verhöre unnütz seien, kein Ergebnis haben und keines haben können, dass er nicht mehr hinkommen werde, dass er telephonische oder schriftliche Einladungen nicht beachten und Boten aus der Türe werfen werde – alle diese Bemerkungen seien protokolliert und hätten ihm schon viel geschadet. Warum wolle er sich denn nicht fügen? Sei man nicht etwa ohne Rücksicht auf Zeit und Kosten bemüht in seine verwickelte Sache Ordnung zu bringen? Wolle er darin mutwillig stören und es zu Gewaltmaßregeln kommen lassen, mit denen man ihn bisher verschont habe? Die heutige Vorladung sei ein letzter Versuch. Er möge tun was er wolle, jedoch bedenken, dass das hohe Gericht seiner nicht spotten lassen könne.

Nun hatte K. für diesen Abend Elsa seinen Besuch angezeigt und konnte schon aus diesem Grunde nicht zu Gericht kommen, er war froh darüber, sein Nichterscheinen vor Gericht dadurch rechtfertigen zu können, wenn er auch natürlich niemals von dieser Rechtfertigung Gebrauch machen würde und außerdem sehr wahrscheinlich auch dann nicht zu Gericht gegangen wäre, wenn er für diesen Abend nicht die geringste sonstige Verpflichtung gehabt hätte. Immerhin stellte er im Bewusstsein seines guten Rechtes durch das Telephon die Frage, was geschehen würde, wenn er nicht käme. »Man wird Sie zu finden wissen«, war die Antwort. »Und werde ich dafür bestraft werden, weil ich nicht freiwillig gekommen bin«, fragte K. und lächelte in Erwartung dessen, was er hören würde. »Nein«, war die Antwort. »Vorzüglich«, sagte K., »was für einen Grund sollte ich dann aber haben, der heutigen

Vorladung Folge zu leisten.« »Man pflegt die Machtmittel des Gerichtes nicht auf sich zu hetzen«, sagte die schwächer werdende und schließlich vergehende Stimme. »Es ist sehr unvorsichtig, wenn man das nicht tut«, dachte K. im Weggehn, »man soll doch versuchen die Machtmittel kennen zu lernen.«

Ohne zu zögern fuhr er zu Elsa. Behaglich in die Wagenecke gelehnt, die Hände in den Taschen des Mantels – es begann schon kühl zu werden – überblickte er die lebhaften Straßen. Mit einer gewissen Zufriedenheit dachte er daran, dass er dem Gericht, falls es wirklich in Tätigkeit war, nicht geringe Schwierigkeiten bereitete. Er hatte sich nicht deutlich ausgesprochen, ob er zu Gericht kommen würde oder nicht; der Richter wartete also, vielleicht wartete sogar die ganze Versammlung, nur K. würde zur besondern Enttäuschung der Gallerie nicht erscheinen. Unbeirrt durch das Gericht fuhr er dorthin wohin er wollte. Einen Augenblick lang war er nicht sicher, ob er nicht aus Zerstreutheit dem Kutscher die Gerichtsadresse angegeben hatte, er rief ihm daher laut Elsas Adresse zu; der Kutscher nickte, ihm war keine andere gesagt worden. Von da an vergaß K. allmählich an das Gericht und die Gedanken an die Bank begannen ihn wieder wie in frühern Zeiten ganz zu erfüllen.

Kampf mit Direktor-Stellvertreter

Eines Morgens fühlte sich K. viel frischer und widerstandsfähiger als sonst. An das Gericht dachte er kaum; wenn es ihm aber einfiel, schien es ihm als könne diese ganz unübersichtlich große Organisation an irgend einer allerdings verborgenen im Dunkel erst zu ertastenden Handhabe leicht gefasst, ausgerissen und zerschlagen werden. Sein außergewöhnlicher Zustand verlockte K. sogar den Direktor-Stellvertreter einzuladen in sein Bureau zu kommen und eine geschäftliche Angelegenheit, die schon seit einiger Zeit drängte, gemeinsam zu besprechen. Immer bei solchem Anlass tat der Direktor-Stellvertreter so, als hätte sich sein Verhältnis zu K. in den letzten Monaten nicht im Geringsten geändert. Ruhig kam er wie in den frühern Zeiten des ständigen Wettbewerbes mit K., ruhig hörte er K.'s Ausführungen an, zeigte durch kleine vertrauliche ja kameradschaftliche Bemerkungen seine Teilnahme und verwirrte K. nur dadurch, worin man aber keine Absicht sehen musste, dass er sich durch nichts von der geschäftlichen Hauptsache ablenken ließ, förmlich bis in den Grund seines Wesens aufnahmsbereit für diese Sache war, während K.'s Gedanken vor diesem Muster von Pflichterfüllung sofort nach allen Seiten zu schwärmen anfingen und ihn zwangen, die Sache selbst fast ohne Widerstand dem Direktor-Stellvertreter zu überlassen. Einmal war es so schlimm, dass K. schließlich nur bemerkte, wie der Direktor-Stellvertreter plötzlich aufstand und stumm in sein Bureau zurückkehrte. K. wusste nicht was geschehen war, es war möglich dass die Besprechung regelrecht abgeschlossen war, ebensomöglich aber war es, dass sie der Direktor-Stellvertreter abgebrochen hatte, weil ihn K. unwissentlich gekränkt oder weil er Unsinn gesprochen hatte oder weil es dem Direktor-Stellvertreter unzweifelhaft geworden war, dass K. nicht zuhörte und mit andern Dingen beschäftigt war. Es war aber sogar möglich, dass K. eine lächerliche Entscheidung getroffen oder dass der Direktor-Stellvertreter sie ihm entlockt hatte und dass er sich jetzt beeilte sie zum Schaden K.'s zu verwirklichen. Man kam übrigens auf diese Angelegenheit nicht mehr zurück, K. wollte nicht an sie erinnern und der Direktor-Stellvertreter blieb verschlossen; es ergaben sich allerdings vorläufig auch weiterhin keine sichtbaren Folgen. Jedenfalls war aber K. durch den Vorfall nicht abgeschreckt worden, wenn sich nur eine passende Gelegenheit ergab und er nur ein wenig bei Kräften war, stand er schon bei der Tür des Direktor-Stellvertreters um zu ihm zu gehn oder ihn zu sich einzuladen. Es war keine Zeit mehr sich vor ihm zu verstecken, wie er es früher getan hatte. Er hoffte nicht mehr auf einen baldigen entscheidenden Erfolg, der ihn mit einem Mal von allen Sorgen befreien und von selbst das alte Verhältnis zum Direktor-Stellvertreter herstellen würde. K. sah ein, dass er nicht ablassen dürfe, wich er zurück, so wie es vielleicht die Tatsachen forderten, dann bestand die Gefahr, dass er möglicherweise niemals mehr vorwärts kam. Der Direktor-Stellvertreter durfte nicht im Glauben gelassen werden, dass K. abgetan sei, er durfte mit diesem Glauben nicht ruhig in seinem Bureau sitzen, er musste beunruhigt werden, er musste so oft als möglich erfahren dass K. lebte und dass er wie alles was lebte, eines Tages mit neuen Fähigkeiten überraschen konnte, so ungefährlich er auch heute schien. Manchmal sagte sich zwar K., dass er mit dieser Methode um nichts anderes als um seine Ehre kämpfe, denn Nutzen konnte es ihm eigentlich nicht bringen, wenn er sich in seiner Schwäche immer wieder dem Direktor-Stellvertreter entgegenstellte, sein Machtgefühl stärkte und ihm die Möglichkeit gab Beobachtungen zu machen und seine Maßnahmen genau nach den augenblicklichen Verhältnissen zu treffen. Aber K. hätte sein Verhalten gar nicht ändern können, er unterlag Selbsttäuschungen, er glaubte manchmal mit Bestimmtheit er dürfe sich gerade jetzt unbesorgt mit dem Direktor-Stellvertreter messen, die unglückseligsten Erfahrungen belehrten ihn nicht, was ihm bei zehn Versuchen nicht

gelungen war, glaubte er mit dem elften durchsetzen zu
können trotzdem alles immer ganz einförmig zu seinen
Ungunsten abgelaufen war. Wenn er nach einer solchen Zu-
sammenkunft erschöpft, in Schweiß, mit leerem Kopf zu-
rückblieb, wusste er nicht, ob es Hoffnung oder Verzweiflung
gewesen war, die ihn an den Direktor-Stellvertreter gedrängt
hatte, ein nächstes Mal war es aber wieder vollständig eindeutig nur Hoffnung, mit der er zu der Türe des Direktor-Stellvertreters eilte.

So war es auch heute. Der Direktor-Stellvertreter trat
gleich ein, blieb dann nahe bei der Tür stehn, putzte einer neu
angenommenen Gewohnheit gemäß seinen Zwicker und sah
zuerst K. und dann, um sich nicht allzu auffallend mit K. zu
beschäftigen, auch das ganze Zimmer genauer an. Es war als
benütze er die Gelegenheit, um die Sehkraft seiner Augen zu
prüfen. K. widerstand den Blicken, lächelte sogar ein wenig
und lud den Direktor-Stellvertreter ein sich zu setzen. Er
selbst warf sich in seinen Lehnstuhl, rückte ihn möglichst
nahe zum Direktor-Stellvertreter, nahm gleich die nötigen Papiere vom Tisch und begann seinen Bericht. Der Direktor-
Stellvertreter schien zunächst kaum zuzuhören. Die Platte
von K.'s Schreibtisch war von einer niedrigen geschnitzten
Balustrade umgeben. Der ganze Schreibtisch war vorzügliche
Arbeit und auch die Balustrade saß fest im Holz. Aber der
Direktor-Stellvertreter tat, als habe er gerade jetzt dort eine
Lockerung bemerkt, und versuchte den Fehler dadurch zu
beseitigen, dass er mit dem Zeigefinger auf die Balustrade los-
hieb. K. wollte daraufhin seinen Bericht unterbrechen, was
aber der Direktor-Stellvertreter nicht duldete, da er wie er
erklärte, alles genau höre und auffasse. Während ihm aber
vorläufig K. keine sachliche Bemerkung abnötigen konnte,
schien die Balustrade besondere Maßregeln zu verlangen,
denn der Direktor-Stellvertreter zog jetzt sein Taschenmesser
hervor, nahm als Gegenhebel K.'s Lineal und versuchte die
Balustrade hochzuheben, wahrscheinlich um sie dann leichter
desto tiefer einstoßen zu können. K. hatte in seinen Bericht
einen ganz neuartigen Vorschlag aufgenommen, von dem er

---

2 **trotzdem:** obwohl

sich eine besondere Wirkung auf den Direktor-Stellvertreter versprach und als er jetzt zu diesem Vorschlag gelangte, konnte er gar nicht innehalten, so sehr nahm ihn die eigene Arbeit gefangen oder vielmehr so sehr freute er sich an dem immer seltener werdenden Bewusstsein, dass er hier in der Bank noch etwas zu bedeuten habe und dass seine Gedanken die Kraft hatten, ihn zu rechtfertigen. Vielleicht war sogar diese Art sich zu verteidigen nicht nur in der Bank sondern auch im Process die beste, viel besser vielleicht als jede andere Verteidigung, die er schon versucht hatte oder plante. In der Eile seiner Rede hatte K. gar nicht Zeit, den Direktor-Stellvertreter ausdrücklich von seiner Arbeit an der Balustrade abzuziehn, nur zwei oder dreimal strich er während des Vorlesens mit der freien Hand wie beruhigend über die Balustrade hin, um damit, fast ohne es selbst genau zu wissen, dem Direktor-Stellvertreter zu zeigen, dass die Balustrade keinen Fehler habe und dass selbst wenn sich einer vorfinden sollte, augenblicklich das Zuhören wichtiger und auch anständiger sei als alle Verbesserungen. Aber den Direktor-Stellvertreter hatte, wie dies bei lebhaften nur geistig tätigen Menschen oft geschieht, diese handwerksmäßige Arbeit in Eifer gebracht, ein Stück der Balustrade war nun wirklich hochgezogen und es handelte sich jetzt darum die Säulchen wieder in die zugehörigen Löcher hineinzubringen. Das war schwieriger als alles bisherige. Der Direktor-Stellvertreter musste aufstehn und mit beiden Händen versuchen die Balustrade in die Platte zu drücken. Es wollte aber trotz alles Kraftverbrauches nicht gelingen. K. hatte während des Vorlesens – das er übrigens viel mit freier Rede untermischte – nur undeutlich wahrgenommen, dass der Direktor-Stellvertreter sich erhoben hatte. Trotzdem er die Nebenbeschäftigung des Direktor-Stellvertreters kaum jemals ganz aus den Augen verlor, hatte er doch angenommen, dass die Bewegung des Direktor-Stellvertreters doch auch mit seinem Vortrag irgendwie zusammenhieng, auch er stand also auf und den Finger unter eine Zahl gedrückt reichte er dem Direktor-Stellvertreter ein Papier entgegen. Der Direktor-Stellvertreter aber hatte inzwischen eingesehn, dass der Druck der Hände nicht genügte, und so setzte er sich kurz entschlossen mit seinem ganzen Gewicht auf die Balustrade. Jetzt glückte es allerdings, die Säulchen fuhren knirschend in die Löcher, aber ein Säulchen knickte in der Eile ein und an einer Stelle brach die zarte obere Leiste entzwei. »Schlechtes Holz«, sagte der Direktor-Stellvertreter ärgerlich, ließ vom Schreibtisch ab und setzte

Das Haus

Ohne zunächst eine bestimmte Absicht damit zu verbinden, hatte K. bei verschiedenen Gelegenheiten in Erfahrung zu bringen gesucht, wo das Amt seinen Sitz habe, von welchem aus die erste Anzeige in seiner Sache erfolgt war. Er erfuhr es ohne Schwierigkeiten, sowohl Titorelli als auch Wolfhart nannten ihm auf die erste Frage hin die genaue Nummer des Hauses. Später vervollständigte Titorelli mit einem Lächeln, das er immer für geheime ihm nicht zur Begutachtung vorgelegte Pläne bereit hatte, die Auskunft dadurch, dass er behauptete, gerade dieses Amt habe nicht die geringste Bedeutung, es spreche nur aus, was ihm aufgetragen werde und sei nur das äußerste Organ der großen Anklagebehörde selbst, die allerdings für Parteien unzugänglich sei. Wenn man also etwas von der Anklagebehörde wünsche – es gäbe natürlich immer viele Wünsche, aber es sei nicht immer klug, sie auszusprechen – dann müsse man sich allerdings an das genannte untergeordnete Amt wenden, doch werde man dadurch weder selbst zur eigentlichen Anklagebehörde dringen, noch seinen Wunsch jemals dorthin leiten.

K. kannte schon das Wesen des Malers, er widersprach deshalb nicht, erkundigte sich auch nicht weiter sondern nickte nur und nahm das Gesagte zur Kenntnis. Wieder schien ihm wie schon öfters in der letzten Zeit, dass Titorelli soweit es auf Quälerei ankam, den Advokaten reichlich ersetzte. Der Unterschied bestand nur darin, dass K. Titorelli nicht so preisgegeben war und ihn, wann es ihm beliebte, ohne Umstände hätte abschütteln können, dass ferner Titorelli überaus mitteilsam, ja geschwätzig war wenn auch früher mehr als jetzt und dass schließlich K. sehr wohl auch seinerseits Titorelli quälen konnte.

Und das tat er auch in dieser Sache, sprach öfters von jenem

---

6 **sowohl Titorelli als auch Wolfhart:** zu Titorelli: s. S. 123ff.; Wolfhart kommt im Buch ansonsten nicht vor

Haus in einem Ton, als verschweige er Titorelli etwas, als habe er Beziehungen mit jenem Amte angeknüpft, als seien sie aber noch nicht so weit gediehn, um ohne Gefahr bekannt gemacht werden zu können, suchte ihn dann aber Titorelli zu nähern Angaben zu drängen, lenkte K. plötzlich ab und sprach lange nicht mehr davon. Er hatte Freude von solchen kleinen Erfolgen, er glaubte dann, nun verstehe er schon viel besser diese Leute aus der Umgebung des Gerichts, nun könne er schon mit ihnen spielen, rücke fast selbst unter sie ein, bekomme wenigstens für Augenblicke die bessere Übersicht, welche ihnen gewissermaßen die erste Stufe des Gerichtes ermöglichte, auf der sie standen. Was machte es, wenn er seine Stellung hier unten doch endlich verlieren sollte? Dort war auch dann noch eine Möglichkeit der Rettung, er musste nur in die Reihen dieser Leute schlüpfen, hatten sie ihm infolge ihrer Niedrigkeit oder aus andern Gründen in seinem Processe nicht helfen können, so konnten sie ihn doch aufnehmen und verstecken, ja sie konnten sich, wenn er alles genügend überlegt und geheim ausführte, gar nicht dagegen wehren, ihm auf diese Weise zu dienen, besonders Titorelli nicht, dessen naher Bekannter und Wohltäter er doch jetzt geworden war.

Von solchen und ähnlichen Hoffnungen nährte sich K. nicht etwa täglich, im allgemeinen unterschied er noch genau und hütete sich irgendeine Schwierigkeit zu übersehn oder zu überspringen, aber manchmal – meistens waren es Zustände vollständiger Erschöpfung am Abend nach der Arbeit – nahm er Trost aus den geringsten und überdies vieldeutigsten Vorfällen des Tages. Gewöhnlich lag er dann auf dem Kanapee seines Bureaus – er konnte sein Bureau nicht mehr verlassen, ohne eine Stunde lang auf dem Kanapee sich zu erholen – und fügte in Gedanken Beobachtung an Beobachtung. Er beschränkte sich nicht peinlich auf die Leute, welche mit dem Gericht zusammenhingen, hier im Halbschlaf mischten sich alle, er vergaß dann an die große Arbeit des Gerichtes, ihm war als sei er der einzige Angeklagte und alle andern giengen durcheinander wie Beamte und Juristen auf den Gängen eines Gerichtsgebäudes, noch die stumpfsinnigsten hatten das Kinn zur Brust gesenkt, die Lippen aufgestülpt und den starren Blick verantwortungsvollen Nachdenkens. Immer traten dann als geschlossene Gruppe die Mieter der Frau Grubach auf, sie standen beisammen Kopf an Kopf mit offenen Mäulern wie ein anklagender Chor. Es waren viele Unbekannte unter ihnen, denn K. kümmerte sich schon seit langem um die Angelegenheiten der Pension nicht im Geringsten. Infolge der vielen Unbekannten machte es ihm aber Unbehagen sich näher mit der Gruppe abzugeben, was er aber manchmal tun musste, wenn er dort Fräulein Bürstner suchte. Er überflog z.B. die Gruppe und plötzlich glänzten ihm zwei gänzlich fremde Augen entgegen und hielten ihn auf. Er fand dann Fräulein Bürstner nicht, aber als er dann, um jeden Irrtum zu vermeiden nochmals suchte, fand er sie gerade in der Mitte der Gruppe, die Arme um 2 Herren gelegt, die ihr zur Seite standen. Es machte unendlich wenig Eindruck auf ihn, besonders deshalb da dieser Anblick nichts neues war, sondern nur die unauslöschliche Erinnerung an eine Photographie vom Badestrand, die er einmal in Fräulein Bürstners Zimmer gesehen hatte. Immerhin trieb dieser Anblick K. von der Gruppe weg und wenn er auch noch öfters hierher zurückkehrte so durcheilte er nun mit langen Schritten das Gerichtsgebäude kreuz und quer. Er kannte sich immer sehr gut in allen Räumen aus, verlorene Gänge, die er nie gesehen haben konnte, erschienen ihm vertraut, als wären sie seine Wohnung seit jeher, Einzelheiten drückten sich ihm mit schmerzlichster Deutlichkeit immer wieder ins Hirn, ein Ausländer z.B. spazierte in einem Vorsaal, er war gekleidet ähnlich einem Stierfechter, die Taille war eingeschnitten wie mit Messern, sein ganz kurzes ihn steif umgebendes Röckchen bestand aus gelblichen grobfädigen Spitzen und dieser Mann ließ sich, ohne sein Spazierengehn einen Augenblick einzustellen, unaufhörlich von K. bestaunen. Gebückt umschlich ihn K. und staunte ihn mit angestrengt aufgerissenen Augen an. Er kannte alle Zeichnungen der Spitzen, alle fehlerhaften Fransen, alle Schwingungen des Röckchens und hatte sich doch nicht sattgesehn. Oder vielmehr er hatte sich schon längst sattgesehn

---

28 f. **Stierfechter:** Stierkämpfer

oder noch richtiger er hatte es niemals ansehen wollen aber es ließ ihn nicht. »Was für Maskeraden bietet das Ausland!« dachte er und riss die Augen noch stärker auf. Und im Gefolge dieses Mannes blieb er bis er sich auf dem Kanapee herumwarf und das Gesicht ins Leder drückte.

Fahrt zur Mutter

Plötzlich beim Mittagessen fiel ihm ein er solle seine Mutter besuchen. Nun war schon das Frühjahr fast zu Ende und damit das dritte Jahr seitdem er sie nicht gesehen hatte. Sie hatte ihn damals gebeten an seinem Geburtstag zu ihr zu kommen, er hatte auch trotz mancher Hindernisse dieser Bitte entsprochen und hatte ihr sogar das Versprechen gegeben jeden Geburtstag bei ihr zu verbringen, ein Versprechen, das er nun allerdings schon zweimal nicht gehalten hatte. Dafür wollte er aber jetzt nicht erst bis zu seinem Geburtstag warten, obwohl dieser schon in 14 Tagen war, sondern sofort fahren. Er sagte sich zwar, dass kein besonderer Grund vorlag gerade jetzt zu fahren, im Gegenteil, die Nachrichten, die er regelmäßig alle zwei Monate von einem Vetter erhielt, der in jenem Städtchen ein Kaufmannsgeschäft besaß und das Geld, welches K. für seine Mutter schickte, verwaltete, waren beruhigender als jemals früher. Das Augenlicht der Mutter war zwar am Erlöschen, aber das hatte K. nach den Aussagen der Ärzte schon seit Jahren erwartet, dagegen war ihr sonstiges Befinden ein besseres geworden, verschiedene Beschwerden des Alters waren statt stärker zu werden zurückgegangen, wenigstens klagte sie weniger. Nach der Meinung des Vetters hieng dies vielleicht damit zusammen, dass sie seit den letzten Jahren – K. hatte schon bei seinem Besuch leichte Anzeichen dessen fast mit Widerwillen bemerkt – unmäßig fromm geworden war. Der Vetter hatte in einem Brief sehr anschaulich geschildert, wie die alte Frau, die sich früher nur mühselig fortgeschleppt hatte, jetzt an seinem Arm recht gut ausschritt, wenn er sie Sonntags zur Kirche führte. Und dem Vetter durfte K. glauben, denn er war gewöhnlich ängstlich und übertrieb in seinen Berichten eher das Schlechte als das Gute.

Aber wie es auch sein mochte, K. hatte sich jetzt entschlossen zu fahren; er hatte neuerdings unter anderem Unerfreuli-
chem eine gewisse Wehleidigkeit an sich festgestellt, ein fast
haltloses Bestreben allen seinen Wünschen nachzugeben –
nun, in diesem Fall diente diese Untugend wenigstens einem
guten Zweck.

Er trat zum Fenster, um seine Gedanken ein wenig zu
sammeln, ließ dann gleich das Essen abtragen, schickte den
Diener zu Frau Grubach um seine Abreise ihr anzuzeigen
und die Handtasche zu holen, in die Frau Grubach einpa-
cken möge was ihr notwendig scheine, gab dann Herrn Kühne einige geschäftliche Aufträge für die Zeit seiner Abwesenheit, ärgerte sich diesmal kaum darüber, dass Herr Kühne
in einer Unart die schon zur Gewohnheit geworden war, die
Aufträge mit seitwärts gewendetem Gesicht entgegennahm,
als wisse er ganz genau was er zu tun habe und erdulde diese
Auftragerteilung nur als Ceremonie, und gieng schließlich
zum Direktor. Als er diesen um einen zweitägigen Urlaub
ersuchte, da er zu seiner Mutter fahren müsse, fragte der
Direktor natürlich, ob K.'s Mutter etwa krank sei. »Nein«,
sagte K. ohne weitere Erklärung. Er stand in der Mitte
des Zimmers, die Hände hinten verschränkt. Mit zusammengezogener Stirn dachte er nach. Hatte er vielleicht die
Vorbereitungen zur Abreise übereilt? War es nicht besser
hierzubleiben? Was wollte er dort? Wollte er etwa aus Rührseligkeit hinfahren? Und aus Rührseligkeit hier möglicherweise etwas Wichtiges versäumen, eine Gelegenheit zum
Eingriff, die sich doch jetzt jeden Tag jede Stunde ergeben
konnte, nachdem der Process nun schon wochenlang scheinbar geruht hatte und kaum eine bestimmte Nachricht an ihn
gedrungen war? Und würde er überdies die alte Frau nicht
erschrecken, was er natürlich nicht beabsichtigte, was aber
gegen seinen Willen sehr leicht geschehen konnte, da jetzt
vieles gegen seinen Willen geschah. Und die Mutter verlangte gar nicht nach ihm. Früher hatten sich in den Briefen des
Vetters die dringenden Einladungen der Mutter regelmäßig
wiederholt, jetzt schon lange nicht. Der Mutter wegen fuhr

17 **Ceremonie:** Zeremonie

er also nicht hin, das war klar. Fuhr er aber in irgendeiner Hoffnung seinetwegen hin, dann war er ein vollkommener Narr und würde sich dort in der schließlichen Verzweiflung den Lohn seiner Narrheit holen. Aber als wären alle diese Zweifel nicht seine eigenen, sondern als suchten sie ihm fremde Leute beizubringen, verblieb er, förmlich erwachend, bei seinem Entschluss zu fahren. Der Direktor hatte sich indessen zufällig oder was wahrscheinlicher war aus besonderer Rücksichtnahme gegen K. über eine Zeitung gebeugt, jetzt hob auch er die Augen, reichte aufstehend K. die Hand und wünschte ihm, ohne eine weitere Frage zu stellen, glückliche Reise.

K. wartete dann noch, in seinem Bureau auf und abgehend, auf den Diener, wehrte fast schweigend den Direktor-Stellvertreter ab, der mehrere Male hereinkam um sich nach dem Grund von K.'s Abreise zu erkundigen, und eilte, als er die Handtasche endlich hatte, sofort hinunter zu dem schon vorherbestellten Wagen. Er war schon auf der Treppe, da erschien oben im letzten Augenblicke noch der Beamte Kullych, in der Hand einen angefangenen Brief, zu dem er offenbar von K. eine Weisung erbitten wollte. K. winkte ihm zwar mit der Hand ab, aber begriffsstützig, wie dieser blonde großköpfige Mensch war, missverstand er das Zeichen und raste das Papier schwenkend in lebensgefährlichen Sprüngen hinter K. her. Dieser war darüber so erbittert, dass er, als ihn Kullych auf der Freitreppe einholte, den Brief ihm aus der Hand nahm und zerriss. Als K. sich dann im Wagen umdrehte, stand Kullych, der seinen Fehler wahrscheinlich noch immer nicht eingesehen hatte, auf dem gleichen Platz und blickte dem davonfahrenden Wagen nach, während der Portier neben ihm tief die Mütze zog. K. war also doch noch einer der obersten Beamten der Bank, wollte er es leugnen, würde ihn der Portier widerlegen. Und die Mutter hielt ihn sogar trotz aller Widerrede für den Direktor der Bank und dies schon seit Jahren. In ihrer Meinung würde er nicht sinken, wie auch sonst sein Ansehen Schaden gelitten hatte. Vielleicht war es ein gutes Zeichen, dass er sich gerade vor der Abfahrt davon überzeugt hatte, dass

er noch immer einem Beamten, der sogar mit dem Gericht
Verbindungen hatte, einen Brief wegnehmen und ohne jede
Entschuldigung zerreißen durfte. Das allerdings was er am
liebsten getan hätte, hatte er nicht tun dürfen, Kullych zwei
5 laute Schläge auf seine bleichen runden Wangen zu geben.

Anhang

Der Text der vorliegenden Ausgabe – die mit der von Michael Müller besorgten Neuausgabe des Textes in der Universal-Bibliothek (Nr. 9676; Stuttgart 1996; Neuausg. 2013) seiten- und zeilengleich übereinstimmt – orientiert sich an der Handschrift des Romans. Orthographische Eigentümlichkeiten und Interpunktion blieben erhalten. Wo Kafka Zahlen als Ziffern schreibt, wurden diese als Ziffern wiedergegeben. Die von Kafka reichlich verwendeten Abkürzungen, vor allem für Eigennamen, wurden jeweils in Vollformen aufgelöst. Angesichts der Tatsache, dass Kafka in seinen Schriften kein *ß* verwendet, sondern durchweg *ss*, erfolgte dort, wo der heutigen Rechtschreibung nach ein *ß* verlangt ist, eine entsprechende Umwandlung des Doppel-*s*; ansonsten blieb dieses erhalten.

Auf Textstellen der vorliegenden Ausgabe wird in Klammern mit der Sigle *P* und der Seitenzahl verwiesen.

2. Anmerkungen

7,1 Verhaftung: Die Handschrift deutet darauf hin, dass Kafka zunächst das erste und letzte Kapitel des Romans schrieb. Max
Brod, der erste Herausgeber des Romans, fasste das Kapitel »Verhaftung« mit der Darstellung der Begegnung mit Fräulein Bürstner zu einem Kapitel zusammen. Die von Kafka selbst überlie-
ferten Stichworte zur Einteilung der Kapitel legen jedoch nahe,
dass die Verhaftung als selbstständiges Kapitel angelegt war. Ein
1909 erschienenes Konversationslexikon definiert die »Verhaftung« als »(Arretierung), Festnahme einer Person zum Zweck
der Freiheitsentziehung (s. Haft)« (*Meyers Großes Konversations-
Lexikon*, Leipzig/Wien: Bibliographisches Institut, 6., gänzl. neubearb. und verm. Aufl. 1909, Bd. 20, S. 75).

7,2 Josef K.: die Initiale »K.«, mit der Kafka auch den Protagonisten
des Romans *Das Schloss* benannte, verweist auf Parallelen zwischen Josef K. und Kafka. Diese Parallele wird dadurch verstärkt,
dass der damalige österreichische Kaiser Franz Joseph hieß und
die Verbindung von »Franz« (Kafkas Vorname) und »Josef« für die
Zeitgenossen nahelag.

7,3 verhaftet: Die Verhaftungsszene weist eine Reihe von Parallelen
zur Darstellung der Verhaftung des italienischen Schriftstellers
Giacomo Casanova auf. Kafka kannte Casanovas Memoiren nicht
nur, sondern erwähnte die Beschreibung der Haft ausdrücklich in
einem Brief an seine Freundin Milena Jesenska. Vgl. dazu Materialien 3.4.1.

8,35 Verfahren: »in der Rechtssprache eine zusammenhängende
Reihe von Rechtshandlungen, die zu gemeinsamem Zwecke vor
und von der zuständigen Behörde nach bestehender Gesetzes-
vorschrift vorgenommen werden. In diesem Sinne wird ein
ganzer Prozeß als V. bezeichnet [...]. Endlich werden auch die
einzelnen Teile und Abschnitte eines Verfahrens selbst als V. bezeichnet, z.B. Mahn-, Beweis-, Haupt-, Vorbereitungsverfahren
etc.« (*Meyers Großes Konversations-Lexikon* – s. Anm. zu 7,1 –,
Bd. 20, S. 69).

9,19 Processe: »*Prozeß* (lat., Rechtsstreit), in der Rechtswissenschaft das Verfahren vor Gericht, wodurch eine Rechtssache zur
entgültigen Entscheidung gebracht wird; dann der Inbegriff der
gesetzlichen Regeln, nach denen dieses Verfahren eingerichtet
werden muß, und die wissenschaftliche Entwicklung derselben

(s. Zivilprozeß, Strafprozeß)« (*Meyers Großes Konversations-Lexikon* – s. Anm. zu 7,1 –, Bd. 16, S. 408).

9,37 **Rechtsstaat:** hier wohl allgemeiner gemeint als Gegensatz zu Willkürherrschaft. »Übrigens pflegt man gegenwärtig [1909] den Ausdruck ›Rechtsstaat‹ [...] als gleichbedeutend mit *Verfassungsstaat* zu gebrauchen. Damit will man einen S[taat] bezeichnen, der den Staatsangehörigen eine selbständige Rechtssphäre gegenüber der Staatsgewalt zugesteht und gegen die Eingriffe in die Rechtssphäre richterlichen Schutz gewährt, der ferner den Träger der Staatsgewalt in deren Ausübung verfassungsmäßig beschränkt« (*Meyers Großes Konversations-Lexikon* – s. Anm. zu 7,1 – Bd. 18, S. 804).

10,8 **sein 30. Geburtstag:** Casanova wurde zwar nicht genau an seinem 30. Geburtstag verhaftet, aber ebenfalls an einem wichtigen persönlichen Feiertag, nämlich im 30. Lebensjahr an seinem Namenstag (vgl. Materialien 3.4.2). Bedeutend ist auch eine biographische Parallele: an seinem 30. Geburtstag bekam Kafka einen Brief von Felice Bauer, der Kafkas Bedenken gegen eine Heirat ausräumte und letztlich zur Verlobung führte. Kafkas Entschluss, die Verlobung später wieder aufzulösen, erfolgte dem Tagebuch zufolge kurz nach seinem 31. Geburtstag. Die Tagebuchaufzeichnungen belegen, dass sich Kafka selbst Vorwürfe und gewissermaßen einen inneren »Prozess« machte, weil er sich nicht in der Lage sah, die mit einer Heirat verbundenen Erwartungen, auch in sexueller Hinsicht, zu erfüllen (vgl. dazu Materialien 3.2.4).

10,16 **aus der Hand zu geben:** Im Ms. folgt – später gestrichen –: »aus bloßer Furcht später wegen seines etwa ganz überflüssigen Ernstes ausgelacht zu werden«.

13,6 f. **wenn er die Tür ... öffnen würde:** Zum problematischen Eintritt in offene Türen vgl. die Türhüterparabel (S. 197 ff.) und die entsprechenden Materialien (bes. 3.3.4 und 3.3.5).

15,4 **wählte sein bestes schwarzes Kleid:** »Kleid« bedeutet hier allgemeiner ›Kleidung‹, ›Anzug‹. Diese Kleiderwahl wiederholt sich im Schlusskapitel. Auch Casanova berichtet, dass er anlässlich seiner Verhaftung »ein elegantes Kleid von Samt und Seide« anzog; siehe Materialien 3.4.2.

20,35 **in der Bank:** Die Beschäftigung in der Bank ähnelt Kafkas langjähriger Tätigkeit in der »Arbeiter-Unfall-Versicherungs-Anstalt für das Königreich Böhmen in Prag«. Auch hier zeigen sich also Parallelen zwischen Josef K. und der Biographie des Autors.

31,8 **wieder:** im Ms. danach gestrichen: »)Sie sind ein unerträglicher Mensch, man weiß nicht, ob Sie es ernst meinen oder nicht‹. ›Das ist nicht ganz unrichtig‹, sagte K. in der Freude mit einem bildhübschen Mädchen zu plaudern ›das ist nicht ganz unrichtig, ich habe keinen Ernst und muss daher mit dem Spaß sowohl für den Ernst als auch für den Spaß auszukommen versuchen. Aber verhaftet wurde ich im Ernst‹.«

40,32 f. **nur gebückt stehen konnten:** Diese räumlichen Verhältnisse ähneln der Schilderung Casanovas über seine Haftbedingungen in Venedig; siehe Materialien 3.4.2.

57,17 f. **der erste Student der unbekannten Rechtswissenschaft:** mögliche ironische Parallele zum Autor, der ebenfalls Jura studiert hatte.

61,3–5 **auf dem Dachboden ... Gerichtskanzleien:** Parallele zur Schilderung Casanovas über das Gefängnis in Venedig; siehe Materialien 3.4.2.

68,26 **Die Sonne brennt:** Parallele zu Casanovas Schilderung seiner Haftbedingungen; siehe Materialien 3.4.2.

73,37 **revolutionieren:** Abgesehen von der auch hier auffälligen Parallele zu Casanova verweist der Kampf mit einem schwächer werdenden Körper auch auf Parallelen zu Kafka, der seit 1914 unter chronischen Kopfschmerzen litt, die ihn, so Kafka, nicht nur am Arbeiten hinderten: »schon meine Stellung in der Familie ist Strafe genug, ich habe auch derartig gelitten, dass ich mich davon niemals erholen werde (mein Schlaf, mein Gedächtnis, meine Denkkraft, meine Widerstandskraft gegen die winzigsten Sorgen sind unheilbar geschwächt, / sonderbarerweise sind das etwa die gleichen Folgen wie sie lange Gefängnisstrafen nach sich ziehen« (Franz Kafka, *Tagebücher*, hrsg. von Hans-Gerd Koch, Michael Müller und Malcolm Pasley im Rahmen der Kritischen Ausgabe, Frankfurt a. M. 2002, S. 705 f.).

75,1 **Der Prügler:** Es bleibt unklar, an welcher Stelle des Romans dieses Kapitel zu plazieren ist. Denkbar ist sowohl die bereits von Max Brod vorgeschlagene Einordnung unmittelbar nach dem Kapitel »Erste Untersuchung« (Variante A) als auch die Position nach dem Kapitel »Im leeren Sitzungssaal / Der Student / Die Kanzleien«. Für die Variante A spricht der enge Zusammenhang mit der Untersuchung, für B sprechen vor allem die Zeitangaben zum Verlauf des Prozesses.

82,23 **»Das Gespenst vom Lande«:** möglicherweise eine Anspielung auf Kafkas Onkel Siegfried Löwy, der als verschrobener Junggeselle galt und als Arzt auf dem Land lebte. Kafka unternahm mit diesem Onkel nach dem Abitur eine Reise nach Norddeutschland und Helgoland. Entfernt klingt hier auch die im Hebräischen gebräuchliche Rede vom »Mann vom Lande« (im Sinne eines ungebildeten einfachen Menschen aus der Provinz) an, auf die später in der Türhüterlegende angespielt wird.

100,15f. **Verbindungshäutchen fast bis zum obersten Gelenk der kurzen Finger:** Diese körperliche Besonderheit erinnert an Schwimmhäute von Wasserlebewesen. Weibliche Wassergeschöpfe wie etwa Nixen werden insbesondere seit der Romantik und auch bei Goethe mit einer tödlich gefährlichen erotischen Anziehungskraft assoziiert. Fast sprichwortartig bekannt geworden ist Goethes letzter Vers aus dem Gedicht »Der Fischer«: »Halb zog sie ihn, halb sank er hin, / Und ward nicht mehr gesehn«.

104,34–37 **Im Fußboden dieser Kammer … ein Loch:** erinnert an das Loch, das Casanova mit einem improvisierten Marmormeißel in den Boden seiner Zelle schlug, um zu fliehen. Dieser erste Fluchtversuch misslang, weil er vor Fertigstellung seines Fluchtweges in eine andere Zelle verlegt wurde. Diese Parallele mit Casanova ist für die Interpretation von Josef K. insofern bedeutsam, als der Venezianer ähnlich wie Mose auf dem Berg Sinai (siehe Materialien 3.4.2) heldenhaft gegen Hindernisse und geschlossene Türen ankämpft, während Josef K. dies nicht einmal im Ansatz gelingt.

114,22f. **Er hatte es verstanden, sich in der Bank … zu seiner hohen Stellung emporzuarbeiten:** Parallele zu Kafkas Karriere in der Arbeiter-Unfall-Versicherung; siehe Materialien 3.2.1.

141,32 **Verschleppung:** Dabei handelt es sich eigentlich um eine juristische und politische Strategie, die darin besteht, eine Entscheidung dadurch in der Schwebe zu halten, dass man die Gegenseite durch eigene mehrdeutige Aktivitäten von einer endgültigen Entscheidung zurückhält. Dieses Verfahren charakterisiert auch Kafkas Interaktion mit Felice Bauer in der ersten Phase ihrer Beziehung. Über längere Zeit schrieb Kafka an Felice täglich mehrere Briefe, die allein durch den Gestus des Schreibens eine große Nähe signalisierten, inhaltlich aber Vorbehalte zeigten. Erwähnt wird dieser Verfahrens-Trick auch in *Casanovas Gefangenschaft und Flucht*: »Ein geschickter Advokat wusste die Sache zwei Jahre hinauszuziehen« (S. 33).

145,22 f. **bei Gericht kein Vergessen:** Für Willy Haas verweist das »Vergessen« auf eine Schuld im religiösen Sinne und damit auf die religiöse Dimension des Romans insgesamt.

188,14 f. **hatte es 11 geschlagen:** Die Zeitangabe ist vermutlich falsch, es müsste »12« heißen.

197,1 ff. **Vor dem Gesetz steht ein Türhüter:** Der Textteil wurde als selbstständige Erzählung zunächst 1915 in der jüdischen Zeitschrift *Selbstwehr* veröffentlicht, später dann leicht verändert in der Sammlung *Ein Landarzt* (1919) aufgenommen. Die Parabel gehört zu den meistinterpretierten Texten der neueren deutschen Literatur. Die Textstelle ist lohnend in verschiedene Richtungen hin auszudeuten. Interessant ist sie beispielsweise:

als reflektierender Kommentar über die Handlung des Romans im Ganzen und über Josef K.s Verhalten im Verlaufe desselben im Besonderen,

als Antiparabel, die paradox die belehrende Dimension der Parabel in Frage stellt,

als Stellungnahme zu religiösen Heilsvorstellungen und zur Verantwortung des einzelnen Gläubigen in Bezug auf seine Erlösung. Festzuhalten ist hier zunächst, dass die von Kafka als »Legende« bezeichnete Erzählung im Roman in einem *Dom* von einem *katholischen* Priester erzählt wird, gleichzeitig aber auch in mehrfacher Hinsicht von *jüdischen* Vorlagen inspiriert scheint (siehe Materialien 3.3). Die jüdische Perspektive wird nicht allein durch den alttestamentlich parabolischen Charakter des Textes angedeutet, sondern insbesondere auch durch die Benennung des Ratsuchenden als »Mann vom Lande«. Dabei handelt es sich um eine Formulierung, die in der jüdischen Tradition als Gemeinplatz gilt: Der »Am-Haʾarez« ist als ungebildeter Mensch ein typischer Charakter in der Welt jüdischer Erzählungen.

211,8 **als sollte die Scham ihn überleben:** Kafka zitiert diesen Schlusssatz in seinem (nicht abgeschickten) »Brief an den Vater« (1919): »Ich hatte vor Dir das Selbstvertrauen verloren, dafür ein grenzenloses Schuldbewußtsein eingetauscht. (In Erinnerung an diese Grenzenlosigkeit schrieb ich von jemandem einmal richtig: ›Er fürchtet, die Scham werde ihn noch überleben.‹)« (Franz

Kafka, *Brief an den Vater*, hrsg. und komm. von Michael Müller, Stuttgart 1995 [u.ö.], S. 36.

215,14 **schrieb er ihr einen Brief:** offenbar eine Anspielung auf den exzessiven Briefverkehr Kafkas mit Felice Bauer, die innerhalb von fünf Jahren ungefähr 700 Briefe, teilweise drei bis vier Briefe an einem Tag, von Kafka empfing. (Vgl. Anm. zu 141,32.)

3. Materialien

3.0 Die Materialauswahl

Die Forschungsliteratur zu Kafka ist außerordentlich umfangreich. Die folgende Auswahl konzentriert sich auf folgende Bereiche: (1) Informationen über die Entstehung des Textes; (2) die Biographie des Autors (die mit der Textentstehung in enger Verbindung steht); (3) spezielle Interpretationsansätze. Besonders interessant sind hier Ansätze, die die Ambivalenz des Textes, sein Changieren zwischen Verständlichkeit und Unverständlichkeit deutlich machen.

3.1 Entstehungsgeschichte

3.1.1 Der Schreibprozess

Kafka begann die Arbeit am *Process* im August 1914, kurz nach der Lösung seiner Verlobung mit Felice Bauer. Tagebücher und Briefe belegen, dass er dieses Ereignis als traumatischen Einschnitt erlebte, genauer als »Gerichtshof«, bei dem ihm also gewissermaßen der Prozess gemacht wurde (s. 3.2.3). Schuldgefühle plagten ihn auch wegen der Enttäuschungen, die er mit der Entlobung vielen nahen Menschen zufügte (vgl. 3.2.3). Der Fortgang der Niederschrift verlief zunächst zügig: »Wie es u.a. das Schriftbild des Manuskripts zeigt, schreibt er tatsächlich ohne größere Unterbrechungen und mit einer ungeheuren Konzentration im Zeitraum vom 11. August (dem vermutlichen Beginn der Arbeit) bis 1. Oktober 1914 etwa zwei Drittel des Romantextes nieder. Dabei geht er nach einer neuen, für ihn ungewöhnlichen Methode vor. Anstatt die Romanhandlung linear zu entwickeln, setzt er zunächst die Eckpfeiler: er schreibt das erste und das letzte Kapitel, und beginnt dann gleichsam, die Mitte aufzufüllen. Er arbeitet abwechselnd an verschiedenen Kapiteln, und zwar ohne einen festen Plan, ohne zuvor Entwürfe oder Skizzen zu Papier zu bringen; der Handlungsverlauf liegt also noch nicht fest, ihm wird nur durch – vielleicht nur provisorische – Schlußkapitel eine ungefähre Richtung gewiesen.«[1] Ab Oktober 1914 stockte der

---

1 Michael Müller, *Erläuterungen und Dokumente: Franz Kafka: »Der Proceß«*, Stuttgart 1993 [u. ö.], S. 62.

Schreibprozess jedoch. Kafka kämpfte über Monate mit Schreibhemmungen. Am 20. Januar 1915 beendete er die Arbeit am Roman und vermerkte in seinem Tagebuch: »Ende des Schreibens. Wann wird es mich wieder aufnehmen?«[2]

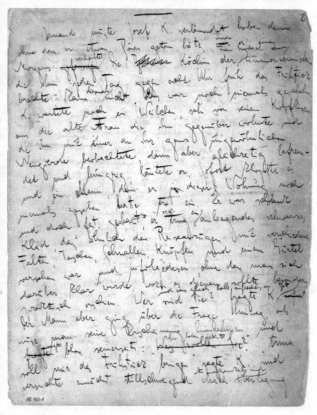

Abb. 1: Erste Manuskriptseite des *Process*-Romans

2 Franz Kafka, *Tagebücher*, hrsg. von Hans-Gerd Koch, Michael Müller und Malcolm Pasley im Rahmen der Kritischen Ausgabe, Frankfurt a.M. 2002, S. 703.

3.1.2 Die Edition des Romans

Kafka konnte das Manuskript des *Process*-Romans nicht nur nicht vollenden, sondern er bat seinen langjährigen Freund Max Brod in zwei schriftlichen Mitteilungen sogar ausdrücklich darum, das Manuskript nach Kafkas Tod ungelesen zu verbrennen (s. 3.1.3). Brod kam diesem Wunsch jedoch – im Interesse des Werkes – nicht nach. Schon kurz nach dem Tod seines Freundes machte er sich daran, das Manuskript des *Process*-Romans für eine Veröffentlichung vorzubereiten. Der ersten postumen Ausgabe des Romans von 1925 fügte er die Willensbekundungen des Autors bei und machte damit zumindest dessen Willen öffentlich.

Abgesehen jedoch von der Frage, ob die Herausgabe des Romans überhaupt legitim war, wurde die Edition Brods auch darum kritisiert, weil sie deutlich in das Manuskript eingriff, um einen lesbaren und geschlossen wirkenden Text zu präsentieren. Brod glättete den Text nicht nur sprachlich, sondern ließ die unfertigen Kapitel, die seiner Meinung nach für den Gang der Handlung unerheblich waren, zunächst einfach weg, um sie als Ergänzung in einer späteren Gesamtausgabe als Anhang zu präsentieren. Da die Reihenfolge der Kapitel von Kafka selbst nicht klar markiert war, begründet Brod seine Edition unter Berufung auf sein »Gefühl«: »Die Einteilung in Kapitel sowie die Kapitelüberschriften rühren von Kafka her. Bezüglich der Anordnung der Kapitel war ich auf mein Gefühl angewiesen. Da mir mein Freund einen großen Teil des Romans vorgelesen hatte, konnte sich mein Gefühl bei der Ordnung der Papiere auf Erinnerungen stützen.«[3]

Als Brod im Jahre 1935 eine zweite Ausgabe des Romans vorbereitete, legte er andere Prinzipien zugrunde. Nun wurden die unfertigen Kapitel und einige gestrichene Passagen im Anhang zum Roman aufgenommen, damit jene Leser, die sich zu dieser Zeit bereits zahlreicher für Kafka zu interessieren begannen, sich ein genaueres Bild vom Text machen konnten. Brod verzichtete aber weiterhin nicht darauf, den Text sprachlich zu glätten und »Zeichensetzung, Schreibart und syntaktische Konstruktionen dem allgemeinen deutschen Gebrauch anzugleichen«[4]. Diese zweite Ausgabe, die nach der Machtergreifung der Nationalsozialisten ent-

3 Zit. nach: Müller (Anm. 1) S. 87.
4 Zit. nach: ebd., S. 86.

stand, wurde kaum bekannt, sie diente jedoch als Grundlage für die dritte Auflage 1946. Hier äußerte Brod auch erstmals Zweifel an der korrekten Reihenfolge der Kapitel.

In der Folge dieser gewandelten Einstellung wurde Brod von einigen Germanisten scharf kritisiert, gleichzeitig wuchs aber auch das Interesse an einer kritischen Ausgabe, die ein möglichst genaues Abbild des Manuskripts, einschließlich der Streichungen und sprachlichen Unregelmäßigkeiten, bieten sollte. Während Brod vor seiner Übersiedlung nach Palästina einen großen Teil der Manuskripte Kafkas einer Bibliothek in London überließ, gelangte das Manuskript des *Process*-Romans im Jahre 1988 an das Marbacher Literaturarchiv. Auf der Grundlage dieses Manuskriptes erschien seit 1975 unter der Leitung des Herausgebers Malcolm Pasley eine kritische Werkausgabe im Verlag S. Fischer. Die Eingriffe dieser Ausgabe (neue Rechtschreibung) wurden nun in der Reclam-Ausgabe rückgängig gemacht. Dabei wird nun u. a. Pasleys Ansatz, alle Namen, die im Manuskript meist abgekürzt vorkommen, vollständig auszuschreiben, wenigstens angemerkt.

3.1.3 Zwei Briefe Kafkas an Max Brod, den Nachlass betreffend

»Liebster Max, meine letzte Bitte: alles was sich in meinem Nachlaß (also im Bücherkasten, Wäscheschrank, Schreibtisch zuhause und im Bureau, oder wohin sonst irgendetwas vertragen worden sein sollte und Dir auffällt) an Tagebüchern, Manuscripten, Briefen, fremden und eigenen, Gezeichnetem u.s.w. findet restlos und ungelesen zu verbrennen, ebenso alles Geschriebene oder Gezeichnete, das Du oder andre, die Du in meinem Namen darum bitten sollst, haben. Briefe, die man Dir nicht übergeben will, soll man wenigstens selbst zu verbrennen sich verpflichten.
Dein
Franz Kafka«

Max Brod / Franz Kafka: Eine Freundschaft. Briefwechsel. Hrsg. von Malcolm Pasley. Frankfurt a. M.: S. Fischer, 1989. S. 365.

»Lieber Max, vielleicht stehe ich diesmal doch nicht mehr auf, das Kommen der Lungenentzündung ist nach dem Monat Lungenfieber genug wahrscheinlich und nicht einmal daß ich es niederschreibe wird sie abwehren, trotzdem es eine gewisse Macht hat.

Für diesen Fall also mein letzter Wille hinsichtlich alles von mir Geschriebenen:

Von allem was ich geschrieben habe, gelten nur die Bücher: Urteil, Heizer, Verwandlung, Strafkolonie, Landarzt und die Erzählung: Hungerkünstler. (Die paar Exemplare der ›Betrachtung‹ mögen bleiben, ich will niemandem die Mühe des Einstampfens machen, aber neu gedruckt darf nichts daraus werden). Wenn ich sage, daß jene 5 Bücher und die Erzählung gelten, so meine ich damit nicht, daß ich den Wunsch habe, sie mögen neu gedruckt und künftigen Zeiten überliefert werden, im Gegenteil, sollten sie ganz verloren gehn, entspricht dieses meinem eigentlichen Wunsch. Nur hindere ich, da sie schon einmal da sind, niemanden daran, sie zu erhalten, wenn er dazu Lust hat.

Dagegen ist alles, was sonst an Geschriebenem von mir vorliegt (in Zeitschriften Gedrucktes, im Manuskript oder in Briefen) *ausnahmslos* soweit es erreichbar oder durch Bitten von den Adressaten zu erhalten ist [...] – alles dieses ist *ausnahmslos am liebsten ungelesen* (doch wehre ich Dir nicht hineinzuschauen, am liebsten wäre es mir allerdings wenn Du es nicht tust, jedenfalls aber darf niemand anderer hineinschauen) – alles dieses ist ausnahmslos zu verbrennen, und dies möglichst bald zu tun bitte ich Dich

Franz«

Ebd. S. 421 f.

3.2 Leben und Zeit – der Autor und sein Werk

3.2.1 Lebenslauf

1883   Am 3. Juli wird Franz in Prag als ältestes Kind von Hermann Kafka (1852–1931) und seiner Frau Julie, geb. Löwy (1856–1934) geboren. Beide Eltern sind weitgehend assimilierte Juden, die drei- bis viermal im Jahr in die Synagoge gehen, ansonsten aber kein deutlicheres Interesse für religiöse Fragen zeigen. In der Familie wird Deutsch gesprochen, mit dem Dienstpersonal auch Tschechisch. Zwei Brüder (Georg, geb. 1885, und Heinrich, geb. 1887) leben nur wenige Monate; die drei Schwestern (Gabriele, genannt Elli, geb. 1889, Valerie, genannt Valli, geb. 1890, und Ottilie, genannt Ottla, geb. 1892) werden

unter der nationalsozialistischen Herrrschaft in Konzen-
trationslagern ermordet. Kafka verbringt seine Kindheit
in der Prager Altstadt. Da die Eltern tagsüber im eigenen
Bekleidungsgeschäft arbeiten müssen, werden Kafka
und seine Schwestern vor allem von Ammen und
Kindermädchen erzogen.

1889–93	Kafka besucht die deutsch-jüdische »Deutsche Knaben-schule am Fleischmarkt« und 1893–1901 das humanis-tische »Staatsgymnasium mit deutscher Unterrichts-sprache« in Prag-Altstadt; er entwickelt ein starkes Interesse für Darwin und Nietzsche; es entstehen frühe literarische Versuche (die vernichtet wurden bzw. ver-schollen sind).
1901–06	Kafka studiert an der Deutschen Universität Prag, zunächst einige Wochen Chemie, dann Jura; daneben besucht er Veranstaltungen zur Kunstgeschichte und Germanistik. Rechtshistorische Staatsprüfung 1903 und Promotion zum Dr. jur. 1906. Während des Studiums entstehen die frühesten erhaltenen literarischen Texte (»Beschreibung eines Kampfes«).
1902	Erste Begegnung mit Max Brod (1884–1968), dem er spä-ter seinen literarischen Nachlass (auch das *Process*-Manuskript) anvertraut.
1906	Volontariat in einer Advokatenkanzlei, im Anschluss ein Jahr (unbezahlte) »Rechtspraxis« zunächst am Land-gericht, dann im Strafgericht. Es entstehen weitere literarische Werke (»Hochzeitsvorbereitungen auf dem Lande«).
1908	Anstellung als »Aushilfsbeamter« in der »Arbeiter-Un-fall-Versicherungs-Anstalt für das Königreich Böhmen in Prag«. In dieser Versicherung arbeitet Kafka bis zu seiner krankheitsbedingten Frühpensionierung 1922. Er steigt vom »Aushilfsbeamten« (1908) über den »Anstaltskoncipisten« (1910), »Vizesekretär« (1913), »Anstaltssekretär« (1920) bis zum »Obersekretär« (1922) auf und unternimmt zahlreiche Dienstreisen vor allem in den ersten Berufsjahren. Seit 1908 pflegt er eine engere Freundschaft mit Max Brod.
1909	Seit diesem Zeitpunkt sind Tagebücher erhalten.
1910	Kafka interessiert sich für sozialistische Veranstaltungen

und beschäftigt sich mit dem Judentum. Während ein Besuch der Synagoge für den jungen Kafka quälend langweilig war (vgl. 3.3), interessiert er sich nun zum einen für religiöse Fragen, zum anderen aber auch für das jüdische, besonders das jiddische[5] Theater.

1911 Auf Drängen des Vaters wird Kafka Teilhaber an der Asbestfabrik seines Schwagers. Bis zur Auflösung der Fabrik 1914 stellt diese Aufgabe für Kafka eine schwere psychische Belastung dar, sie führt bis hin zum Gedanken, sich das Leben zu nehmen.

1912 Erste Fassung des Romans *Der Verschollene* (der Text bleibt unabgeschlossen, erscheint postum als »Amerika«); außerdem entstehen die Erzählungen »Das Urteil« (veröffentlicht 1916) und »Die Verwandlung« (veröffentlicht 1915). Erste Begegnung mit Felice Bauer (1887–1960), mit der er sich später mehrfach ver- und dann wieder entloben wird.

1914 Am 1. Juni nach großen Zweifeln und vielen Briefen verlobt Kafka sich mit Felice Bauer, entlobt sich aber bereits am 12. Juli nach einer dramatischen (von Kafka so genannten) »Verhandlung« im Beisein von Freunden im Berliner Hotel Askanischer Hof; direkt im Anschluss geht er auf Urlaubs- und Erholungsreise nach Dänemark. Im August beginnt er mit der Niederschrift des ersten und letzten Kapitels des *Process*-Romans. Das Schreiben geht zunächst gut voran, dann stockt die Arbeit jedoch. Kafka kämpft mit Skrupeln, vor allem die literarische Qualität des Romans betreffend, und bricht die Arbeit im Januar 1915 ab; im Oktober entsteht die Erzählung »In der Strafkolonie« (veröffentlicht 1919).

1917 Erneute Verlobung mit Felice Bauer (im Juli), gefolgt von der erneuten Entlobung im Dezember; dazwischen Diagnose einer Lungentuberkulose (gegen die es in jener

---

5 Jiddisch wurde vor allem von den aschkenasischen Juden auf dem Land und in den Kleinstädten Mittelosteuropas gesprochen. Das gesprochene Jiddisch ist dem Mittelhochdeutschen verwandt, allerdings ist es stark durchsetzt mit polnischen, russischen, aramäischen und vielen hebräischen Wörtern. Geschrieben wird es in hebräischer Schrift.

Zeit kein Heilmittel gibt); Kafka beginnt, Hebräisch zu lernen.

1919   Verlobung mit Julie Wohryzek (1891–1944, ermordet im KZ Ravensbrück), der Tochter eines Tempeldieners. Wegen des niederen sozialen Rangs der Familie der Verlobten ist Kafkas Vater gegen die Verbindung und kommentiert diese zynisch u. a. mit dem Ratschlag, Kafka solle doch besser ins Bordell gehen. Kafka verfasst in der Folge den »Brief an den Vater«, eine über viele Seiten sich erstreckende Generalabrechnung mit dem Vater, die von ihm aber weder abgeschickt noch übergeben wird. Der »Brief an den Vater« wurde postum als eigenständiges Buch veröffentlicht.

1920   Innerhalb weniger Tage entsteht ein umfangreicher Briefwechsel mit der Journalistin Milena Jesenská (1891–1944, ermordet im KZ Auschwitz), der Kafka 1921 alle Tagebücher übergibt; Entlobung mit Julie Wohryzek. Ab Dezember achtmonatiger Kuraufenthalt in der Hohen Tatra, Slowakei.

1922   Beginn des Romans *Das Schloss* (bleibt unabgeschlossen); Frühpensionierung aus gesundheitlichen Gründen.

1923   Kafka betreibt erneut Hebräischstudien und fasst den Plan, nach Palästina zu ziehen; an der Ostsee lernt er Dora Diamant (1898–1952) kennen, die dort als Betreuerin in einem jüdischen Jugendheim arbeitet, und zieht mit ihr in Berlin zusammen. Mehrfach müssen sie wegen finanzieller Probleme die Wohnung wechseln.

1924   Nach ihrer Übersiedlung nach Prag begleitet Dora Diamant Kafka in das Sanatorium bei Klosterneuburg, wo er am 3. Juni stirbt; Beerdigung in Prag.

3.2.2 Biographie und Interpretation des Romans

»Es ist keineswegs der Fall, dass derjenige, der Kafkas Leben kennt, seine Werke besser interpretieren könnte. Er wird sie nur anders interpretieren. Wenig hilfreich ist eine solche biographische Interpretation dann, wenn sie sich darauf beschränkt, biographische Elemente in den Texten kenntlich zu machen. Dies wäre eine sehr verkürzte Vorstellung von Interpretation, denn sie würde in dem

Moment Halt machen, in dem man ein bestimmtes biographisches Detail erkannt hat, als ob es Kafka darum gegangen wäre, seine Literatur als Rahmen für eine – wenn auch verklausulierte – »*Selberlebensbeschreibung*« im Sinne von Jean Paul zu nutzen.

Darüber hinaus bleiben bei einem solchen Interpretationsverfahren Leben und Werk notwendigerweise unverbunden nebeneinander stehen. Nur unter dieser Voraussetzung können biographische Elemente als ›Interpretationen‹ ausgegeben werden. Hierbei wird dem Kafkaesken Tür und Tor geöffnet, weil die biographischen Elemente auf der einen und die Leseerfahrungen auf der anderen Seite zwar nicht aufeinander bezogen werden, aber sich dennoch wechselseitig verfälschen können, frei nach dem Motto: So dunkel wie das Werk, so eigenartig die Biographie – und umgekehrt.

Es kann aber nicht darum gehen, das Leben durch das Werk und das Werk durch das Leben zu interpretieren. Kafka macht aus, dass bei ihm Leben und Werk untrennbar ineinander verschränkt sind.

[...]

In Kafkas Schreiben konvergieren Leben und Werk; an dieser Stelle sind sie immer schon miteinander verknüpft. Es geht also nicht darum, Leben und Werk zu vermischen, sondern es geht darum, deutlich zu machen, wie im Falle von Kafkas Schreiben beide Bereiche immer schon aufeinander bezogen waren und sich wechselseitig durchdringen. Hier zeigt sich nicht eine Variante einer biographischen Lesart seiner Texte, sondern es wird vielmehr möglich, eine biographische Lesart zu vermeiden. Denn diese Blickrichtung zwingt, insbesondere auf solche Stellen zu achten, an denen das Leben Kafkas dazu tendiert, sich schreibend in Schrift zu verwandeln, bzw. auf jene Stellen, wo das Schreiben dazu tendiert, zu Kafkas eigentlichem Leben zu werden.

Auf diese Weise schlägt das Schreiben als wichtigster Baustein von Kafkas Biographie den Brückenschlag zum Geschriebenen, also zum Werk. Kafkas Leben war in existenzieller Weise auf das Schreiben bezogen, ja geradezu manisch darauf fixiert. Er hat alle anderen Lebensvollzüge, Beruf, Freizeit, Sozialkontakte, dem untergeordnet. Nur auf diese Weise konnte umgekehrt für ihn das Schreiben selbst wichtiger als das Leben werden und die Literatur immer mehr an die Stelle des Lebens treten. Wer also im Zusammenhang mit Kafka das Leben vom Werk trennt, beschränkt damit auch die Perspektive auf das Schreiben und kann die konstitutive Funktion des Schreibens für das Geschriebene nicht mehr angemessen erfassen.

Das Werk wird also nicht auf das Leben bezogen und das Leben nicht auf das Werk, sondern beide werden auf das Schreiben bezogen und dieses wiederum auf die Erotik. In dieser Grundausrichtung kann man das Werk durchaus für sich selbst sprechen lassen, ohne die Biographie als irrelevant aus der Untersuchung auszuschließen. Es geht also vielmehr und insbesondere in den Textanalysen darum, die Texte selbst nicht vor dem Hintergrund der Biographie, sondern unter der Perspektive des Schreibens zu lesen. Eine wertvolle heuristische Perspektive zeigt die Frage auf, inwiefern das Schreiben explizit oder implizit Thema des Geschriebenen wird. Kafka legt eine Tautologie frei, nämlich die, dass das Schreiben konstitutives Prinzip des Geschriebenen ist, dass aber dieses Schreiben auch eine existenzielle Dimension besitzt und für ihn, gerade in seiner erotischen Ausprägung, ebenso zu einem konstitutiven Prinzip seines Lebens geworden ist.«

> Oliver Jahraus: Kafka: Leben, Schreiben, Machtapparate. Stuttgart: Reclam,
> 2006. S. 31 f., 36 f.

3.2.3 Aus dem »Brief an den Vater«

[1] »[...] diesen schrecklichen Prozeß, der zwischen uns [Kafka und seinen Geschwistern] und Dir [Kafkas Vater] schwebt, [...] diesen Proceß, in dem Du immerfort Richter zu sein behauptest, während Du, wenigstens zum größten Teil (hier lasse ich die Tür allen Irrtümern offen, die mir natürlich begegnen können), ebenso schwache und verblendete Partei bist wie wir.«

> Franz Kafka: Brief an den Vater. Hrsg. und komm. von Michael Müller.
> Stuttgart: Reclam, 1996 [u. ö.]. S. 33 f.

[2] »So wie wir aber sind, ist mir das Heiraten dadurch verschlossen, daß es gerade Dein eigenstes Gebiet ist. Manchmal stelle ich mir die Erdkarte ausgespannt und Dich quer über sie hin ausgestreckt vor. Und es ist mir dann, als kämen für mein Leben nur die Gegenden in Betracht, die Du entweder nicht bedeckst oder die nicht in Deiner Reichweite liegen. Und das sind entsprechend der Vorstellung, die ich von Deiner Größe habe, nicht viele und nicht sehr trostreiche Gegenden, und besonders die Ehe ist nicht darunter. [...]

Es gibt eine Meinung, nach der die Angst vor der Ehe manchmal davon herrührt, daß man fürchtet, die Kinder würden einem später das heimzahlen, was man selbst an den eigenen Eltern gesündigt hat. Das hat, glaube ich, in meinem Fall keine sehr große Bedeutung, denn mein Schuldbewußtsein stammt ja eigentlich von Dir und ist auch zu sehr von seiner Einzigartigkeit durchdrungen, ja dieses Gefühl der Einzigartigkeit gehört zu seinem quälenden Wesen, eine Wiederholung ist unausdenkbar. Immerhin muß ich sagen, daß mir ein solcher stummer, dumpfer, trockener, verfallener Sohn unerträglich wäre, ich würde wohl, wenn keine andere Möglichkeit wäre, vor ihm fliehen, auswandern, wie Du es erst wegen meiner Heirat machen wolltest.«

Ebd. S. 54 f.

3.2.4 Schuldbewusstsein: Auszüge aus Kafkas Tagebuch

[1] »Mein Verhältnis zu der Familie bekommt für mich nur dann einen einheitlichen Sinn, wenn ich mich als das Verderben der Familie auffasse. [...] Nur das Verderben wirkt. Ich habe F. [Felice Bauer] unglücklich gemacht, die Widerstandskraft aller die sie jetzt so benötigen, geschwächt, zum Tode des Vaters beigetragen, F. und E. [Erna, die Schwester Felices] auseinandergebracht und schließlich auch E. unglücklich gemacht [...]. Ich bin ja innerhalb des Ganzen genügend bestraft, schon meine Stellung in der Familie ist Strafe genug, ich habe auch derartig gelitten, daß ich mich davon niemals erholen werde [...].«

Franz Kafka: Tagebücher. Hrsg. von Hans-Gerd Koch, Michael Müller und Malcolm Pasley. (Schriften. Tagebücher. Kritische Ausgabe. Hrsg. von Jürgen Born [u. a.]) Frankfurt a. M.: Fischer Taschenbuch Verlag, 2002. S. 704 f.

[2] »Der Coitus als Bestrafung des Glückes des Beisammenseins. Möglichst asketisch leben, asketischer als ein Junggeselle, das ist die einzige Möglichkeit für mich, die Ehe zu ertragen. Aber sie?«

Ebd. S. 575.

[3] »Ich gehe absichtlich durch die Gassen, wo Dirnen sind. Das Vorübergehn an ihnen reizt mich, diese ferne aber immerhin bestehende Möglichkeit mit einer zu gehen. Ist das Gemeinheit? Ich weiß aber nichts besseres und das Ausführen dessen erscheint mir im Grunde unschuldig und macht mir fast keine Reue.«

Ebd. S. 594.

[4] »Was für Verirrungen mit Mädchen trotz aller Kopfschmerzen, Schlaflosigkeit, Grauhaarigkeit, Verzweiflung. Ich zähle: es sind seit dem Sommer mindestens 6. Ich kann nicht widerstehn, es reißt mir förmlich die Zunge aus dem Mund, wenn ich nicht nachgebe eine Bewundernswürdige zu bewundern und bis zur Erschöpfung der Bewunderung (die ja geflogen kommt) zu lieben. Gegenüber allen 6 habe ich fast nur innerliche Schuld, eine aber ließ mir durch jemanden Vorwürfe machen.«

Ebd. S. 787.

[5] »[...] denn schonen ist unmöglich, das scheinbare Schonen hat Dich heute fast zugrundegerichtet. Es ist nicht nur das Schonen, was F. [Felice], Ehe, Kinder, Verantwortung u. s. w. betrifft, es ist auch das Schonen, was das Amt betrifft, in dem Du hockst, die schlechte Wohnung betrifft, aus der Du Dich nicht rührst. Alles. Also damit höre auf. Man kann sich nicht schonen, nicht vorausberechnen.«

Ebd. S. 802.

[6] »23. VII 14. Der Gerichtshof im Hotel. [...] Das Gesicht F.'s. Sie fährt mit den Händen in die Haare, wischt die Nase mit der Hand, gähnt. Rafft sich plötzlich auf und sagt gut Durchdachtes, lange Bewahrtes, Feindseliges. [...] Bei den Eltern. Vereinzelte Tränen der Mutter. [...] Sie geben mir recht. Es läßt sich nichts oder nicht viel gegen mich sagen. Teuflisch in aller Unschuld. Scheinbare Schuld des Frl. Bloch.«

Ebd. S. 658.

[7] »Sie[6] sind zwar im Askanischen Hof als Richterin über mir gesessen, es war abscheulich für Sie, für mich für alle – aber es sah nur so aus, in Wirklichkeit bin ich auf Ihrem Platz gesessen und bin noch bis heute dort.«

Ebd. S. 679.

---

6 Gemeint ist Grete Bloch. Kafka wiederholt hier aus dem Gedächtnis einen Brief, den er Grete Bloch am 15. Oktober 1914 geschrieben hatte. Der ganze Brief findet sich in: Franz Kafka, *Briefe an Felice – und andere Korrespondenz aus der Verlobungszeit*, hrsg. von Erich Heller und Jürgen Born, Frankfurt a. M.: S. Fischer, 1982, S. 614 f.

[8] »Die Sorgen, die ich um die Fabrik habe, sind [...] vollständig passiv, aber deshalb nicht weniger schwer.[7] [...] Aber ich trage leider bloß die Sorgen, kann aber aus Gründen, die allerdings hauptsächlich in mir liegen nicht selbst eingreifen. Alles was ich tue ist daß ich einmal im Monat herkomme und ein zwei Stunden hier sitze. Das ist an sich sinnlos, schadet und nützt niemandem und ist nur ein vergeblicher Versuch meinem Verantwortlichkeitsgefühl und meinen Sorgen zu entsprechen.«

Ebd. S. 701.

[9] »Und morgen gehe ich in die Fabrik, werde nach dem Einrücken Pauls vielleicht jeden Nachmittag hingehn müssen. Damit hört alles auf. Die Gedanken an die Fabrik sind mein dauernder Versöhnungstag[8].«

Ebd. S. 715.

3.3 Stoffgeschichte: Religiöse Motive als Hintergrund für die literarische Konstruktion von Schuld und Verantwortung

Kafkas Einstellung zu religiösen Fragen und zum Judentum ist nicht einfach zu fassen. Einerseits lebt die Familie weitgehend angepasst bzw. assimiliert, so dass etwa die Bar-Mizwah, die feierliche Aufnahme als vollwertiges Mitglied in die jüdische Gemeinde, vom Vater als »Confirmation« (also wie die christliche Konfirmation) angekündigt wird. Die Vorbereitung auf diesen Ritus wird von Kafka als »lächerliches Auswendiglernen« abgewertet. Im »Brief an den Vater« schreibt er kritisch über seine seltenen Aufenthalte in der Synagoge: »Ich durchgähnte und durchduselte also dort die vielen Stunden (so gelangweilt habe ich mich später, glaube ich, nur noch

---

7 Obwohl Kafka seit 1908 in der »Arbeiter-Unfall-Versicherungs-Anstalt für das Königreich Böhmen in Prag« arbeitet und dort Karriere macht, drängt ihn seine Familie dazu, zusätzlich die Asbestfabrik seines Schwagers Oskar Pollak zu beaufsichtigen. Während Kafka die Arbeit in der Versicherung ohne größere innere Belastungen zu überstehen scheint, ist die Arbeit in der Fabrik offenkundig eine große Qual.

8 Hebr. Jom Kippur, einer der höchsten und zugleich ernstesten jüdischen Feiertage. Als Voraussetzung für die Versöhnung mit Gott fordert der Jom Kippur eine Versöhnung unter den Menschen. Zum Jom Kippur siehe Material 3.3.1–3.3.5.

in der Tanzstunde) und suchte mich möglichst an den paar kleinen Abwechslungen zu freuen, die es dort gab, etwa wenn die Bundeslade[9] aufgemacht wurde, was mich immer an die Schießbuden erinnerte [...]. Sonst aber wurde ich in meiner Langeweile nicht wesentlich gestört [...].«[10] Später erwachte dann aber ein zunehmendes Interesse für jüdische Kultur, insbesondere für jiddisches Theater. Kafka lernte später mit einigem Eifer Hebräisch und plante sogar, nach Palästina auszuwandern. Auch später blieb das Verhältnis zum Judentum uneindeutig bis zwiespältig. Im Tagebuch lobt Kafka zunächst: »Die schönen kräftigen Sonderungen im Judentum. Man bekommt Platz. Man sieht sich besser, man beurteilt sich besser«.[11] Wenig später fragt er sich: »Was habe ich mit Juden gemeinsam? Ich habe kaum etwas mit mir gemeinsam und sollte mich ganz still, zufrieden damit daß ich atmen kann in einen Winkel stellen.«[12]

3.3.1 Der Feiertag Jom Kippur als möglicher Bezugspunkt für Kafkas Schreiben

Carolin Hannah Reese zufolge schrieb Kafka »hauptsächlich in der Zeit um die Hohen Feiertage. Da er sonst nicht häufig in die Synagoge ging, kannte er nur die gedrückte, um Schuld und Urteil kreisende Liturgie und Stimmung [...]. Das Motiv des heraufziehenden Gerichts beeindruckte Kafka offenbar und animierte ihn zur schriftstellerischen Tätigkeit. Das plötzlich in den Alltag einbrechende, transzendental zu verstehende Gerichtet-Werden hat er im *Proceß* aufgenommen.«[13]

---

9 Aufbewahrungsort der Gesetzestafeln mit den Zehn Geboten, Symbol für den Bund zwischen Gott und dem Volk Israel.

10 Kafka, *Brief an den Vater*, hrsg. und komm. von Michael Müller, Stuttgart 1995 [u. ö.], S. 37 f.

11 Kafka, *Tagebücher* (s. Anm. 2) S. 617.

12 Ebd., S. 622.

13 Carolin Hannah Reese, »Vom Baum des Lebens essen – Franz Kafka und sein Judentum« (zit. nach: Talmud.de; Kontakt zur Autorin: hannah@talmud.de). »Transzendental« meint hier: unhintergehbar; die Schuld liegt also vor, ohne dass eine besondere Schuld nachweisbar sein müsste.

3.3.2 Jom Kippur: Was ist der Versöhnungstag?

»Er ist das höchste jüdische Fest. Wer die Zeit der Buße genutzt hat, um sich mit seinen Feinden auszusöhnen und begangenes Unrecht wiedergutzumachen, darf erwarten, auch von den Sünden gegen Gott freigesprochen zu werden. Viele Juden fasten am *Jom Kippur*. In den Synagogen, die meist bis auf den letzten Platz besetzt sind, wird durchgehend gebetet. Dabei nimmt das gemeinsame Sünden-bekenntnis vor Gott breiten Raum ein. [...] Viele Betende tragen [...] weiße Kopfbedeckungen, manche auch weiße Kleider.

In biblischer Zeit war *Jom Kippur* der einzige Tag im Jahr, an dem der Hohepriester das Allerheiligste im Tempel betrat, um den Altar mit dem Blut des Sühneopfers zu besprengen (3. Mose 16). Danach lud der Hohepriester symbolisch alle Sünden des Volkes auf einen Bock und schickte ihn als ›Sündenbock‹ in die Wüste.«

Was jeder vom Judentum wissen muss. 9., völlig neubearb. Aufl. Im Auftrag der Kirchenleitung der Vereinigten Evangelisch-Lutherischen Kirche Deutschlands hrsg. von Christina Kayales und Astrid Fiehland van der Vegt unter Mitarb. von Uwe Gräbe [u.a.]. Gütersloh: Gütersloher Verlagshaus, 2005. S. 64. – © 2005 Gütersloher Verlagshaus, Gütersloh, in der Verlags-gruppe Random House GmbH.

3.3.3 Ein Gebet zum Eingeständnis der Schuld am Jom Kippur

»Unser Gott und Gott unserer Vorfahren, lass unsere Gebete dich erreichen. Sei nicht taub für unsere Bitte um Erbarmen. Denn wir sind nicht so hochmütig und nicht so stur, dass wir in deiner Ge-genwart, unser Gott und Gott unserer Vorfahren, behaupten wür-den, wir seien gerecht und hätten nicht gesündigt. Vielmehr beken-nen wir: Wir und unsere Vorfahren haben gesündigt.

Wir waren **A**rrogant, **B**oshaft und **C**harakterlos. Wir haben **D**ieb-stahl begangen und uns **E**ingeschmeichelt. Wir haben **F**revelhaft gehandelt und **G**etötet. Wir sind **H**artnäckig gewesen und haben andere **I**rregeführt. Wir haben ohne **J**ede Vorsicht über andere ge-redet und waren **K**altherzig. Wir haben **L**ügen erdichtet. **M**acht missbraucht und die **N**ot anderer übersehen. Wir haben gegen die **O**bhut Gottes rebelliert und uns von **P**restige-Gedanken leiten las-sen. Wir haben anderen **Q**ualen zugefügt und **R**atschläge erteilt, die

schlecht waren. Wir haben uns **S**chuldig gemacht und sind **T**reulos
gewesen. Wir waren Gott **U**ngehorsam und haben uns **V**erfehlt.
Wir haben Gottes **W**eisung ungeachtet gelassen und **X**-beliebige
eigene Wünsche in sie hineingelesen. Unser Verhalten war **Z**erstö-
rerisch.«[14]

Jonathan Magonet (Hrsg.): Das Jüdische Gebetbuch. Aus dem Hebr. übers.
von Annette Böckler. Bd. 2: Gebete für die hohen Feiertage. Gütersloh:
Gütersloher Verlagshaus, 1997. S. 664. – Mit Genehmigung von Annette
Boeckler, London.

3.3.4 Bitte an Gott um Öffnung des Tores: Aus dem Schlussgebet (Selichot für Neïla) am Jom Kippur

»Wir beten nun die Selichot, die Gedichte über die Vergebung, in
denen die Bitten unserer Vorfahren ausgedrückt sind. Mögen die
Gedanken unseres Herzens übereinstimmen mit den Worten unseres Mundes, zur Zeit, das die Tore der Barmherzigkeit sich schließen.

Öffne uns das Tor zur Zeit, das die Tore sich schließen, denn der
Tag hat sich geneigt.

Der Tag neigt sich, die Sonne geht unter. Lass uns durch deine
Tore gehen.

Bitte, o Gott, vergib doch, verzeih doch, hab' Nachsicht, ver-
schon' doch, erbarm' dich, sühn doch, zertritt doch die Sünde und
Schuld.«

Ebd. S. 671.

3.3.5 Über den Umgang mit Türhütern: Eine Parabel zum Abschluss des Jom Kippur

»Als Mose auf den Berg Sinai stieg, um die Thora zu empfangen,
erschien zu seinen Füßen eine Wolke. Sie öffnete sich, und er ging
hinein, er ging, als liefe er auf festem Boden.

Dann traf er den Engel Kemuel, den Türhüter, der der Vorgesetzte
über die Wächter am Eingang zum Himmel ist.

14 Die Übersetzung folgt der Logik des hebräischen Gebetes, in dem ebenfalls eine Folge von Sünden in alphabetischer Reihenfolge aufgelistet wird
(von א bis ת). Das hebräische Original ist allerdings sehr viel prägnanter als
Liste von Verben in der 1. Person Plural gestaltet, und der letzte Buchstabe
(ת) ist im Original dreimal vertreten.

Er fuhr Mose scharf an: ›Was tust du hier, Sohn Amrams, an diesem Ort, der den Engeln des Feuers gehört?‹

Mose antwortete: ›Ich komme mit der Erlaubnis des Höchsten – Gottes Heiligkeit sei gepriesen! –, um die Torah[15] in Empfang zu nehmen und sie hinunter zu Israel zu bringen.‹

Aber Kemuel ließ ihn nicht eintreten. Mose drängte ihn zur Seite und ging weiter.

Dann erschien der Engel Hadarniel, der 60 Myriaden Parasangen größer ist als die anderen Engel. Als er sprach, kamen Blitze aus seinem Mund. Und mit donnernder Stimme fuhr er Mose an: ›Was tust du hier, Sohn Amrams?‹

Mose erschrak und wäre von der Wolke gefallen, hätte Gott nicht Mitleid mit ihm gehabt. Gott sprach zu Hadarniel, und plötzlich wurde dieser Engel wie ein Diener des Mose und führte ihn zu dem nächsten Engel, Sandalfon, vor dem selbst er sich fürchtete.

Aber wieder griff Gott ein, und Mose wurde Schritt für Schritt an all den Engeln vorbeigeführt, die die Thora bewachten, bis er sie erreichte.«

Ebd. S. 690.

3.4 Stoffgeschichte: Casanovas Memoiren als literarische Vorlage

Kafkas Verhältnis Frauen gegenüber war eher von Skrupeln und Hemmungen geprägt. Vor dem Hintergrund der oft eher philosophisch ambitionierten Interpretationen des *Process*-Romans überraschen die Parallelen zwischen Kafkas Roman und Giacomo Casanovas Memoiren, von denen Kafka nachweislich fasziniert war (vgl. Michael Müller, »Kafka und Casanova«, in: *Freibeuter*, Nr. 16, 1983, S. 67–76).

15 »Torah« hat im jüdischen Kontext zwei Bedeutungen: Einmal bezeichnet sie in etwa das, was im christlichen Kontext als die »Fünf Bücher Mose« bezeichnet wird, d.h. den ersten Teil des Alten Testaments. Zum anderen steht das Wort oft auch synonym für das Gesetz selbst, hier also für die Gebote, die Mose von Gott auf dem Berg Sinai in Empfang nahm.

3.4.1 Die Erwähnung Casanovas in einem Brief an Milena Jesenská

»[Prag, 28. Juli 1920]

Mittwoch

Kennst Du Casanovas Flucht aus den Bleikammern? Ja, Du kennst es. Dort ist flüchtig die schrecklichste Art der Kerkerung beschrieben unten im Keller, im Dunkel, im Feuchten, in der Höhe der Lagunen, man hockt auf einem schmalen Brett, das Wasser reicht fast heran, steigt mit der Flut auch wirklich hinauf, das schlimmste aber sind die wilden Wasserratten, ihr Geschrei in der Nacht, ihr Zerren, Reißen und Nagen (man kämpft mit ihnen um das Brot glaube ich) und vor allem ihr ungeduldiges Warten bis man entkräftet von dem Brettchen hinunterfällt. Weißt Du, so sind die Geschichten in dem Brief. Schrecklich und unverständlich und vor allem so nah und fern wie die eigene Vergangenheit. Und man hockt oben und davon wird der Rücken auch nicht am allerschönsten und auch die Füße verkrampfen sich und man hat Angst und hat doch nichts anderes zu tun als die großen dunklen Ratten anzusehn und sie blenden einen mitten in der Nacht und schließlich weiß man nicht ob man noch oben sitzt oder schon unten ist und pfeift und das Mäulchen aufreißt mit den Zähnen drin. Geh, erzähle nicht solche Geschichten, komm her. Was soll das, komm her. Diese ›Tierchen‹ schenk ich Dir, aber nur unter der Bedingung, daß Du sie wegjagst aus dem Haus.«

Franz Kafka: Briefe an Milena. Erweiterte und neu geordnete Ausgabe. Hrsg. von Jürgen Born und Michael Müller. Frankfurt a.M.: Fischer Taschenbuch Verlag, 1994. S. 151f.

3.4.2 Casanovas Gefangenschaft und Flucht (Auszüge)

Die im Folgenden jeweils zuerst genannte Seitenzahl bezieht sich auf die Ausgabe *Casanovas Gefangenschaft und Flucht aus den Bleikammern von Venedig*, bearb. von Otto Randolf, Leipzig: Reclam, 1943[16]; die Sigle *P* mit Seitenzahl verweist auf relevante Vergleichsstellen in der vorliegenden Ausgabe des *Process*-Romans.

16 Die Frage, welche Ausgabe des Buches Kafka gelesen hatte, ist unklar. Müller (s. Anm. 1) nennt vier verschiedene Editionen (S. 76). Denkbar ist eine Benutzung der alten Reclam-Ausgabe, die wahrscheinlich 1875 das erstemal aufgelegt wurde.

[1] »Am Morgen des 25. Juli 1755 weckte mich der gefürchtete *Messer grande*[17], welcher unvermutet in mein Zimmer drang, und mir befahl aufzustehen, mich anzukleiden, ihm unverzüglich alle meine Papiere auszuliefern und – ihm zu folgen.

›In wessen Auftrag erscheinen Sie hier bei mir?‹

›In dem des großen Tribunals.‹

Nachdem ich ihm meine Manuskripte, Briefe etc. gegeben hatte, die von einem der ihn begleitenden Sbirren[18] sofort in einen großen Beutel gepackt wurden, forderte er noch die Herausgabe gewisser gebundener Manuskripte, die sich in meinem Besitz befinden müßten.

Ich war also von Manuzzi verraten worden, welcher mir kürzlich zu [sic] Verkauf dieser Bücher geraten hatte.«

S. 5; vgl. *P* 7.

[2] »Während er solche reiche Ernte von Büchern und Manuskripten einheimste, rasierte ich mich und warf mich in ein elegantes Kleid von Samt und Seide, als ginge ich zur Hochzeit.«

S. 5; vgl. *P* 15.

[3] »Bei den Gefängnissen angelangt ging es viele Treppen aufwärts, dann über eine überdachte Brücke, welche über einen [...] Kanal führt und die Gefängnisse mit dem Dogenpalast verbindet. Jenseits der Brücke passierten wir einen langen, schmalen Korridor, einen Vorsaal und befanden uns jetzt in einem Zimmer und einem Ratsherrn gegenüber [...]. *Messer grande* lieferte mich sofort dem Kerkermeister der Bleikammern aus, letzterer führte mich – von zwei Sbirren bewacht – abermals zwei Stockwerke höher, wieder über einen Korridor, einen zweiten, durch eine Tür verschlossenen, und erst am Ende dieser ewig langen Gänge traten wir in eine schmutzige, von einer einzigen Dachluke schlecht erleuchtete Bodenkammer. [...]

Die drückende Hitze lockte mich an das Türgitter, wo allein ich Raum fand, wenigstens meine Arme aufzustützen. Obwohl die Dachluke der Dachkammer sich außer meinem beengten Gesichtskreis befand, so sah ich doch das in die Dachkammer einfallende

17 Polizeichef in Venedig.
18 Venizianische Polizisten.

Licht und bei ihm Ratten von auffallender Größe, die ganz wohl-
gemut herumtrotteten [...].«

S. 6 f.; vgl. P 38 f., 69.

[4]   »Meine Sinne waren von Delirium befangen: ich dachte nur an
die Urheber der erlittenen Unbill, ohne meine eigene Schuld zu er-
wägen. Blindlings rasend, meinte ich die ganze Republik stürzen zu
können – so geht es dem Menschen, der sich von einer gewaltigen
Leidenschaft fortreißen läßt: er ahnt nicht, daß das, was ihn in Atem
hält, nicht die Vernunft ist, sondern deren größter Feind: der Zorn.«

S. 11; vgl. P 40–50.

[5]   »Wir waren in den Hundstagen[19] – und die Sonnenstrahlen er-
hitzten die Bleiplatten des Daches in so furchtbarer Weise, daß ich –
unmittelbar unter ihnen – mich in einem Schwitzbade glaubte. Obwohl ich ganz entkleidet auf meinem Lehnstuhl saß, träufelte der
Schweiß von mir herab und bildete große feuchte Flecke auf der
Erde.
   [...]
   Von heftigem Fieber ergriffen, legte ich mich zu Bett, ohne Lorenz
[dem Zellenwärter] etwas davon zu sagen; als er jedoch am zweit-
folgenden Tage alle meine Nahrungsmittel unangetastet fand, erkundigte er sich, wie ich mich befände.
   ›Ganz gut.‹
   ›Das kann nicht sein, Sie essen ja nicht! Sie sind krank [...].‹«

S. 16 (über Hitze ähnlich auch S. 48); vgl. P 68.

[6]   »So natürlich diese Argumente mir auch schienen, so falsch
waren sie hier unter den Bleidächern, wo nichts seinen natürlichen
Lauf nimmt. Ich aber bildete mir ein, die hohen Richter hätten
meine Unschuld und ihre Ungerechtigkeit bereits erkannt, und
hielten mich nur mehr der Form wegen gefangen, um ihr Walten
nicht mit dem Scheine einer Ungerechtigkeit zu beflecken; daraus
folgerte ich nun, daß sie mir die Freiheit schenken würden, sobald
sie den Zepter ihrer Gewalt niederlegten.
   Wie konnten sie mich ihren Nachfolgern übergeben, ohne genügende Beweise, die meine Schuld belegten, meine Einkerkerung
zu rechtfertigen? Schien es mir doch unmöglich, daß sie mich

19 die heißesten Tage des Jahres.

schuldig sprechen und verurteilen konnten, ohne es mir mitgeteilt, ohne mir ihre Gründe angegeben zu haben!

Aber – dem hohen Rat von Venedig gegenüber galt diese Logik wenig! Sein Wille genügt, jenen schuldig zu finden, den er verdammen will; und wozu braucht man mit dem Betreffenden davon zu sprechen?! Und ist er verurteilt, warum ist es nötig, ihm den Urteilsspruch zu verkünden?! Man bedarf seiner Einwilligung nicht, und vielleicht ist es besser, dem armen Tropf bleibt die Hoffnung!«

S. 19 f.; vgl. P 9 f., 114 f.

[7] »Ich stand eben in der Dachluke und blickte durch die Luke zufällig nach dem schon erwähnten großen Balken. Da mit einem Male sehe ich, wie dieser Balken nicht zittert, sondern sich nach rechts dreht, um dann allmählich seine alte Stellung wieder einzunehmen. Da auch ich im selben Moment das Gleichgewicht verlor, so erkannte ich, daß es ein Erdbeben sei.«

S. 21; vgl. P 72 f.

[8] »Der Dachraum zweier Flügel des Palastes ist von diesen Kerkern eingenommen: drei ›Kammern‹ liegen gegen den Abend (worunter die meinige), vier gegen Morgen. [...]

Die Gefängnisse an dieser Seite sind so hoch, daß man aufrecht in ihnen stehen kann und sehr hell; was bei dem meinigen nicht der Fall war, und welches des enormen Dachbalkens wegen ›Sparrenfach‹ genannt wurde.«

S. 23; vgl. P 64.

[9] »Der Türhüter glaubt, vielleicht einen Fremden da eingeschlossen zu haben und eilt herauf. [...]

Die Tür öffnet sich, der Türhüter tritt herein, und bevor er sich noch von seinem Staunen über meinen Anblick erholt hat, benutze ich seine Versteinerung, um schnell die Riesentreppe hinabzugehen, während der Pater [sein Fluchtgefährte] den Mut dazu nicht finden kann, mich verläßt und der Kirche zuschreitet.

Mir bleibt in diesem entscheidenden Augenblicke keine Zeit mit ihm zu disputieren[20], ich lasse ihn also, setze meinen Weg fort, gehe

20 eine Auseinandersetzung zu führen, zu diskutieren.

über den Hof, durch das große Tor des Dogenpalastes, über die Pia-
zetta ans Ufer.

> [...] die Piazetta, der Dogenpalast liegen hinter mir – ich bin frei!«
> S. 93 f.; vgl. P 196 ff.

3.5 Interpretationsansätze I: Der *Process* als Gesellschaftskritik

3.5.1 Der *Process* als prophetische Kritik spätbürgerlicher
Ideologie: Josef K. als Prototyp des bürgerlichen Spießers

»Wenn Kafka prophetisch klingt, so deshalb, weil er die Spaltung
des bürgerlichen Menschen in anständiges Oberflächengewissen
und greuelerfüllte Rumpelkammern des Seelenhaushaltes zur
Struktur seiner Erzählkunst machte. Josef K., der modern-bürgerli-
che Mensch *par excellence*[21], wird Hund [er wird ›wie ein Hund‹
umgebracht und benimmt sich moralisch wie ein Hund], weil er das
Gericht beschützt [durch Verschweigen der Prügelszene]. Mit seinem schmählichen Verschweigen der Wahrheit verteidigt er nicht
nur seinen bürgerlichen Leumund[22] und zeigt, daß er für seinen guten Ruf Menschenleben zu opfern bereit ist. Er zeigt damit auch
seine geheime Liebe zu der Folter- und Mordorganisation, die eben
mehr sein muß als bloße Mord- und Folterorganisation, um so zu
wirken. Josef K. verheimlicht das illegale Gericht auch dann vor dem
Staatsgesetz, wenn er selbst das Opfer ist. [...] Wenn ein Teil des
europäischen Bürgertums seine Prügler und Mörder[23] mit einem
Wall des Verschweigens umgab und sogar mit panisch-ängstlicher
Mithilfe beschützte, handelte es aus denselben Motiven wie Josef K.
In ihm wie in diesem Bürgertum ist es nicht bloß spießerische
Ängstlichkeit, die seine Mitmenschen verrät, sondern eine verbor-
gene Sehnsucht, sich selbst aufzuopfern auf der geheimnisvollen
Strafmaschine[24], die dem schalen Leben einen schrecklichen Sinn
geben könnte. In den fertiggeschriebenen Kapiteln des Romans

---

21 (frz.) mustergültig, idealtypisch.
22 guten Ruf.
23 Sokel spielt hier vor allem auf die Verbrechen der Nationalsozialisten und
   ihrer Helfer in anderen europäischen Ländern an.
24 Anspielung auf Kafkas Erzählung »In der Strafkolonie«, die 1914, also etwa
   während der Niederschrift des *Proceß*-Romans, entstand und 1919 veröffentlicht wurde: Dort wird eine Foltermaschine detailliert beschrieben.

kommt diese Sehnsucht subtil und indirekt, in manchen gestrichenen und entfernten Partien klar zum Ausdruck.«

Walter H. Sokel: Franz Kafka – Tragik und Ironie. Zur Struktur seiner Kunst. München/Wien: Langen Müller, 1964. S. 256 f. – © 1964 by LangenMüller in der F. A. Herbig Verlagsbuchhandlung GmbH, München.

3.5.2 Der *Process* als realistisches Abbild totalitären Unrechts?

»Erst 1965 konnte eine Übersetzung des *Process*-Romans [in der damaligen Tschechoslowakei] erscheinen, und die Schriftstellerin Alena Wagnerová erinnerte sich daran, wie ihr als junger Frau der Name Kafka zugeflüstert wurde. Als sie dann zum ersten Mal den berühmten Anfang des *Processes* las: ›Jemand musste Josef K. verleumdet haben, denn ohne daß er etwas Böses getan hätte, wurde er eines Morgens verhaftet‹, fand sie das, was da beschrieben wurde, ›völlig normal‹, es war ihr und allen, die das lasen, aus den stalinistischen Prozessen vertraut, ›nur hatte es noch niemand aufgeschrieben‹. So begann die politische Wirkung eines unpolitischen Autors.«

Ulrich Greiner: Kafka kam nach Liblice. Deutsche und tschechische Intellektuelle diskutierten über den Beginn des Prager Frühlings. In: Die Zeit. Nr. 45. 30. Oktober 2008. S. 70. – Mit Genehmigung von Ulrich Greiner, Hamburg.

3.5.3 Das Totalitäre als Angsttraum

»Zu den eindrucksvollsten Merkmalen des *Proceß*-Romans gehört seine Kunst, die Bilder einer subjektiven Strafphantasie so zu verknüpfen, daß sie einen objektiven Charakter annehmen. K.s Schuld ist zunächst ein Schuldgefühl, das seine Entsprechung in den Aktivitäten der Rechtsbehörden findet. Diese wiederum zeigen zwar durch die fehlende Trennung von judikativer, legislativer und exekutiver Macht einen totalitären Zug, jedoch sollte man der Versuchung widerstehen, sie aus diesem Grund als literarisches Zeugnis einer Kritik an undemokratischen Rechtsbegriffen aufzufassen. K.s Geschichte ist der Traum von der Schuld – ein Angsttraum, der sich in den imaginären Räumen einer befremdlichen juristischen Ordnung als Widerschein psychischer Zustände abspielt. Man kann den Roman folglich als Reflexion dieser Schuld, zugleich aber auch als unheimliche Beschreibung eines Rechtsapparates lesen, den sich

das individuelle Schuldbewußtsein selbst vorstellt. Die damit ver-
bundene Furcht vor der Bestrafung erzeugt wiederum in Kafkas
Protagonisten den Mechanismus der Verdrängung im Zeichen von
Hybris und Selbstherrlichkeit. K. kennt, wie der Wächter bei der
Verhaftung vermerkt, ›das Gesetz nicht und behauptet gleichzeitig
schuldlos zu sein.‹ [P 12] [...] Freud hat in seiner Abhandlung über
Totem und Tabu, deren Teile 1912 und 1913 in der Zeitschrift *Imago*
erschienen sind, die Grundform der neurotischen Verdrängung mit
der ritualisierten Abwehr bei primitiven Völkern verglichen. Das
Tabuisierte wird in beiden Fällen ausgeschlossen, auf diese Weise
aber mit einem eigenen Code versehen, der es auszeichnet und qua-
litativ hervorhebt. K. verfährt so mit dem Komplex der Schuld, den
er als Tabu betrachtet, über das nachzudenken er sich verbietet. Das
Verdrängte freilich taucht in den Bildern des Schuldgefühls macht-
voll wieder auf. Die neugierigen Nachbarn, die voyeuristischen
Bankbeamten und der Direktor-Stellvertreter repräsentieren es im
Verlauf des Romans ebenso wie die labyrinthischen Räume des Gerichts oder die von K. zuvor ignorierte ›Rumpelkammer‹ der Bank,
in der der Prügler die Wächter Franz und Willem züchtigt.«

Peter-André Alt: Franz Kafka: Der ewige Sohn. Eine Biographie. 2., durchges.
Aufl. München: Beck, 2008. S. 391. – © Verlag C.H. Beck, München.

3.5.4 Zum Vergleich: Heutige gesetzliche Grundlagen für Verhaftung und vorläufige Festnahme

Auch wenn das Strafrecht und die Strafprozessordnung im Prag des
frühen 20. Jahrhunderts anders aussahen als die deutschen Geset-
zestexte im 21. Jahrhundert, sind die zentralen Punkte gleich geblieben. Um die Zumutung, der sich Josef K. mit seiner Festnahme ausgesetzt sieht, verstehen zu können, ist es hilfreich, sich die geltenden
rechtsstaatlichen Regeln für eine Verhaftung und Anklage zu ver-
gegenwärtigen. Orientierung geben die folgenden Ausschnitte aus
der Strafprozessordnung der Bundesrepublik Deutschland.

»§ 112

(1) Die Untersuchungshaft darf gegen den Beschuldigten angeordnet werden, wenn er der Tat dringend verdächtig ist und ein
Haftgrund besteht. Sie darf nicht angeordnet werden, wenn sie zu
der Bedeutung der Sache und der zu erwartenden Strafe oder Maß-
regel der Besserung und Sicherung außer Verhältnis steht.

(2) Ein Haftgrund besteht, wenn auf Grund bestimmter Tatsachen

1. festgestellt wird, daß der Beschuldigte flüchtig ist oder sich verborgen hält,

2. bei Würdigung der Umstände des Einzelfalles die Gefahr besteht, daß der Beschuldigte sich dem Strafverfahren entziehen werde (Fluchtgefahr), oder

3. das Verhalten des Beschuldigten den dringenden Verdacht begründet, er werde

a) Beweismittel vernichten, verändern, beiseite schaffen, unterdrücken oder fälschen oder

b) auf Mitbeschuldigte, Zeugen oder Sachverständige in unlauterer Weise einwirken oder

c) andere zu solchem Verhalten veranlassen,

und wenn deshalb die Gefahr droht, daß die Ermittlung der Wahrheit erschwert werde (Verdunkelungsgefahr).«

»§ 114

(1) Die Untersuchungshaft wird durch schriftlichen Haftbefehl des Richters angeordnet.

(2) In dem Haftbefehl sind anzuführen

1. der Beschuldigte,

2. die Tat, deren er dringend verdächtig ist, Zeit und Ort ihrer Begehung, die gesetzlichen Merkmale der Straftat und die anzuwendenden Strafvorschriften,

3. der Haftgrund sowie

4. die Tatsachen, aus denen sich der dringende Tatverdacht und der Haftgrund ergibt, soweit nicht dadurch die Staatssicherheit gefährdet wird.

(3) Wenn die Anwendung des § 112 Abs. 1 Satz 2 naheliegt oder der Beschuldigte sich auf diese Vorschrift beruft, sind die Gründe dafür anzugeben, daß sie nicht angewandt wurde.

§ 114 a

Dem Beschuldigten ist bei der Verhaftung eine Abschrift des Haftbefehls auszuhändigen; beherrscht er die deutsche Sprache nicht hinreichend, erhält er zudem eine Übersetzung in einer für ihn verständlichen Sprache. Ist die Aushändigung einer Abschrift und einer etwaigen Übersetzung nicht möglich, ist ihm unverzüglich in einer für ihn verständlichen Sprache mitzuteilen, welches die Gründe für die Verhaftung sind und welche Beschuldigungen gegen ihn erho-

Abb. 2: Zeichnung von Kafka

ben werden. In diesem Fall ist die Aushändigung der Abschrift des Haftbefehls sowie einer etwaigen Übersetzung unverzüglich nachzuholen.«

> Strafprozessordnung. In der Fassung der Bekanntmachung vom 7. April 1987 (BGBl. I S. 1074, ber. 1319); zuletzt geändert durch Gesetz vom 15. November 2012 (BGBl. I S. 2298) mit Wirkung vom 1. März 2013. Zit. nach: http://dejure.org/gesetze/StPO (18.3.2013)

3.6. Interpretationsansätze II: Probleme der Bedeutung und der Auslegung

Der Prozess, in den Josef K. verwickelt ist, ist durch einige Widersprüche gekennzeichnet, die es für die Hauptfigur schwierig bis unmöglich machen, sich zu orientieren und das Richtige zu tun. Diese

Probleme lassen sich als »Sinnverschiebung« (Beicken) beschreiben, sie entsprechen in einiger Hinsicht aber auch dem, was Logiker und Kommunikationstheoretiker als Paradoxien bezeichnen.

3.6.1 »Gewöhnliche« Welt und »Sinnverschiebung«

»Der Text selbst thematisiert die Unterscheidung in zwei verschiedene, gegensätzliche Welten durch die Rede von der *gewöhnlichen Lebensweise* [19], vom *gewöhnlichen Gericht* [86], dem jedoch entgegengesetzt wird, es handle sich *gar nicht um einen Process vor dem gewöhnlichen Gericht* (ebda.), während *in diesen Rechtssachen* wiederum anderes gelte als in den *gewöhnlichen Rechtssachen* [173]. Zudem ist das Gericht ein ›geheimes‹, verläuft doch das Verfahren *nicht nur vor der Öffentlichkeit geheim, sondern auch vor dem Angeklagten* [105]. [...]

Die eigenartige, befremdliche Scheidung der Romanwelt in das Gewöhnliche und das Ungewöhnliche; Offene und Geheime macht es schwierig, die Thematik und Problematik im *Process* einleuchtend in vertrauten Begriffen auszudrücken.«

Peter Beicken: Franz Kafka: Der Process. Interpretation. München: Oldenbourg, 2. überarb. Aufl. 1999. (Oldenbourg Intepretationen. 70.) S. 124.[25] – © 1995 Oldenbourg Schulbuchverlag GmbH, München.

3.6.2 Erzählweise: Perspektivsteuerung und »einsinniges« Erzählen

»Im Durchbruchjahr 1912 hat Kafka im *Urteil*, im *Verschollenen* und in der *Verwandlung* zu der ihm eigenen Erzählweise des ›einsinnigen‹ Erzählens aus dem Blickwinkel und Bewusstseinshorizont der Hauptgestalt gefunden. Es gebe *keinen Raum neben oder über den Gestalten, keinen Abstand von dem Vorgang*, sondern nur den sich selbst *erzählenden Vorgang: daher beim Leser das Gefühl der Unausweichlichkeit, der magischen Fesselung an das alles ausfüllende, scheinbar absurde Geschehen und daher die oft bezeugte Wirkung des Beklemmenden* (Beißner 42).[26]

25 Bei den Seitenverweisen sind die von Beicken erwähnten Verweise auf die *Process*-Ausgabe im Fischer Verlag ausgelassen.
26 Beicken zitiert hier aus: Friedrich Beißner, *Der Erzähler Franz Kafka und andere Vorträge*, Frankfurt a.M. 1983.

Die einsinnige Erzählweise entspricht den von Kafka mit ›Berechnung‹ und ›Kunstaufwand‹ beabsichtigten Zielen der Beeinflussung. Seine Erzählrhetorik dient der ›Gefangennahme‹, der ›Verhaftung‹ der Leserschaft. Ein Einverständnis mit den Lesenden wird nicht mehr artikuliert. Es gibt keinen allwissenden Erzähler, der sich über K.s Kopf hinweg mit den LeserInnen verständigt. Die Perspektivierung in der personalen Erzählsituation führt zur Entpersönlichung des Erzählens.«

Ebd. S. 103.

3.6.3 Der *Process* als paradoxe Handlungsaufforderung

Während viele Interpreten zu wissen meinen, worin Josef K.s Schuld besteht und was er genau anders hätte machen können oder sollen, stellt sich die Frage, ob der Text selbst überhaupt belastbare Hinweise für eine Antwort bietet. Es entsteht der Eindruck, dass Josef K. sich einerseits richtig verhalten *muss*, er sich aber andererseits beim besten Willen nicht richtig verhalten *kann*, weil ihm alle Hinweise dafür fehlen, worin genau seine Schuld besteht und welche Verhaltensmöglichkeiten dem Gericht gegenüber erfolgversprechend sind. »Das Gericht will nichts von Dir«, erklärt der Geistliche im Dom. »Es nimmt Dich auf wenn Du kommst und es entlässt Dich wenn du gehst« (*P* 205). Da das Gericht und seine Umgebung dann aber doch immer wieder Verhaltenserwartungen an Josef K. richten, geht es der Hauptfigur wie dem Adressaten eines Sponti-Spruchs: »Du hast keine Chance – nutze sie!« Er ist in eine paradoxe Handlungsaufforderung, in eine Beziehungsfalle oder »Doppelbindung« verstrickt.[27]

3.6.3.1 *Was ist eine Paradoxie?*

»Unter einer Paradoxie verstehe ich Folgendes: Eine scheinbar unannehmbare Schlussfolgerung, die durch einen scheinbar annehmbaren Gedankengang aus scheinbar annehmbaren Prämissen abgeleitet ist. Der Schein muss trügen, denn das Annehmbare kann nicht mit annehmbaren Schritten zum Unannehmbaren führen. Also ha-

---

27 Zu den vielen Paradoxien, die sich allein in der Passage »Vor dem Gesetz« finden, siehe den sehr lesenswerten Aufsatz »Vor dem Gesetz« von Aage A. Hansen-Löve, in: Michael Müller (Hrsg.), *Interpretationen. Franz Kafka: Romane und Erzählungen*, durchges. und erw. Ausg. Stuttgart 2003, S. 146–157.

ben wir allgemein die Wahl: Entweder ist die Schlussfolgerung gar nicht wirklich unannehmbar, oder aber der Ausgangspunkt bzw. der Gedankengang hat eine Schwäche, die nicht offen zutage liegt.

Paradoxien treten in Graden auf – je nachdem, wie gut der Schein die Wirklichkeit verbirgt.«

R.M. Sainsbury: Paradoxien. Übers. von Vincent C. Müller. Erw. Ausg. Stuttgart: Reclam, 2001. S. 11 f.

3.6.3.2 *Paul Watzlawick [u.a.] über das Wesen kommunikativer »Doppelbindungen«*

Paradoxien wirken wie Zwickmühlen, aus denen man nicht mehr herauskommt. Eine besondere Form der Paradoxie nennt man nach Paul Watzlawick auch ›Doppelbindung‹ oder ›Double-Bind‹.

»[D]ie Bestandteile einer Doppelbindung [können] wie folgt beschrieben werden:

1. Zwei oder mehrere Personen stehen zueinander in einer engen Beziehung, die für einen oder auch alle von ihnen einen hohen Grad von physischer und/oder psychischer Lebenswichtigkeit hat. Derartige Situationen ergeben sich u.a. in Familien (besonders zwischen Eltern und Kindern), in Krankheit, Gefangenschaft, materieller Abhängigkeit, Freundschaft, Liebe [...].

2. In diesem Kontext wird eine Mitteilung gegeben, die a) etwas aussagt, b) etwas über ihre eigene Aussage aussagt und c) so zusammengesetzt ist, dass diese beiden Aussagen einander negieren bzw. unvereinbar sind. Wenn also die Mitteilung eine Handlungsaufforderung ist, so wird sie durch Befolgung mißachtet und durch Mißachtung befolgt; handelt es sich um eine Ich- oder Du-Definition, so ist die damit definierte Person es nur, wenn sie es nicht ist, und ist es nicht, wenn sie es ist. [...]

3. Der Empfänger dieser Mitteilung kann der durch sie hergestellten Beziehungsstruktur nicht dadurch entgehen, dass er entweder über sie metakommuniziert (sie kommentiert) oder sich aus der Beziehung zurückzieht. Obwohl also die Mitteilung logisch sinnlos ist, ist sie eine pragmatische Realität: Man kann nicht *nicht* auf sie reagieren, andererseits aber kann man sich ihr gegenüber auch nicht in einer angebrachten (nichtparadoxen) Weise verhalten, denn die Mitteilung selbst ist paradox. [...]«

Paul Watzlawick / Janet H. Beavin / Don D. Jackson: Menschliche Kommunikation: Formen, Störungen, Paradoxien. Bern: Huber, 12. Aufl. 2011. S. 233. – © 2011 Verlag Hans Huber, Hogrefe AG, Bern.

Übertragen auf Kafkas Roman, lässt sich das Schema folgendermaßen füllen:

1. Josef K. wird durch die Festnahme vom Gericht in eine zugleich fest bindende wie hierarchische Beziehung gezwungen. Wie ihm während des Prozesses schon seine Umgebung signalisiert und wie es am Ende durch die Exekution belegt ist, ist die Beziehung für die Hauptfigur von lebenswichtiger Bedeutung.

2. In diesem Kontext wird Josef K. vermittels einer ersten Aussage signalisiert, dass er sich für seinen Prozess engagieren müsse und könne. Gleichzeitig wird ihm aber immer wieder signalisiert, dass das Gericht vollkommen undurchschaubar sei. Er kann sich also, so die zweite Aussage, gar nicht gezielt engagieren. Statt zu agieren, bewegt er sich planlos im Netz des Gerichts. Symptomatisch sind die immer nur zufällig sich findenden Orte und Zeiten der Verhandlung, aber auch viele Kommentare von »Kennern« des Gerichts.

3. Die Metakommunikation, die Kommunikation über die Unmöglichkeit der Situation, wird vom Gericht auf unterschiedlichen Wegen sabotiert: Die Gerichtshelfer, die ihn festnehmen, ignorieren den Protest einfach; der Protest in der ersten Verhandlung wird ihm später als schuldhaftes Handeln vorgeworfen; und schließlich bietet ihm der Geistliche im Dom-Kapitel mit der Türhüterparabel eine Form der Metakommunikation, die genauso rätselhaft ist wie das Gericht insgesamt.

3.6.3.3 Paradoxien und Verstehensschwierigkeiten bei der Lektüre des Romans

Die paradoxe Unmöglichkeit, sich richtig zu verhalten, betrifft nicht allein Josef K. in seinem Bemühen um eine positive Beeinflussung eines chaotischen Prozesses, sondern in mehrfacher Hinsicht auch das Verhältnis des Lesers zum Text.

Aufgrund der eigentümlichen Perspektivtechnik Kafkas (siehe dazu Materialien 3.6.2) weiß der Leser über die Welt des Romans nicht mehr als die Hauptfigur. Damit ist er jedoch ebenso mit dem Problem der Sinnverschiebungen konfrontiert wie Josef K. Die Dinge, von denen die Rede ist, sind auch für den Leser immer wieder gerade nicht die Dinge, von denen die Rede ist (für Beispiele siehe Materialien 3.6.1). Für die Interpretation kann man folgern: Wer den Text versteht, versteht ihn nicht. Der Text verwickelt den Leser in eine semantische Paradoxie, indem er gewissermaßen sagt

»Ich lüge«. Die Aussage stimmt dann, wenn sie nicht stimmt, und wenn sie stimmt, stimmt sie nicht.

Weil der Text aber als Text vorliegt, suggeriert er gleichzeitig eine Mitteilungsabsicht, er signalisiert, dass er verstanden werden will und soll. Er fordert vom Leser ein richtiges Verhalten. Damit impliziert die semantische Paradoxie (»Ich lüge«) auch eine pragmatische. Der Leser wird vom Text qua seines Textseins zum Verstehen aufgefordert, gleichzeitig signalisiert der Text dem verstehenden Interpreten, dass er nicht wirklich zu verstehen ist. In Adornos Worten: »Jeder Satz spricht: deute mich, und keiner will es dulden.«[28] Richtiges Verhalten – der Versuch, zu verstehen – wird zum falschen Verhalten, weil man ja beim Verstehen zur Kenntnis zu nehmen hat, dass der Text sich dem Verständnis entzieht.

3.6.3.4 Die Parabel als paradoxe Falle

Kafka betont und verschärft diese Unmöglichkeit jedoch noch, indem er die Grenzen des Verstehens *des* Romans *im* Roman zum Thema macht. Aufschlussreich ist hier das Unterkapitel zur »Exegese« der Türhüter-Parabel. Durch die Form der Parabel suggeriert die kurze Erzählung des Geistlichen im Dom eine bestimmte erklärende Aussage, eine der Orientierung dienende Lehre.

»Die Parabel selbst ist die Falle, weil sie im Hörer das zwanghafte Bedürfnis nach Auflösung und Erklärung weckt, also eine rationale, logische, empirische Regelung des Widerspruchs verspricht, um den *horror vacui*[29] der Sinnleere unverzüglich auszulöschen: das Gefährlichste an der Parabel ist ihr lockendes *Sinnangebot*, das durch die kalkulierte Sinnlosigkeit und ihre Aporien hindurchschimmert und den Weisesten zum Toren macht, der nicht sieht, dass er sich selbst als Tor im Wege steht.«

Aage A. Hansen-Löve: *Vor dem Gesetz.* In: Interpretationen: Franz Kafka. Romane und Erzählungen. Hrsg. von Michael Müller. Durchges. und erw. Ausg. Stuttgart: Reclam, 2003. S. 146–157, hier: S. 154.

28 Siehe in der vorliegenden Ausgabe S. 287.
29 (lat.) Furcht vor der Leere.

Abb. 3: Vor dem Gesetz – Szene aus dem Film *Der Prozess* von Orson Welles (1962) mit Anthony Perkins

3.7 Interpretationsansätze III: Negative Hermeneutik: das Unverständliche verstehen?

Die paradoxe Struktur, die im Roman sowohl auf der Ebene der Handlung als auch auf der Ebene des Verstehens ihre irritierende Wirkung entfaltet, stellt für Leser, die gewohnt sind, Texte zu verstehen, eine eigentümliche Provokation dar. Welchen Sinn hat diese Irritation? Stehen Kafkas Texte als Symbole für die Sinnlosigkeit der Welt? Sollen sie den Leser irritieren und zu einer neuen Betrachtung über sich und die Welt anregen? Zielen sie auf eine Infragestellung philosophischer Konzepte? Die folgenden Materialien bieten einen Ausblick auf mögliche Antworten.

3.7.1 Kafkas Texte als Symbol für die Sinnlosigkeit der Welt?

»Die Beliebtheit Kafkas, das Behagen am Unbehaglichen, das ihn zum Auskunftsbüro der je nachdem ewigen oder heutigen Situation des Menschen erniedrigt und mit quickem[30] Bescheidwissen eben den Skandal wegräumt, auf den das Werk angelegt ist, weckt Widerwillen dagegen, mitzutun und den kurrenten[31] Meinungen eine sei's auch abweichende anzureihen. Aber gerade der falsche Ruhm, die fatale Variante des Vergessens, das Kafka bitter ernst sich gewünscht hätte,[32] zwingt zur Insistenz[33] vor dem Rätsel. Weniges von dem, was über ihn geschrieben ward, zählt; das meiste ist Existentialismus[34]. Er wird eingeordnet in eine etablierte Denkrichtung, anstatt daß man bei dem beharrte, was die Einordnung erschwert und eben darum die Deutung erheischt. Als ob es der Sisyphusarbeit[35] Kafkas bedurft hätte, als ob es die Maelstrom-Gewalt[36] seines Werkes erklärte, wenn er nichts anderes sagte, als daß dem Menschen das Heil verloren, der Weg zum Absoluten verstellt, daß sein Leben dunkel, verworren oder, wie man das heute so nennt, ins Nichts gehalten sei, und daß ihm nichts bleibe, als bescheiden und ohne viel Hoffnung die nächsten Pflichten zu besorgen und einer Ge-

30 schnellem.
31 geläufigen, verbreiteten.
32 Offenbar eine Anspielung auf den Wunsch Kafkas, dass das Werk durch Max Brod vernichtet werde.
33 Beharren, Bestehen auf etwas.
34 Existentialismus: eine vor allem von Kierkegaard, Heidegger und Sartre begründete Denkrichtung, die in den 1950er Jahren einflussreich war.
35 Sisyphusarbeit: eine nie endende Schwerstarbeit. Sisyphus muss, dem griechischen Mythos zufolge, einen schweren Stein einen Berg hinaufrollen, der aber, sobald er oben ist, wieder hinabrollt.
36 Maelstrom-Gewalt: die Gewalt eines riesigen Meereswirbels. Die Wahl des Bildes ist sicherlich angeregt durch eine Erzählung Edgar Allan Poes, in der der Maelstrom, ein riesiger Wirbel, ein Schiff hinabzieht und zerstört.

meinschaft sich einzufügen, die genau dies erwartet und die Kafka nicht hätte vor den Kopf zu stoßen brauchen, wenn er darin mit ihr eines Sinnes gewesen wäre. Werden Deutungen dieses Typus damit erläutert, daß Kafka mit so dürren Worten es freilich nicht ausgesprochen, sondern als Künstler der Realsymbolik sich befleißigt habe, so meldet das zwar das Ungenügen an den Formeln an, aber nicht viel mehr. Denn eine Darstellung ist entweder realistisch oder symbolisch [...]. Wenn der Symbolbegriff in der Ästhetik, mit dem es überhaupt nicht recht geheuer ist, irgend etwas Triftiges[37] besagen soll, so einzig, daß die einzelnen Momente des Kunstwerks aus der Kraft ihres Zusammenhangs über sich hinausweisen: daß ihre Totalität bruchlos übergehe in einen Sinn. Nichts aber paßt schlechter auf Kafka. [...] Jeder Satz steht buchstäblich, und jeder bedeutet. Beides ist nicht, wie das Symbol es möchte, verschmolzen, sondern klafft auseinander, und aus dem Abgrund dazwischen blendet der grelle Strahl der Faszination.«

Theodor W. Adorno: Aufzeichnungen zu Kafka. In: Th. W. A.: Prismen. Kulturkritik und Gesellschaft. Frankfurt a.M.: Suhrkamp, 1976. (¹1955.) S. 302–303. – © Suhrkamp Verlag Frankfurt am Main 1976.

3.7.2 Paradoxe Parabolik

»Kafkas Prosa [...] ist eine Parabolik[38], zu der der Schlüssel entwendet ward; selbst der, welcher eben dies zum Schlüssel zu machen suchte, würde in die Irre geführt, indem er die abstrakte These von Kafkas Werk, die Dunkelheit des Daseins, mit seinem Gehalt verwechselte. Jeder Satz spricht: deute mich, und keiner will es dulden. Jeder erzwingt mit der Reaktion ›So ist es‹ die Frage: woher kenne ich das; das déjà vu[39] wird in Permanenz erklärt. Durch die Gewalt, mit der Kafka Deutung gebietet, zieht er die ästhetische Distanz ein. Er mutet dem angeblich interesselosen Betrachter von einst[40] ver-

---

37 Überzeugendes, gut Begründetes.

38 Parabolik: von »Parabel«, kurzer Erzähltext mit einer moralischen Botschaft.

39 déjà vu: (frz.) der Eindruck, dass man etwas schon einmal gesehen habe.

40 Das »interesselose Wohlgefallen« bezeichnet in der Philosophie von Immanuel Kant (Ende des 18. Jh.s) die einzig angemessene Haltung zum Schönen. Kant markiert damit den Abstand zu einer Haltung, die Kunst nur als Mittel zur Befriedigung sinnlicher Bedürfnisse konsumiert (wie

zweifelte Anstrengung zu, springt ihn an und suggeriert ihm, daß weit mehr als sein geistiges Gleichgewicht davon abhänge, ob er richtig versteht, Leben oder Tod. Unter den Voraussetzungen Kafkas ist nicht die geringfügigste, daß das kontemplative[41] Verhältnis von Text und Leser von Grund auf gestört ist. Seine Texte sind darauf angelegt, daß nicht zwischen ihnen und ihrem Opfer ein konstanter Abstand bleibt, sondern daß sie seine Affekte derart aufrühren, daß er fürchten muß, das Erzählte käme auf ihn los wie Lokomotiven aufs Publikum in der jüngsten, dreidimensionalen Filmtechnik.[42] Solche aggressive physische Nähe unterbindet die Gewohnheit des Lesers, mit Figuren der Romane sich zu identifizieren.«

Ebd. S. 304.

3.7.3 Verfremdung als Medium utopischer Weltüberschreitung?

»Kafkas künstlerische Verfremdung, das Mittel, die objektive Entfremdung sichtbar zu machen, empfängt ihre Legitimation[43] aus dem Gehalt. Sein Werk fingiert[44] einen Ort, von dem her die Schöpfung[45] so durchfurcht und beschädigt erscheint, wie nach ihren eigenen Begriffen die Hölle sein müßte. [...] Wie vor Jahrtausenden wird von Kafka Rettung gesucht bei der Einverleibung der Kraft des Gegners. Der Bann[46] von Verdinglichung[47] soll gebrochen werden, indem das Subjekt sich selbst verdinglicht. [...] Schuldig werden die Helden von ›Prozeß‹ und ›Schloß‹ nicht durch ihre Schuld – sie haben keine –, sondern weil sie versuchen, das Recht auf ihre Seite zu bringen. [...] Nach dem Zeugnis von Kafkas Werk befördert in der verstrickten Welt jegliches Positive, jeglicher Beitrag, fast könnte man denken, die Arbeit selbst, die das Leben reproduziert, bloß die

---

beispielsweise Musik zum Anheizen der Stimmung im Bierzelt) ebenso wie zu einer Haltung, die das Schöne rein intellektuell nur verstehen will.

41 ruhig betrachtende, sich in etwas versenkende.

42 Der Text wurde von 1942 bis 1953 geschrieben und 1953 veröffentlicht.

43 Berechtigung, Rechtfertigung.

44 erfindet, unterstellt.

45 Schöpfung: hier im religiösen Sinn, d.h. die Erde als Schöpfung Gottes.

46 böser Zauber.

47 Verdinglichung: philosophisch verstanden als Anzeichen der Krise des Lebens in der Moderne, in der Gefühle, Beziehungen und insgesamt das Leben zunehmend als »Ding« wahrgenommen werden und den Charakter des Lebendigen verlieren.

Verstrickung. [...] Heilmittel gegen die halbe Nutzlosigkeit des Lebens, das da nicht lebt, wäre einzig die ganze.«

Ebd. S. 338, 340, 341 f.

3.7.4 Das offene Verlangen: Die Infragestellung selbstbewusster Subjektivität durch den französischen Poststrukturalismus

Einige der anspruchsvollsten neueren Kafka-Interpretationen entstammen der französischen Philosophie des Poststrukturalismus. Wenn die französischen Philosophen Gilles Deleuze (1925–1995) und Félix Guattari (1930–1992) behaupten, »durch den ganzen *Prozeß* zieh[e] sich eine Ungerichtetheit, eine Polyvozität[48] des Verlangens«, dann erkennen sie darin eine tiefgreifende Infragestellung jener klaren Unterscheidungen, mit denen wir unsere Welt normalerweise ordnen und verstehen. Der Hintergrund dieser Position sei hier kurz erläutert:

Wer versucht, die Welt und insbesondere seine Mitmenschen zu verstehen, unterstellt in der Regel, dass diese Mitmenschen selbstbewusste Wesen sind, die wissen, was sie tun. Wir unterstellen, dass die Menschen, mit denen wir kommunizieren, wissen, was sie wollen, und dass sie ihre Handlungen überlegt und bewusst ausführen. Sie haben damit eine klar umgrenzte Identität und beziehen sich auf klar definierte Objekte ihres Begehrens. Peter ist Peter. Er sieht ein Eis und will es haben. Subjekt und Objekt sind sprachlich (im Satzbau) und als gedankliche Konzepte klar definiert. Viele Philosophen halten diese Unterscheidung klar umgrenzter Subjekte und Objekte für unhintergehbar, und zweifelsohne ist sie für unsere Orientierung in der Welt von großer Bedeutung. Gerade in der neueren Philosophie seit Friedrich Nietzsche (1844–1900)[49] mehren sich jedoch Zweifel an der Richtigkeit und Zulässigkeit dieser klaren Unterscheidung. Besonders die Vertreter der neueren französischen Philosophie des Poststrukturalismus (neben Deleuze und Guattari vor allem Jacques Derrida, 1930–2004) vertreten die Auffassung, dass die traditionelle Subjektphilosophie eine vereinfachende und falsche Weltsicht darstellt. Schlimmer noch: diese Philosophie sei

48 Vielstimmigkeit.

49 Nietzsche war einer der um die Jahrhundertwende 1900 unter Intellektuellen intensiv diskutierten Autoren, den Kafka bereits in der Schule mit großem Interesse studierte.

ein Stützpfeiler tradierter Machtverhältnisse, besonders im Verhältnis von Mann und Frau, aber auch zwischen Mensch und Tier, Verstand und Körper usw. Vor diesem Hintergrund interessieren sich Deleuze und Guattari für die Texte Kafkas als Hinweis auf Strukturen, die die Falschheit der üblichen Weltsicht offenlegen.[50] Im Zentrum steht dabei der Begriff des Begehrens als einer treibenden Kraft, die der klaren Trennung von Subjekt und Objekt des Verlangens vorausgeht, die diese erst entstehen lässt.

3.7.5 Gesetz und Begehren: Die Kafka-Deutung von Deleuze und Guattari

»*Dort, wo man das Gesetz vermutet hatte, ist in Wahrheit Verlangen, bloßes Verlangen*. Das Gericht ist Verlangen, nicht Gesetz. Alle sind faktisch Gerichtsfunktionäre: nicht nur die einfachen Zuhörer, nicht nur der Geistliche und der Maler, auch die zwielichtigen Frauen und perversen Mädchen, die im Roman so viel Platz einnehmen. Das Buch, das K. in den Dom mitnimmt, ist kein Brevier, sondern ein Album der städtischen Sehenswürdigkeiten. Die Bücher des Richters enthalten nur obszöne[51] Bilder. Das Gesetz steht in einem Pornoheft. Hier geht es nicht mehr um Hinweise auf die mögliche Falschheit der Justiz, sondern auf ihren Charakter als libidinöses Verlangen[52]. Die Angeklagten sind immer ›die Schönsten‹, man erkennt sie an ihrer seltsamen Schönheit. Die Richter benehmen sich und reden ›wie Kinder‹. Ein kleiner Scherz kann die Repression durcheinanderbringen. Die Gerechtigkeit ist Zufall, nicht Notwendigkeit, und Titorelli malt ihre Allegorie[53] als blindes Schicksal und geflügeltes Verlangen. Sie ›befindet sich im Lauf‹, als schweifender Wunsch, nicht als fester Wille. K. findet das seltsam und meint lächelnd, die Gerechtigkeit müsste eigentlich ruhen, ›sonst schwankt die Waage, und es ist kein gerechtes Urteil möglich‹ [P 133]. Doch an anderer Stelle erklärt ihm der Geistliche: ›Das Gericht will nichts

---

50 Grundsätzlich ähnlich: Jacques Derrida, *Préjugés: Vor dem Gesetz*, übers. von Detlev Otto und Axel Witte, 4., durchges. Aufl. Wien 2010 (frz. Orig. ¹1985).

51 unanständige.

52 libidinöses Verlangen: Dies bezieht sich auf Freuds These, dass die Libido als erotische Energiequelle die Wunsch- und Vorstellungswelt der Menschen prägt.

53 Versinnbildlichung.

von dir. *Es nimmt dich auf, wenn du kommst, und es entläßt dich, wenn du gehst‹* [P 205]. Die jungen Frauen sind nicht zwielichtig, weil sie ihre Eigenschaft als Gerichtshelferinnen verheimlichen, sondern weil sie, ganz im Gegenteil, sich gerade dadurch als Hilfskräfte offenbaren, dass sie Richtern, Advokaten und Angeklagten gleichermaßen zu Gefallen sind, in einem einzigen und ungeteilten, allseitigen und ungerichteten Verlangen. Durch den ganzen *Prozeß* zieht sich eine Ungerichtetheit, eine Polyvozität des Verlangens, die dem ganzen Roman seine erotische Kraft verleiht. […]

Wenn die Justiz sich nicht repräsentieren, nicht darstellen läßt, so eben deshalb, weil sie Wunsch und Verlangen ist. Das Verlangen tritt niemals direkt auf die Bühne […].«

Gilles Deleuze / Félix Guattari: Kafka. Für eine kleine Literatur. Übers. von Burkhart Kroeber. Frankfurt a.M.: Suhrkamp, 1976. [Frz. Orig. ¹1975.] S. 68 f. – © Les Éditions de Minuit, Paris 1975. © der deutschen Ausgabe Suhrkamp Verlag Frankfurt am Main 1976.

3.8. Literaturhinweise

3.8.1 Über Kafkas Leben und Werk

Adorno, Theodor W.: Aufzeichnungen zu Kafka. In: Th. W. A.: Prismen. Kulturkritik und Gesellschaft. Frankfurt a. M. 1976. (¹1955.) S. 302–342.

Alt, Peter-André: Franz Kafka: Der ewige Sohn. Eine Biographie. 2., durchges. Aufl. München 2008.

Auerochs, Bernd / Engel, Manfred (Hrsg.): Kafka-Handbuch: Leben – Werk – Wirkung. Stuttgart 2010.

Begley, Louis: Die ungeheure Welt, die ich im Kopf habe. Über Franz Kafka. Übers. von Christa Krüger. Stuttgart 2008.

Beißner, Friedrich: Der Erzähler Franz Kafka und andere Vorträge. Frankfurt a. M. 1983.

Benjamin, Walter: Benjamin über Kafka: Texte, Briefzeugnisse, Aufzeichnungen. Hrsg. von Hermann Schweppenhäuser. Frankfurt a. M. 1981.

Binder, Hartmut: Kafka-Kommentar zu sämtlichen Erzählungen. München 1982 [u. ö.].

Deleuze, Gilles / Guattari, Félix: Kafka. Für eine kleine Literatur. Übers. von Burkhart Kroeber. Frankfurt a. M. 1976. (Frz. Orig. ¹1975.)

Emrich, Wilhelm: Franz Kafka, Frankfurt a. M./Bonn 1970.

Jahraus, Oliver: Kafka: Leben, Schreiben, Machtapparate. Stuttgart 2006.

– / von Jagos, Bettina (Hrsg.): Kafka-Handbuch. Leben – Werk – Wirkung, Göttingen 2008.

Mairowitz, David Zane / Crumb, Robert: Kafka kurz und knapp. Übers. von Ursula Grützmacher-Tabori. Frankfurt a. M. 1995 [u. ö.].

Müller, Michael (Hrsg.): Interpretationen. Franz Kafka: Romane und Erzählungen. Stuttgart 1994. Durchges. und erw. Ausg. 2003.

Schlingmann, Carsten: Literaturwissen: Franz Kafka. Stuttgart 2007.

Sokel, Walter H.: Franz Kafka: Tragik und Ironie. Zur Struktur seiner Kunst. München/Wien 1964.

Stach, Reiner: Kafka – Die Jahre der Erkenntnis. Frankfurt a. M. 2010.

– Kafka – Die Jahre der Entscheidungen. Frankfurt a. M. 2004.

Wagenbach, Klaus: Kafka. Reinbek bei Hamburg 1964.

3.8.2 Interpretationen und Material zum *Process*-Roman

Beicken, Peter: Franz Kafka: *Der Process*. Interpretation. München, 2., überarb. Aufl. München 1999.

Brück, Martin: Franz Kafka. *Der Proceß*. Freising 2012. (Interpretationshilfe Deutsch.)

Canetti, Elias: Der andere Prozeß: Kafkas Briefe an Felice. München 1969.

Derrida, Jacques: Préjugés: Vor dem Gesetz. Übers. von Detlev Otto und Axel Witte. 4., durchges. Aufl. Wien 2010. (Frz. Orig. [1]1985.)

Hansen-Löve, Aage A.: *Vor dem Gesetz*. In: Interpretationen: Franz Kafka. Romane und Erzählungen. Hrsg. von Michael Müller. Durchges. und erw. Ausg. Stuttgart 2003. S. 146–157.

Müller, Michael: Kafka und Casanova. In: Freibeuter. Nr. 16 (1983). S. 67–76.

Robertson, Ritchie: *Der Proceß*. In: Interpretationen: Franz Kafka. Romane und Erzählungen. Hrsg. von Michael Müller. Durchges. und erw. Ausg. Stuttgart 2003. S. 98–145.

Der Verlag Philipp Reclam jun. dankt für die Nachdruckgenehmigung den Rechteinhabern, die durch den Textnachweis und einen folgenden Genehmigungs- oder Copyrightvermerk bezeichnet sind. In einigen Fällen waren die Rechteinhaber nicht festzustellen. Hier ist der Verlag bereit, nach Anforderung rechtmäßige Ansprüche abzugelten.

Abb. 4: Die Erotik des Schriftverkehrs – Szene aus dem Film *Der Prozess* von Orson Welles (1962) mit Anthony Perkins und Romy Schneider

Inhalt